1級 電気工事施工 超速マスター

第2版

著 関根 康明

はじめに

１級電気工事施工管理技士は，建設業法に基づく国家資格です。建設業法施行令に定められた，一定の要件に該当する大規模な電気工事の元請けとして，建設現場の監理技術者になることができます。今後，専任の技術者を配置する工事が増えることも予想されます。この資格を有している者がいなければ，工事を受注できないため，個人のみならず企業にとっても必要な，社会的評価の高い資格といえます。

試験は，第一次検定と第二次検定があり，第一次検定に合格すると，１級電気工事施工管理技士補，第二次検定に合格すると，１級電気工事施工管理技士になります（免状交付申請後）。

本書では，予備知識のない読者も考慮して，試験で問われる要点をまとめ，わかりやすい解説に努めました。第一次検定の基礎から，その延長上にある第二次検定までを一冊に凝縮していますので，短期間で効率的に学習することができます。第一次検定と第二次検定の両方に共通する基礎的な知識を培っていただくことも，本書が期待するところです。

さらに，各節の終わりでは，過去に出題された重要な問題を掲載しているので，学習の効果を確認することができます。

受検者の皆さんには，電気工事施工管理技士試験に合格するための入門書として，また試験直前には，最終確認を行う総まとめとして，本書を有効に活用していただければと思います。

合格の栄冠を手にされることを祈念いたします。

目　次

はじめに …… iii
受検案内 …… ix

第一次検定

第1章　電気工学

1　電気理論 …… 2
抵抗と電気回路 …… 3
電界とコンデンサ …… 6
磁界とコイル …… 12
交流回路 …… 20

2　計測・制御 …… 28
計器と計測法 …… 29
自動制御 …… 34
論理回路 …… 38

3　電気機器 …… 42
発電機 …… 43
変圧器 …… 47
コンデンサ・リアクトル …… 53

4　電力系統 …… 56
水力発電 …… 57
汽力発電 …… 59
送電線 …… 63

5　電気応用 …… 68
照明 …… 69
電池・発電 …… 74
電動機 …… 77

第2章　電気設備

1　発電設備 ……………… 80

水力発電所 ……………… 81
汽力発電所 ……………… 84
その他発電 ……………… 86

2　変電設備 ……………… 90

変電所の設置 ……………… 91

3　送配電設備 ……………… 96

電力系統 ……………… 97
架空送電線路 ……………… 102
地中送電線路 ……………… 109
配電線路 ……………… 113

4　構内電気設備 ……………… 116

受電設備 ……………… 117
照明設備 ……………… 122
保護装置ほか ……………… 124
自家発電設備等 ……………… 130
接地工事 ……………… 136
消防用設備等 ……………… 140
通信設備等 ……………… 146

5　電車線・その他 ……………… 156

電気鉄道 ……………… 157
道路照明 ……………… 162

第3章　関連分野

1　管 ……………… 166

空気調和設備 ……………… 167
給排水設備 ……………… 172

2　土木・鉄塔 ……………… 176

土工事 ……………… 177
測量 ……………… 184

3 建築 ······ 186
鉄筋コンクリート造 ······ 187
鉄骨構造 ······ 192

4 設計・契約 ······ 194
図記号・器具番号 ······ 195
請負契約約款 ······ 197

第4章 施工管理

1 施工計画 ······ 202
施工計画書 ······ 203
仮設計画 ······ 206
提出書類 ······ 208

2 工程管理 ······ 210
工程表 ······ 211
アローネットワーク ······ 214
経済速度・採算速度 ······ 220

3 品質管理 ······ 222
品質管理の基本 ······ 223
QC の道具 ······ 226
試験・検査 ······ 228

4 安全管理 ······ 232
建設現場の安全 ······ 233
安全衛生教育 ······ 238

5 工事施工 ······ 242
発電工事 ······ 243
高圧電気工事 ······ 246
低圧電気工事 ······ 249
その他工事 ······ 253

第5章 法規

1 建設業法 ······ 258
建設業許可 ······ 259
技術者 ······ 264

請負契約 …… 262
施工体制台帳･施工体系図 …… 266

2 電気関係法規 …… 268
電気事業法 …… 269
電気用品安全法 …… 272
電気工事士法ほか …… 274

3 建築関係法規 …… 276
建築基準法 …… 277
建築士法 …… 280

4 労働関係法規 …… 282
労働基準法 …… 283
労働安全衛生法 …… 285

5 消防法・その他 …… 288
消防法 …… 289
資材の再資源化等 …… 292
廃棄物の処理および清掃 …… 294

第一次検定 練習問題 …… 295

第二次検定

第1章 施工経験記述

1 記述の基本 …… 346
記述の要点 …… 347

2 合格答案の書き方 …… 350
減点答案と合格答案 …… 351

第2章 工事施工

1 品質管理 …… 356
品質管理の用語 …… 357

2　安全管理 …… 360

安全管理の用語 …… 361

第3章　電気用語

1　頻出用語と解答例 …… 364

解答案 …… 365

第4章　知識問題

1　計算問題 …… 372

電気の計算公式 …… 373　問題の解き方 …… 376

2　法規 …… 378

建設業法 …… 379　電気事業法 …… 384

第二次検定 練習問題 …… 387

索引 …… 400

※本書で掲載している過去問題は，本文の表記方法に合わせているため，実際の試験とは一部表現が異なります。

受検案内

受検資格

令和6年度からの受検資格（新基準）は，下記のとおりです。旧基準等の詳細は一般財団法人建設業振興基金のホームページを参照してください。

◆第一次検定

試験実施年度に満19歳以上となる者

◆第二次検定

【区分1】1級第一次検定合格者
1級電気工事第一次検定合格後，実務経験5年以上
1級電気工事第一次検定合格後，特定実務経験(※2)1年以上を含む実務経験3年以上
1級電気工事第一次検定合格後，監理技術者補佐(※3)としての実務経験1年以上
【区分2】1級第一次検定，および2級第二次検定合格者(※4)
2級電気工事第二次検定合格後(※4)，実務経験5年以上
2級電気工事第二次検定合格後(※4)，特定実務経験(※2)1年以上を含む実務経験3年以上
【区分3】1級第一次検定受検予定，および2級第二次検定合格者(※4)
2級電気工事第二次検定合格後(※4)，実務経験5年以上
2級電気工事第二次検定合格後(※4)，特定実務経験(※2)1年以上を含む実務経験3年以上
【区分4】1級第一次検定，および第一種電気工事士試験合格または免状交付者
第一種電気工事士試験合格または免状交付後，実務経験5年以上
第一種電気工事士試験合格または免状交付後，特定実務経験(※2)1年以上を含む実務経験3年以上
【区分5】1級第一次検定受検予定，および第一種電気工事士試験合格または免状交付者
第一種電気工事士試験合格または免状交付後，実務経験5年以上
第一種電気工事士試験合格または免状交付後，特定実務経験(※2)1年以上を含む実務経験3年以上

※1 新旧の受験資格で実務経験の考え方自体が異なります。必ず受検の手引きをご確認ください。
※2 建設業法の適用を受ける請負金額4,500万円（建築一式工事については7,000万円）以上の建設工事であって，監理技術者・主任技術者（いずれも実務経験対象となる建設工事の種類に対応した監理技術者資格者証を有する者に限る）の指導の下，または自ら監理技術者若しくは主任技術者として行った施工管理の実務経験を指します。
※3 建設業法第26条第3項に定める監理技術者を補佐する者のことを指します。
※4 旧2級施工管理技術検定実地試験合格者を含みます。

試験日程

●受験申込受付期間：1月下旬～2月上旬

●第一次検定実施日：6月～7月　●第二次検定実施日：10月中旬

試験科目・出題形式

◆第一次検定

出題形式：マークシート方式（択一式）

検定科目	検定基準
電気工学等	電気工事の施工の管理に必要な電気工学，電気通信工学，土木工学，機械工学及び建築学，設計図書に関する一般的な知識。電気工事の施工の管理に必要な発電設備，変電設備，送配電設備，構内電気設備等に関する一般的な知識を有すること。
施工管理法	監理技術者補佐として，電気工事の施工の管理に必要な施工計画の作成方法および工程管理，品質管理，安全管理等工事の施工の管理方法に関する知識。監理技術者補佐として，電気工事の施工の管理に必要な応用能力。
法規	建設工事の施工の管理に必要な法令に関する一般的な知識。

◆第二次検定

出題形式：記述式・択一式

検定科目	検定基準
施工管理法	監理技術者として，電気工事の施工の管理に必要な知識。監理技術者として，設計図書で要求される発電設備，変電設備，送配電設備，構内電気設備等（以下，「電気設備」という。）の性能を確保するために設計図書を正確に理解し，電気設備の施工図を適正に作成し，および必要な機材の選定，配置等を適切に行うことができる応用能力。

問い合わせ先

一般財団法人建設業振興基金　試験研修本部

〒105-0001

東京都港区虎ノ門4丁目2番12号　虎ノ門4丁目MTビル2号館

TEL　03-5473-1581　Mail　d-info@kensetsu-kikin.or.jp

ホームページ　https://www.fcip-shiken.jp/

第一次検定

第1章

電気工学

1 電気理論 …………………… 2
2 計測・制御 ………………… 28
3 電気機器 …………………… 42
4 電力系統 …………………… 56
5 電気応用 …………………… 68

第1章  電気工学

CASE 1 電気理論

まとめ & 丸暗記　この節の学習内容とまとめ

□ 導体の抵抗

$R=\rho l/S=l/\sigma S$

R：導体の抵抗〔Ω〕　ρ：抵抗率〔Ω·m〕　l：導体の長さ〔m〕

σ：導電率〔1/Ω·m〕　S：導体の断面積〔m^2〕

□ 発生熱量

$W=I^2Rt$

W：電力量（熱量）〔J〕　I：電流〔A〕　R：抵抗〔Ω〕

t：時間〔s〕

□ 電荷量

$Q=CV$

Q：電荷量〔C〕　C：静電容量〔F〕　V：電圧〔V〕

□ 平行板コンデンサの静電容量

$C=\varepsilon S/d$

C：コンデンサの静電容量〔F〕　ε：誘電率〔F/m〕

S：極板面積〔m^2〕　d：極板間隔（誘電体厚さ）〔m〕

□ 静電エネルギー

$W=CV^2/2$

W：エネルギー〔J〕　C：静電容量〔F〕　V：電圧〔V〕

□ 直線状導体の磁界

$H=I/2\pi r$

H：磁界の大きさ〔A/m〕　I：電流〔A〕

π：円周率　r：半径〔m〕

□ 環状コイルの相互インダクタンス

$M=\mu SN_1N_2/l$

M：相互インダクタンス〔H〕　μ：透磁率〔H/m〕

S：コイル断面積〔m^2〕　N_1：1次コイル巻数

N_2：2次コイル巻数　l：磁路長〔m〕

1 導体の抵抗

電線は電流が流れやすい材質でできており，これを導体といいます。導体の抵抗 $\boldsymbol{R}$〔Ω〕は，次の式で表わすことができます。

$$R=\rho l/S \quad \cdots\cdots ①$$

l〔m〕

S〔m²〕　抵抗率 ρ〔Ω·m〕

$\boldsymbol{R}$：導体の抵抗〔Ω〕　ρ（ロー）：抵抗率[※1]〔Ω·m〕

$\boldsymbol{l}$：導体の長さ〔m〕　$\boldsymbol{S}$：断面積〔m²〕

また，導電率[※2]を σ（シグマ）とすると，$\sigma=1/\rho$ の関係があります。これを先の公式①に当てはめると，

$$R=l/\sigma S \quad \cdots\cdots ②$$

となります。

2 電気回路の法則

①オームの法則[※3]

図の直流回路において，オームの法則が成り立ちます。

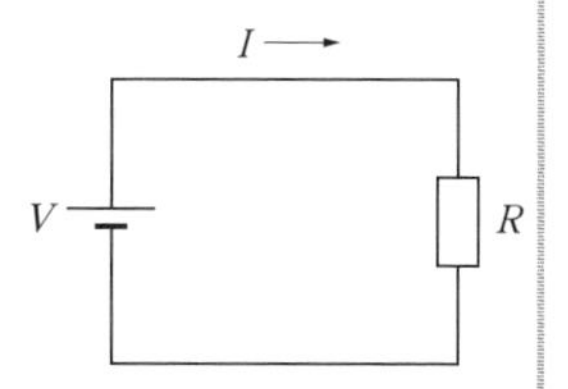

$$I=V/R$$

また，$V=IR$，$R=V/I$ と変形できます。

$\boldsymbol{V}$：電圧〔V〕　$\boldsymbol{I}$：電流〔A〕　$\boldsymbol{R}$：抵抗〔Ω〕

※1
抵抗率
電流の流れにくさを表す定数で，単位断面積，単位長さあたりの電気抵抗です。単位は〔Ω・m〕。

※2
導電率
電流の流れやすさを表す定数です。
導電率の大きい順に，銀，銅，金，アルミニウムです。電線導体として銅とアルミニウムが使用されます。

※3
オームの法則
オームの法則は，直流回路だけでなく交流回路でも成り立ちます。その場合，抵抗Rの代わりにインピーダンスZ（P22参照）を用いて，$I=V/Z$です。

②キルヒホッフの法則

●第1法則

電気回路の1点に流れ込む**電流の和は0**です。

（流れ込む電流は＋符号，流れ出す電流は－符号）

●第2法則

回路で，起電力（電圧）の合計と抵抗の電圧降下の合計は等しくなります。

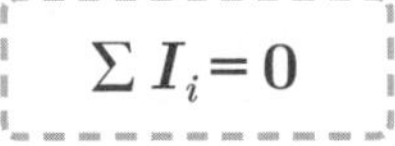

$$\Sigma I_i = 0$$

$$\Sigma V_i = \Sigma I_i R_i$$

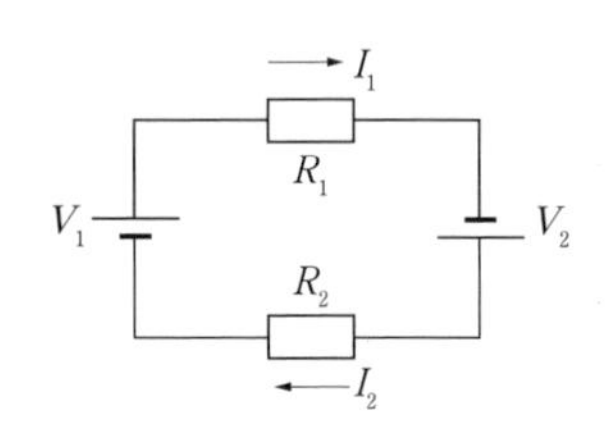

3 合成抵抗

合成抵抗とは，**2個以上の抵抗**を接続したときの全体の抵抗をいい，接続の仕方により，合成抵抗の求め方が異なります。

①直列接続

抵抗R_1，R_2を直列接続したとき，端子ab間の合成抵抗Rは，次のとおりです。

$$R = R_1 + R_2 \quad \cdots\cdots ①$$

直列接続では，抵抗が3個以上でもすべての抵抗値を足し算すれば計算できます。

②並列接続

抵抗R_1，R_2を並列接続したとき，端子ab間の合成抵抗Rは，次のとおりです。

$$R = \frac{R_1 R_2}{R_1 + R_2} \quad \cdots\cdots ②$$

抵抗2個の並列接続の場合は，「**積／和**」で計算できます。3個以上で抵抗の個数が多いときは，$1/R = 1/R_1 + 1/R_2 + 1/R_3 + \cdots\cdots$　からRが計算できますが，一般には，公式②を複数回利用します。

4 発生熱量

R〔Ω〕の抵抗に，I〔A〕の電流を t〔s〕流したとき，電力[※4] P〔W〕と電力量[※5] W〔W・s〕は次のようになります。

$$P=I^2R=V^2/R$$

$$W=Pt=I^2Rt$$

これがすべて熱エネルギー Q になるので，

$$Q=W=I^2Rt$$

となります。なお，熱エネルギーの単位は，〔J〕（ジュール）です。

$$1〔W・s〕=1〔J〕$$

$Q=I^2Rt$〔J〕

I〔A〕

使用時間 t〔s〕

R〔Ω〕

※4

電力

直流回路では，$P=VI$ で計算します。オームの法則 $V=IR$ から，$P=I^2R=V^2/R$ と表現できます。

※5

電力量

電力に，負荷（電気製品）を使用した時間を掛けたものです。単位は，〔W·s〕ですが，〔kW·h〕なども用いられます。

チャレンジ問題！

問1　難　**中**　易

10Ωの抵抗に100Vの電圧を一定時間加えたとき，この抵抗に$3×10^5$Jの熱量が発生した。加えた時間として，正しいものはどれか。

(1)　5分　　(3) 21分

(2)　12分　　(4) 50分

解説

$P=V^2/R=100^2/10=1,000$〔W〕

$Q=P×t$ より，

$t=Q/P=3×10^5÷1,000=300$〔s〕$=5$分

解答 (1)

電界とコンデンサ

1 電界

※6
電界とは，電荷に電気力の働く空間をいいます。また，空間内の点で，単位電荷〔1C〕に働く電気力を電界の強さといいます。

※7
電気力線には，次の性質があります。

- 正電荷に始まり負電荷に終わる
  ※電位の高い点から低い点に向かう。
- 密度は，その点の電界の大きさを表す
  ※電気力線が密集するほど電界は強い。
- 等電位面と垂直に交わる
- 電気力線の向きは，その点の電界の方向と一致する

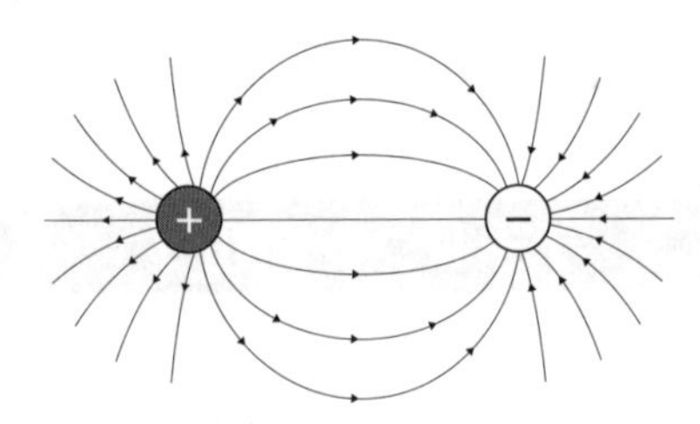

2 帯電体と静電誘導

帯電とは，＋(正)または－(負)の電気（電荷）を帯びた状態をいい，帯電体とは，帯電している物体をいいます。

帯電していない導体に帯電体を近づけると，導体は帯電します。

たとえば，図のように＋に帯電した物体Ⅰを，物体Ⅱに近づけると，－の電荷がⅠに近い側に集まる。この現象を静電誘導といいます。

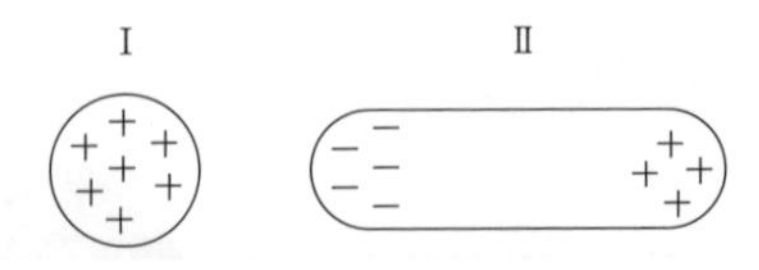

3 コンデンサ

導体に電圧を加えると電荷が現れます。その電荷を蓄える機器がコンデンサであり，その能力を静電容量※8といいます。記号はC，単位は〔F〕（ファラド）で表します。蓄えられる電荷量Q〔C〕（クーロン）は，次のとおりです。

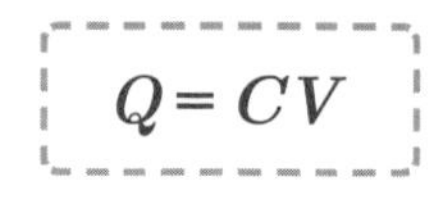

$$Q=CV$$

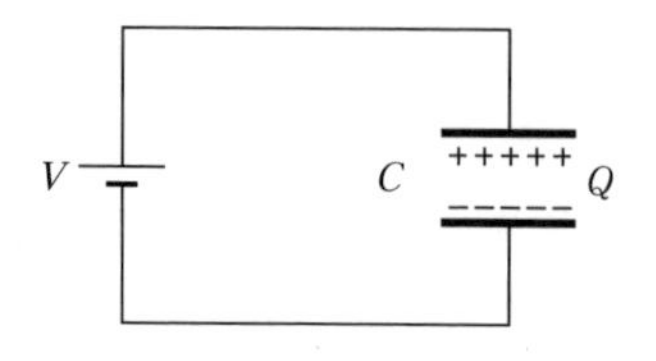

C：静電容量〔F〕　　V：電圧〔V〕

4 合成容量

合成容量※9とは，2個以上のコンデンサを接続したときの，全体のコンデンサの静電容量をいいます。接続の仕方により，合成容量の求め方は異なります。

①直列接続

● コンデンサC_1，C_2を直列接続したときの合成容量

$$C=\frac{C_1C_2}{C_1+C_2}$$

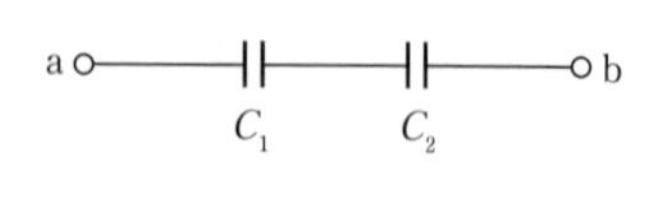

②並列接続

● コンデンサC_1，C_2を並列接続したときの合成容量

$$C=C_1+C_2$$

a　C_1　C_2　b

※6
電界
電場ともいいます。

※7
電気力線
電気力線は，電気がどのように作用するかを示した仮想の線です。

※8
静電容量
単位は〔F〕ですが，一般には，〔μF〕（マイクロ），〔pF〕（ピコ）の単位が使われます。
1〔μF〕$=10^{-6}$〔F〕
1〔pF〕$=10^{-12}$〔F〕

※9
合成容量
コンデンサの合成容量の計算は，抵抗の場合と逆です。

例題

図に示す回路において，コンデンサ C_1 に蓄えられる電荷量を求めなさい。

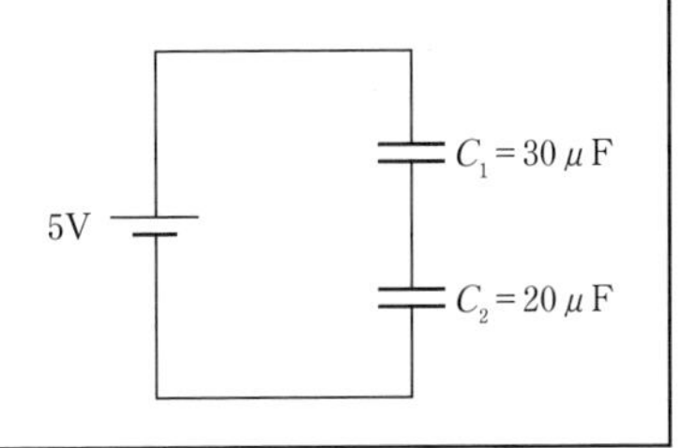

解説

（考え方1）電圧が分圧され，C_1 には2V，C_2 には3Vかかります。

よって，電荷量 $Q = CV = 30 \times 2 = 60\,\mu$C

（考え方2）合成容量 $C = 30 \times 20 / (30 + 20) = 12$

よって，電荷量 $Q = CV = 12 \times 5 = 60\,\mu$C

5 静電エネルギー

静電エネルギーとは，コンデンサに蓄えられるエネルギー W〔J〕のことで，次の式で表されます。

$$W = CV^2/2$$

C：静電容量〔F〕　　V：電圧〔V〕

例題

図に示す回路において，電圧 V〔V〕を加えたとき，静電容量 C_1〔F〕，C_2〔F〕のコンデンサに蓄えられる合計のエネルギー W〔J〕の大きさを求めなさい。

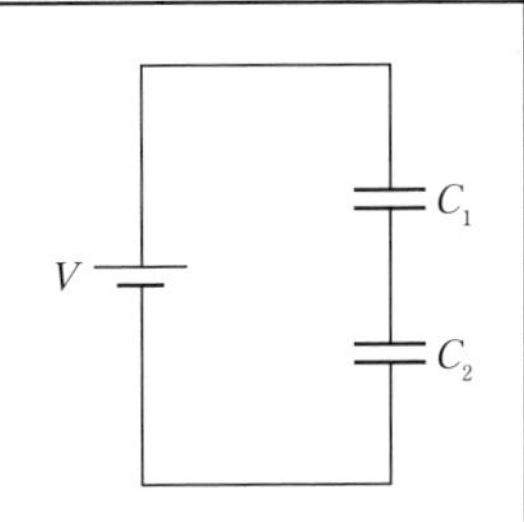

解説

C_1 と C_2 の合成容量 $C = C_1C_2/(C_1 + C_2)$ です。

これを $W = CV^2/2$ に代入すると,

$$W = C_1C_2V^2/2(C_1 + C_2)$$

6 誘電体

誘電体とは，電界（電気の働く場）において，原子が誘電分極[※10]する物体をいいます。プラスチックがその一例です。

自由電子[※11]はほとんどないため，直流電流は流れません。ただし，交流の電界では分極の遅れによる交流電流が流れ，誘電損失を生じます。

誘電率（ε(イプシロン)）は，平行電極間に充てんされた物質の誘電分極のしやすさをいいます。誘電分極しやすい物質は，εの値が大きくなります。

真空の誘電率[※12]は ε_0 と表し，誘電体の誘電の度合いを示すときは，誘電率（ε）の ε_0 に対する比で表します。これを比誘電率といいます。

$$\varepsilon_s = \varepsilon / \varepsilon_0$$

7 平行板電極間の静電容量

2枚の平板（金属板）を平行に置いてコンデンサを作ります。このときの静電容量 C〔F〕は，次の式で表されます。

※10
誘電分極
＋と－に分離することです。

※11
自由電子
原子核（＋を帯びている）から離れて，自由に動ける電子です。

※12
真空の誘電率（ε_0）
$\varepsilon_0 \doteqdot 8.85 \times 10^{-12}$〔F/m〕です。

$$C=\varepsilon S/d$$

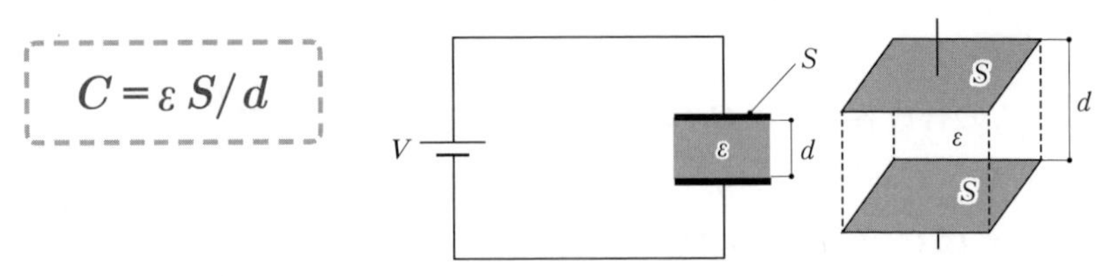

$\boldsymbol{d}$：平行板間距離〔m〕　ε：誘電率〔F/m〕　$\boldsymbol{S}$：平行板面積〔m^2〕

例題

図に示す電極板の面積が$0.3m^2$の平行板コンデンサに，比誘電率が2の誘電体を挿入したとき，コンデンサの静電容量を求めよ。

ただし，誘電体の厚さ$\boldsymbol{d}$は5mmとし，真空の誘電率はε_0とする。

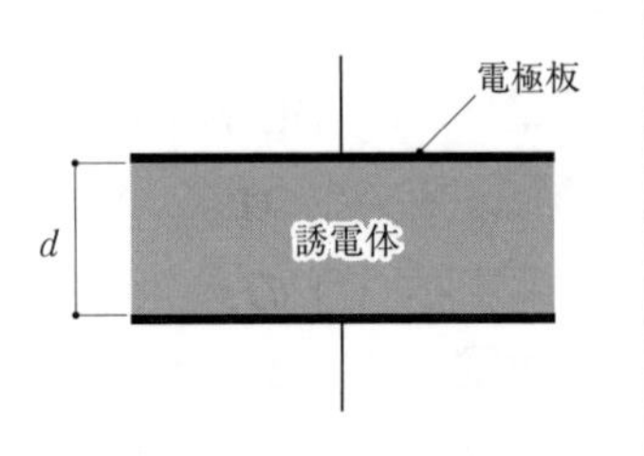

解説

$$C=\varepsilon S/d=\frac{2\varepsilon_0\times 0.3}{5\times 10^{-3}}=120\,\varepsilon_0\text{〔F〕}$$

8 クーロンの法則

2つの点電荷[※13]に働く静電力$\boldsymbol{F}$〔N〕は次の式で表されます。

$$F=Q_1Q_2/4\pi\varepsilon r^2$$

+Q_1　+Q_2
F　F
r

$\boldsymbol{Q_1}$, $\boldsymbol{Q_2}$：電荷〔C〕　ε：電荷を取り巻く媒質の誘電率〔F/m〕

$\boldsymbol{r}$：2つの電荷の距離〔m〕

電荷が同符号（＋同士，－同士）は反発力が，異符号（＋と－）は吸引力が点電荷に作用します。

※13
点電荷
点のように小さな電荷のことです。

チャレンジ問題！

問1 難 中 易

図のように，真空中に，一直線上に等間隔 r〔m〕で，$-4Q$〔C〕，$2Q$〔C〕，Q〔C〕の点電荷があるとき，Q〔C〕の点電荷に働く静電力 F〔N〕を表す式として，正しいものはどれか。

ただし，真空の誘電率を ε_0〔F/m〕とし，右向きの力を正とする。

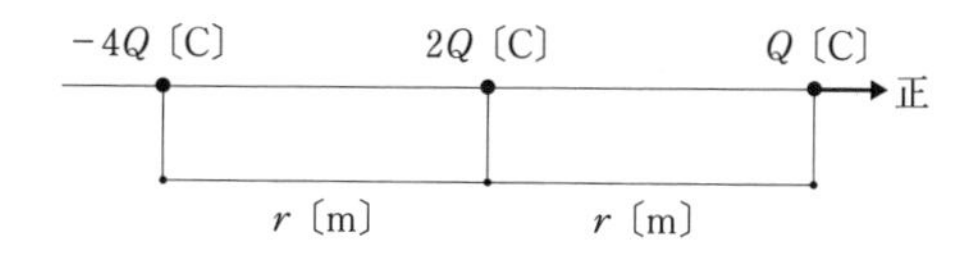

(1) $F=\dfrac{Q^2}{4\pi\varepsilon_0 r^2}$〔N〕

(2) $F=-\dfrac{Q^2}{4\pi\varepsilon_0 r^2}$〔N〕

(3) $F=\dfrac{Q^2}{2\pi\varepsilon_0 r^2}$〔N〕

(4) $F=-\dfrac{Q^2}{2\pi\varepsilon_0 r^2}$〔N〕

解説

① 点電荷$-4Q$とQ間には，吸引力F_1が働きます。（Qの左方向）
$F_1=4Q^2/4\pi\varepsilon_0(2r)^2=Q^2/4\pi\varepsilon_0 r^2$ ……①

② $2Q$とQ間には，反発力F_2が働きます。（Qの右方向）
$F_2=2Q^2/4\pi\varepsilon_0 r^2$ ……②

②−①$=Q^2/4\pi\varepsilon_0 r^2$

解答（1）

磁界とコイル

1 磁界

磁石を置くと，その周囲に鉄などを吸いつける力が働きます。この力を**磁力**といい，磁力の作用する周囲（場，フィールド）を，**磁界**[※14]といいます。

磁石の性質を持ったものを**磁性体**といい，磁界中に鉄，ニッケル，コバルトのような金属を置くと強く**磁化**[※15]されます。これを強磁性体といいます。

磁石において，N極からS極に向かって矢線が出ており，これを**磁力線**といいます。磁力線は，電界の場合の**電気力線**と同様に，仮想的な線です。磁力線の本数が多ければ，磁力が強いことを意味します。

磁界には次の性質があります。

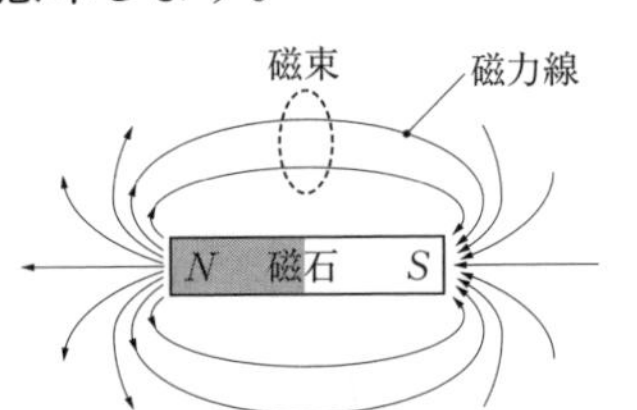

- 磁石にはN極とS極がある
- 磁力線は，N極から出てS極に入る
- 磁力線は分岐，交差しない
- 異種の磁極（N極とS極）の間には，吸引力が働く

2 ヒステリシスループ

鉄のような強磁性体を磁化すると，磁界の強さに応じて磁束密度が図のように変化します。

このループから次のことがわかります。

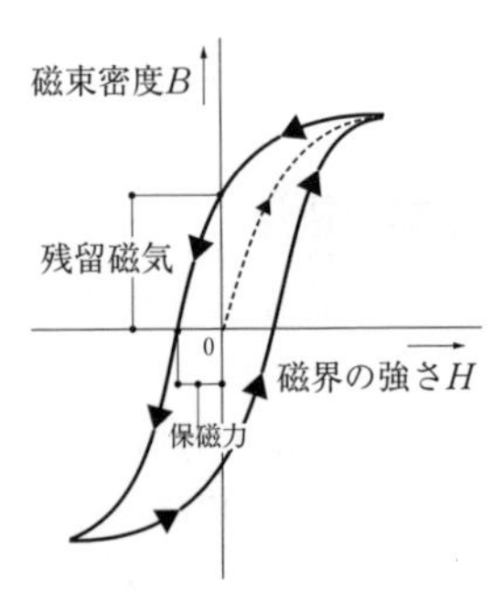

- 磁性体の**ヒステリシス損**[※16]は，ループで囲まれた部分の面積に比例する
- **残留磁気**が大きく，**保磁力**が小さいものは電磁石に適する
- 残留磁気が大きく，保磁力も大きいものは，永久磁石に適する

3 右ねじの法則

導体（電線）に電流が流れると，その周囲に磁界が生じます。電流の流れる方向をねじの進む向きにとると，右ねじを回す方向に円形の磁界ができます。これを右ねじの法則といいます。

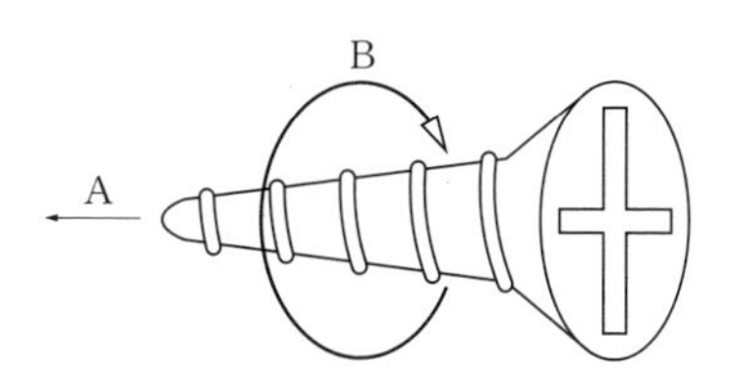

A：電流の流れる方向　　B：磁界の発生する方向

電流の流れる方向や磁界の方向などを紙面上で表現するには，次の記号を用いると便利です。

⊗ 矢尻を見ている（机上の紙面の上から下に向かう方向）

⊙ 矢先を見ている（机上の紙面の下から上に向かう方向）

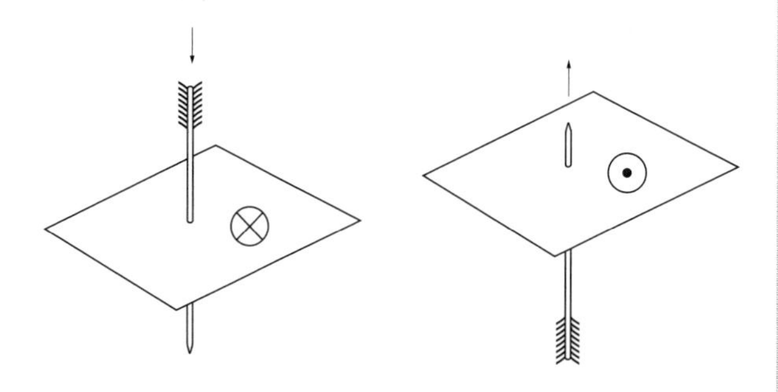

※14
磁界
磁場ともいいます。

※15
磁化
磁石の性質をもつことです。

※16
ヒステリシス損
鉄の分子間の摩擦によって生じる損失です。

4 磁界の大きさ

①直線状導体

無限に長い直線状導体に，図に示す方向（下から上）に電流Iが流れているとき，点Pにおける磁界の向きは右ねじの法則により，矢印の方向となります。

また，磁界の大きさH〔A/m〕は次の式で表されます。

$$H = I/2\pi r$$

I：電流〔A〕　r：電線からの距離〔m〕

②円形状導体

導体を円形にしたものに電流を流すと，磁界は円の中心部に直線状に発生します。

そのときの磁界の大きさH〔A/m〕は次の式で表されます。

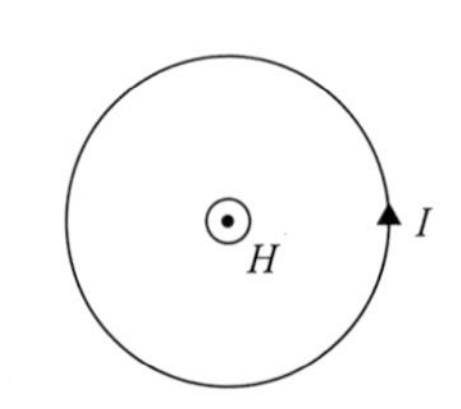

$$H = I/2r$$

I：電流の大きさ〔A〕　r：円の半径〔m〕

直線状導体と円形状導体のいずれの場合も，生じる磁界の大きさは，導体中心からの半径に反比例し，電流の大きさに比例します。

5 フレミングの左手の法則

フレミング[※17]が発見した法則です。磁界中に導体（電線）を置き，電流を流すと導体を動かそうとする力が働きます。この力を**電磁力**といいます。

左手の親指，人さし指，中指をそれぞれ直角になるように開き，人さし指を磁界B，中指を電流Iの方向に向けると親指の方向に電磁力Fが働きます。

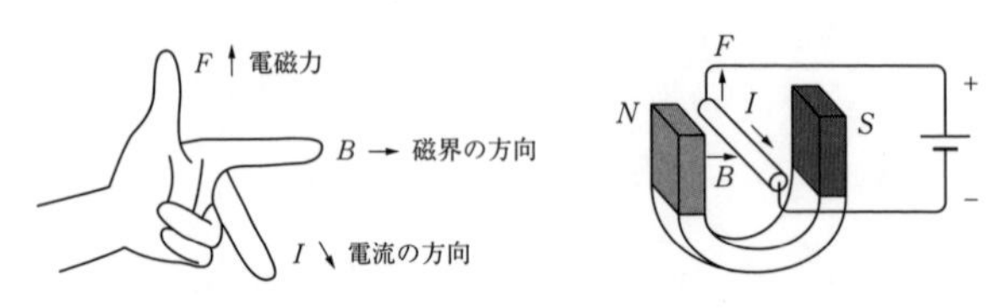

たとえば，図のように導体をU字形磁石の中に入れ，電流を流します。磁界は，N極からS極に向かうので，フレミングの左手の法則より，導体は上向きの力を受けます。

※17
フレミング
イギリスの電気工学者。左手の法則と，右手の法則があります。覚え方は，親指から順番に「FBI」，中指から逆に「電磁力」です。

6 平行導体に働く力

2本の無限に長い導体L_1とL_2を平行に置きます。これに電流を流すと，次のような現象が起こります。

- 導体L_1とL_2に同方向に電流を流すと，導体に吸引力（F）が働く
- 導体L_1とL_2に反対方向に電流を流すと，導体に反発力（F）が働く

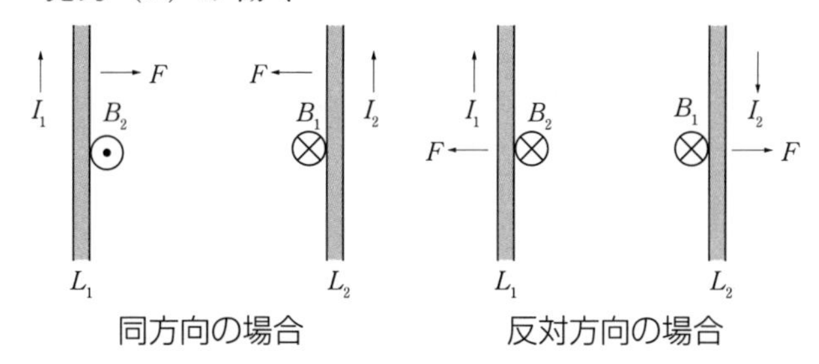

同方向の場合　　反対方向の場合

B_1はI_1により生じる，導体L_2付近の磁界で，B_2はI_2により生じる，導体L_1付近の磁界です。その方向は，図のとおりです。

これは，フレミングの左手の法則で説明できます。

また，電磁力の大きさ（F）は次の式で表すことができます。

$$F = BIl\sin\theta$$

B：磁束密度〔Wb/m^2〕　I：電流〔A〕
l：導体の長さ〔m〕　θ：BとIのなす角

7 ファラデーの電磁誘導の式

コイルの中を通る磁束[※18]が変化すると，コイルに起電力 e〔V〕が生じます。この誘導された起電力を**誘導起電力**といいます。

eは次の式で表されます。

$$e = -N\Delta\Phi/\Delta t$$

N：コイルの巻数　$\Delta\Phi$：磁束の変化〔Wb（ウェーバ）〕　Δt：時間の変化〔s〕

これをファラデーの**電磁誘導の法則**[※19]といいます。

図1は磁石とコイルが静止した状態です。コイルを貫通する磁束はΦで一定です。

図2は磁石を矢印の方向に移動させ，コイルに近づけていくと，コイルを貫通する磁束が$\Delta\Phi$だけ増加します。磁束を一定に保とうとするため，点線の矢印の方向に$\Delta\Phi$分の磁束が発生するように，起電力eが誘導されます。

逆に，磁石をコイルから離していくと，逆向きの誘導起電力が発生します。

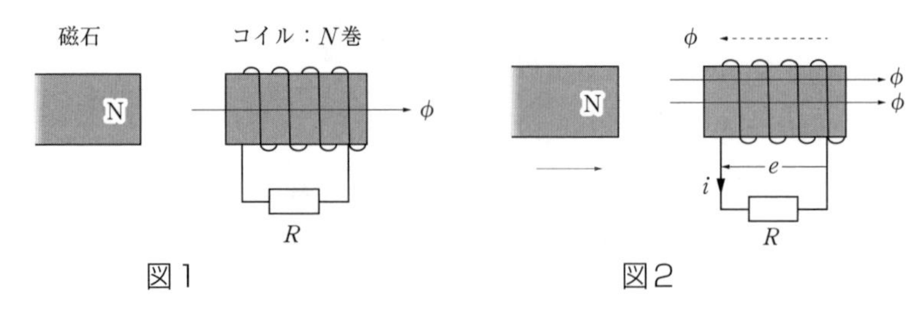

図1　　図2

例題

巻数100のコイルの磁束が0.2秒に0.01Wb変化したとき，誘導される起電力は何〔V〕か。

解説

$100 \times 0.01/0.2 = 5$〔V〕

8 自己誘導・相互誘導

①自己誘導

自己誘導とは，自己のコイルに流れる電流により，自己のコイルに起電力が発生する現象です。

ファラデーの電磁誘導の法則において，起電力の大きさだけ考慮すると次のようになります。

$$e = N\Delta\Phi/\Delta t \quad \cdots\cdots ①$$

ここで，電流がΔIだけ変化すると，磁束は$\Delta\Phi$だけ変化し，$\Delta\Phi = k\Delta I$の関係があります（$\Delta\Phi$とΔIは比例）。

①式に代入すると，$e = Nk\Delta I/\Delta t$　であり，$Nk = L$とおけば，

$$e = L\Delta I/\Delta t \quad \cdots\cdots ②$$

このLが自己インダクタンス[※20]で，単位は〔H〕（ヘンリー）です。

電流の時間的変化により起電力eが発生し，この比例定数がLです。

①，②式から，$LI = \Phi N$ が導かれます。

例題

自己インダクタンス20mHのコイルに1msの間に0.5A変化する電流を流した。このとき発生する電圧は何Vか。

解説

$e = L\Delta I/\Delta t$　より，

$20 \times 10^{-3} \times 0.5/1 \times 10^{-3} = 10$〔V〕

※18
磁束
磁力線の束のことです。単位は，〔Wb〕で，「ウェーバ」と読みます。

※19
電磁誘導の法則
－（マイナス符号）が付いているのは，磁束の変化を妨げる向きに誘動起電力が発生するためです。

※20
自己インダクタンス
コイルの能力を示します。単位は〔H〕です。コンデンサの能力を示す静電容量〔F〕と対照して記憶するとよいでしょう。

②相互誘導

相互誘導とは，コイルAの電流変化により，コイルBに電圧が誘起される現象です。

誘起される電圧の大きさ$\boldsymbol{e_2}$〔V〕は，次の式で表されます。

$$e_2 = M\Delta I_1/\Delta t$$

$\boldsymbol{M}$：相互インダクタンス〔H〕　$\boldsymbol{\Delta I_1}$：コイルAに流れる電流の変化〔A〕

また，コイルAには$\boldsymbol{e_1 = L_1 \Delta I_1/\Delta t}$〔V〕の電圧が発生しています。

コイルAに流した電流により，磁束$\boldsymbol{\Phi_1}$が生じ，そのうちの何％かがコイルBと鎖交（貫通）します。鎖交する磁束を$\boldsymbol{\Phi_2}$とすると，$\boldsymbol{\Phi_1 = k\Phi_2}$の関係があります（$0 \leqq \boldsymbol{k} \leqq 1$）。この$\boldsymbol{k}$を結合係数といいます。

$\boldsymbol{M}$，$\boldsymbol{L_1}$，$\boldsymbol{L_2}$には次の関係があります。

$$M = k\sqrt{L_1 L_2}$$

9 環状コイル

①環状コイル

環状コイルとは，磁性体でドーナツ状の輪を作ったものに，電線を巻き付けたものです。環の部分を磁路といい，点線部分の長さを，磁路長といいます。

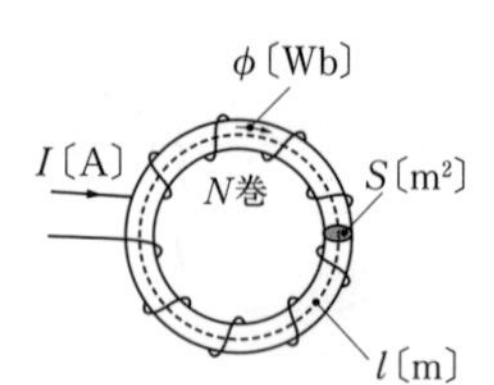

電線を$\boldsymbol{N}$〔回〕巻き，電流$\boldsymbol{I}$〔A〕を流すと，矢印の方向に磁束$\boldsymbol{\Phi}$〔Wb〕が発生します。磁束の大きさは次式のとおりです。

$$\Phi = \mu SIN/l$$

ここで，μは，透磁率[※21]を表します。

②環状コイルのインダクタンス

図において，自己インダクタンスLは，$LI=\Phi N$より，次の式で表されます。

$$L=N\Phi/I=\mu SN^2/l$$

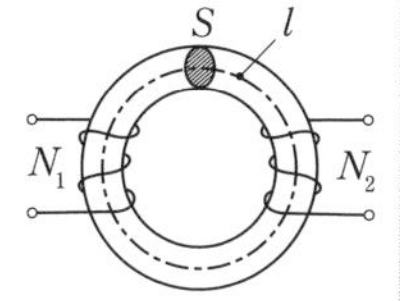

2つのコイルの場合，相互インダクタンスMは，次の式で表されます。

なお，漏れ磁束[※22]は無いものとします。

$$M=\mu SN_1N_2/l$$

l：磁路長〔m〕　S：断面積〔m^2〕

μ：透磁率〔H/m〕　N_1，N_2：コイルの巻数

※21
透磁率
磁性体固有の定数です。空気中（厳密には真空中）での透磁率をμ_0で表し，その値は，$\mu_0=4\pi\times10^{-7}$〔H/m〕です。物質の透磁率μと真空の透磁率μ_0との比$\mu_s=\mu/\mu_0$を比透磁率といいます。

※22
漏れ磁束
漏れ磁束が無いということは，結合係数$k=1$です。

チャレンジ問題！

問1　難　中　易

図に示す磁路の平均長さl〔m〕，磁路の断面積A〔m^2〕，透磁率μ〔H/m〕の環状鉄心に巻数Nのコイルがあるとき，コイルの自己インダクタンスL〔H〕を表す式として，正しいものはどれか。

ただし，磁束の漏れはないものとする。

(1) $L=\dfrac{\mu AN^2}{l}$〔H〕

(2) $L=\dfrac{l}{\mu AN^2}$〔H〕

(3) $L=\dfrac{AN^2}{\mu l}$〔H〕

(4) $L=\dfrac{\mu l}{AN^2}$〔H〕

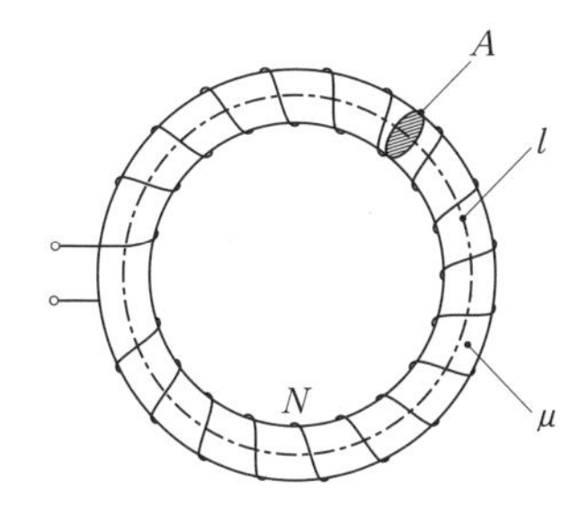

解 説

自己インダクタンスの式そのままの出題です。

解答（1）

交流回路

1 単相交流

印加する電圧や，流れる電流の方向および大きさが，一定の周期で変化するものを**交流**といいます。

波形は三角波，方形波（四角形）など種々ありますが，一般に扱うのは**正弦波**（sin 曲線）です。

図は単相交流です。

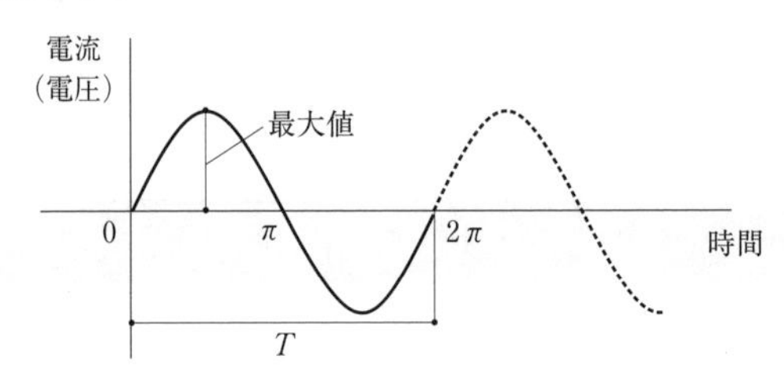

周波数 $\boldsymbol{f}$〔Hz（ヘルツ）〕は波が1秒間に振動する回数で，交流電源の周波数として，50Hzと60Hzが使用されています。周期 $\boldsymbol{T}$〔s〕，**角周波数** ω（オメガ）とは次の関係があります。

$$T = 1/f$$

$$\omega = 2\pi f$$

一般に，交流の電圧，電流の値は**実効値**※23で表示します。

E_e, I_e は実効値の電圧，電流で，E_m, I_m は最大値です。

$$E_e = E_m/\sqrt{2} \quad I_e = I_m/\sqrt{2}$$

また，電圧，電流の瞬時値は次のように小文字で表します。

$i = I_m \sin \omega t$　　$e = E_m \sin \omega t$

I_m：電流の最大値〔A〕　　E_m：電圧の最大値〔V〕　　t：時間〔s〕

2 交流回路の基本パーツ

交流回路を構成する要素（パーツ）として，抵抗 $\boldsymbol{R}$，インダクタンス $\boldsymbol{L}$，静電容量 $\boldsymbol{C}$ の3つがあります。

①抵抗 R〔Ω〕

抵抗は，直流，交流とも純粋に抵抗分として作用します。

②インダクタンス L〔H〕

インダクタンスは，コイル固有の値で周波数とは無関係です。直流では，コイルは単なる巻線として作用するので，抵抗分しかありませんが，交流では抵抗分のほかに，リアクタンス[※24]（X）という電流を阻止するものがあります。

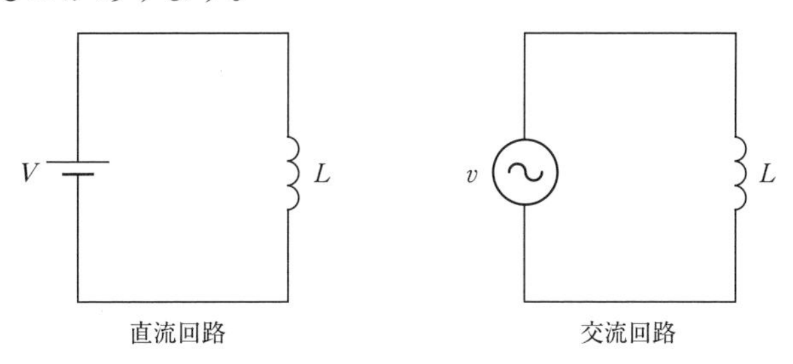

直流回路　　交流回路

③静電容量 C〔F〕

静電容量 $\boldsymbol{C}$ は，コンデンサ固有の値で周波数に無関係です。コンデンサは電極間に絶縁材が充てんされており，流れる電流は，直流では0ですが，交流では流れを妨げるリアクタンス（X）があります。

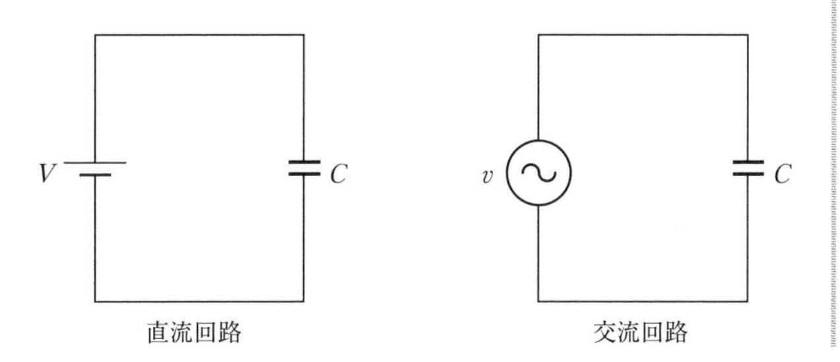

直流回路　　交流回路

※23
実効値
直流と同じ大きさの電力が得られる交流の大きさ（電流，電圧）です。

※24
リアクタンス（X）
コイルによるものとコンデンサによるものがあり，それぞれ，誘導リアクタンス（X_L），容量リアクタンス（X_C）といって，区別することもあります。

3 インピーダンス

インピーダンス（記号 $\boldsymbol{Z}$ で表記）は，抵抗とリアクタンスを合成したものです。

一般に，直交座標[※25]を用いると，図のようになります。

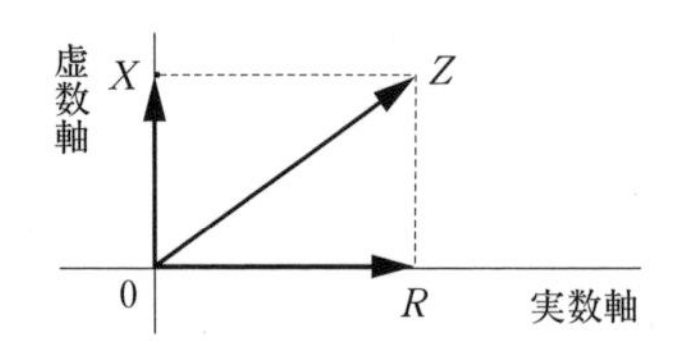

$$Z = R + jX$$

$\boldsymbol{R}$：抵抗　　$\boldsymbol{X}$：リアクタンス　$\boldsymbol{j}$：虚数[※26]

リアクタンス $\boldsymbol{X}$ は，コイルによるものと，コンデンサによるものがあり，それぞれ，$\boldsymbol{X_L}$，$\boldsymbol{X_C}$ と表記します。

リアクタンスの大きさは，それぞれ $\boldsymbol{X_L = \omega L}$，$\boldsymbol{X_C = 1/\omega C}$ です。

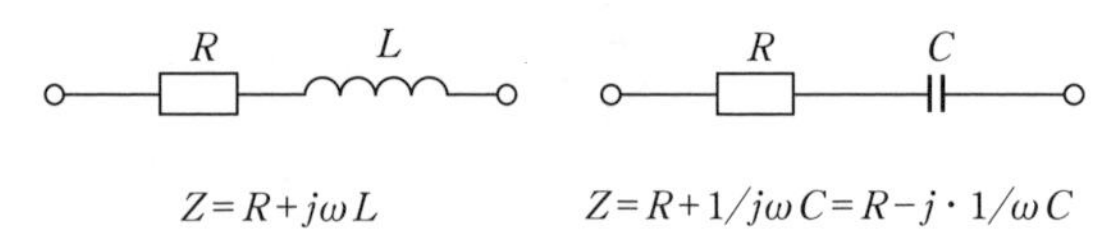

$Z = R + j\omega L$　　$Z = R + 1/j\omega C = R - j \cdot 1/\omega C$

抵抗，コイル，コンデンサが直列に接続された下図におけるインピーダンス[※27]の大きさは，次の式で表せます。

R　L　C

$Z = R + j(\omega L - 1/\omega C)$

$$Z = \sqrt{R^2 + (X_L - X_c)^2}$$

回路の力率[※28]は，$\boldsymbol{R/Z}$ で計算できます。

なお，抵抗，リアクタンス，インピーダンスの単位はすべて〔Ω〕です。

4 位相

位相とは，交流波のある任意の点に対する相対的位置をいいます。交流では，負荷にコイルやコンデンサが接続されていると，**電圧と電流で波形にずれ**（位相差[※29]）が生じます。

①コイル回路

電圧 $\boldsymbol{V}$と電流$\boldsymbol{I}$をそれぞれ図で表すと，電流は電圧よりπ/2の遅れ[※30]があります。

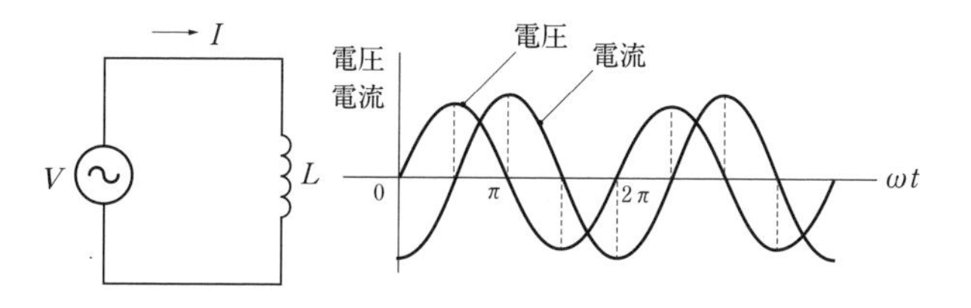

ベクトルで表記すると次の図のようになります。

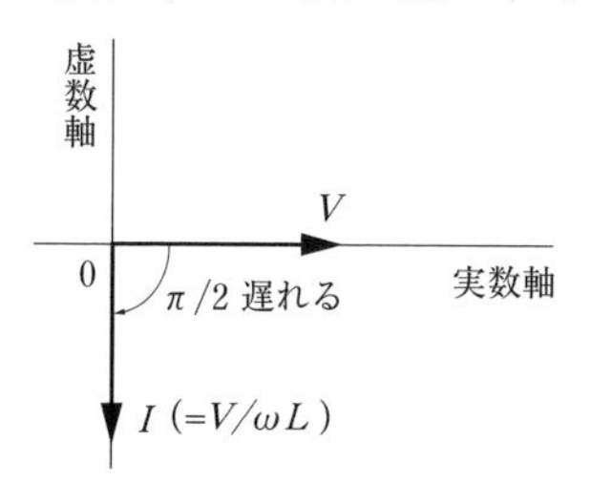

②コンデンサ回路

コンデンサに流れる電流は，電圧よりπ/2だけ進んでいます。

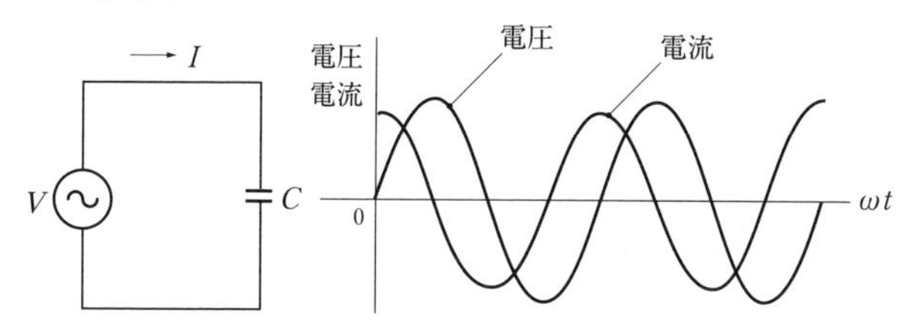

ベクトルで表記すると次の図のようになります。

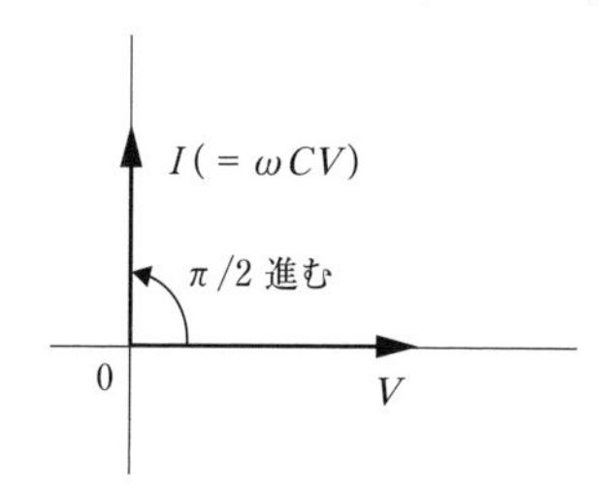

※25
直交座標
横軸を実数軸（抵抗の大きさを示す），縦軸を虚数軸（リアクタンスの大きさ）とします。

※26
虚数
$j^2=-1$となるjを虚数単位といいます。電気工学では，iでなくjを使用します。

※27
インピーダンスの大きさ

$$Z=\sqrt{R^2+(X_C-X_L)^2}$$
$$Z=\sqrt{R^2+(X_L-X_C)^2}$$

どちらも同じです。

※28
力率
供給された電力の何%が有効に働いたかを示すもので，いわゆる効率です。$\cos\theta$ で表します。

※29
位相差
抵抗だけの場合は位相差を生じません。

※30
π/2の遅れ
90度の遅れのこと。電流の方が先に進んでいるように見えますが，t=0で見ると，電圧は0で電流は－です。

例題

図に示す単相交流回路の電流 $\boldsymbol{I}$〔A〕の実効値を求めなさい。

ただし，電圧 $\boldsymbol{E}$〔V〕の実効値は200Vとし，抵抗 $\boldsymbol{R}$ は4Ω，誘導リアクタンス $\boldsymbol{X_L}$ は3Ωとする。

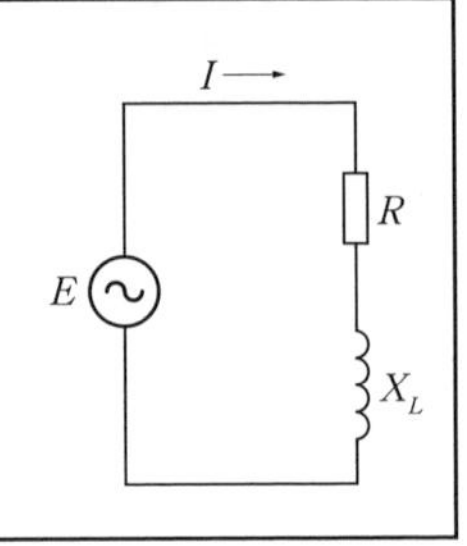

解説

$\boldsymbol{Z}=\sqrt{4^2+3^2}=\sqrt{25}=5$〔Ω〕

オームの法則より，

$\boldsymbol{I}=\boldsymbol{V}/\boldsymbol{Z}=200/5=40$〔A〕

5 ブリッジ回路

ブリッジ回路とは，図のように1本の導線が2本に分かれ，閉回路を形成している電気回路です。図的にはひし形で上下に検流計か検電器が接続されています。

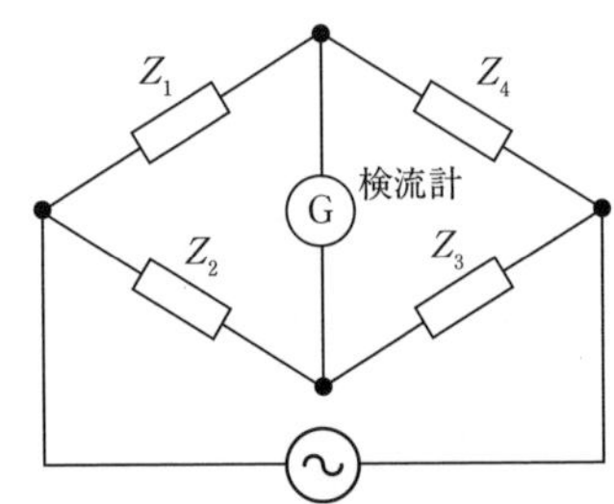

この回路が平衡[※31]しているとき，ひし形の向かい合った辺のインピーダンスを掛けたものは等しくなります。

式で表すと次のようになります。

$$Z_1 \times Z_3 = Z_2 \times Z_4$$

例題

図に示す回路において，検電器の電圧が0〔V〕となるとき，抵抗$\boldsymbol{R}$〔Ω〕とインダクタンス$\boldsymbol{L}$〔mH〕の値を求めなさい。

ただし，相互インダクタンスは無視するものとする。

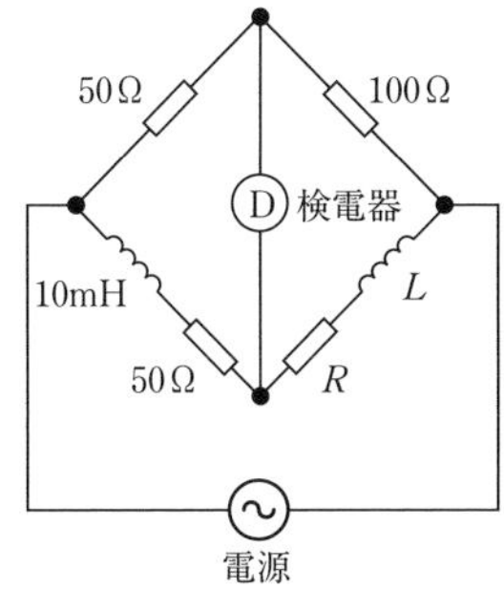

※31
平衡
ブリッジ回路では，検流計の電流＝0または，検電器の電圧＝0をいいます。

解説

$50\times(\boldsymbol{R}+\boldsymbol{j}\omega\boldsymbol{L})=100\times(50+\boldsymbol{j}\omega 10)$ より，

$$50\boldsymbol{R}-5000+\boldsymbol{j}\omega(50\boldsymbol{L}-1000)=0$$

$$\therefore 50\boldsymbol{R}-5000=0,\quad 50\boldsymbol{L}-1000=0$$

$$\boldsymbol{R}=100〔\Omega〕,\quad \boldsymbol{L}=20〔\mathrm{mH}〕$$

6 三相交流

①結線

三相交流の結線方法には，スター（Y）結線とデルタ（Δ）結線があります。たとえばスター結線の場合，単相回路が3つあるのと同じです。

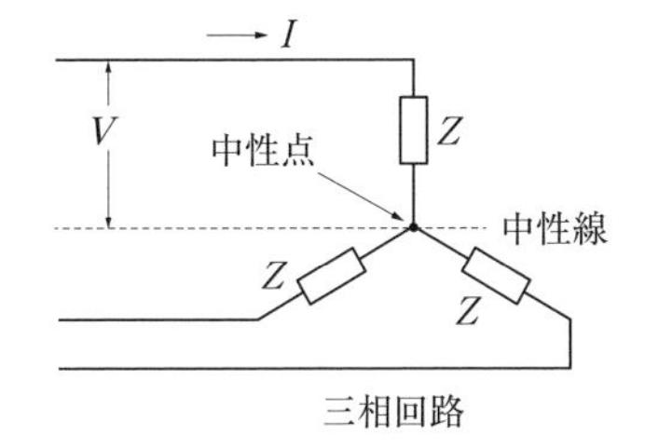

三相回路

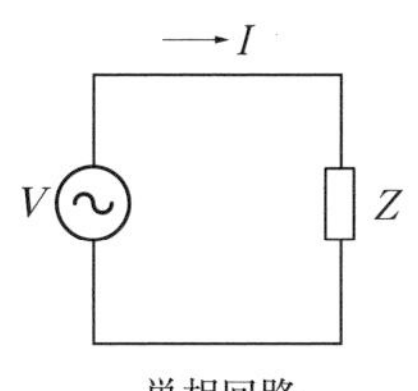

単相回路

この3つの単相交流は，振幅，周期は同じで，位相が$2\pi/3$（120度）ずつずれています。

②電流の大きさ

スター結線とデルタ結線によって，各電圧，各電流の大きさは，次のようになります。

●スターY結線

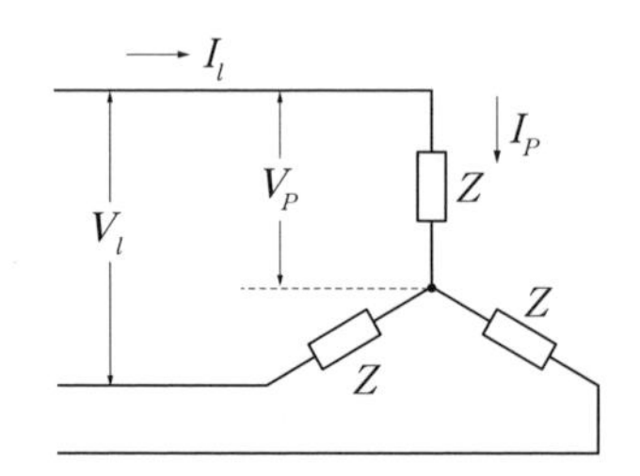

$$V_l = \sqrt{3}\,V_P \qquad I_l = I_P$$

V_l：線間電圧　V_P：相電圧　I_l：線電流　I_P：相電流

●デルタΔ結線

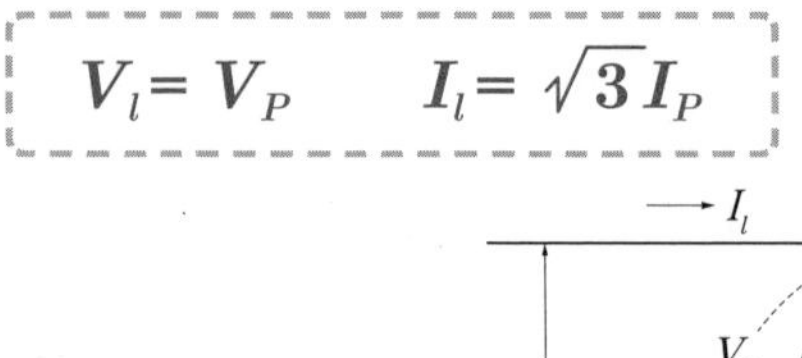

$$V_l = V_P \qquad I_l = \sqrt{3}\,I_P$$

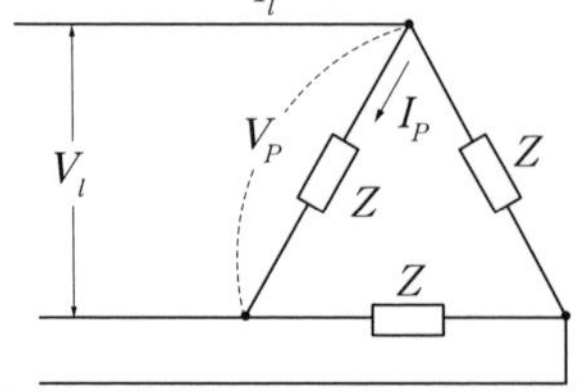

7 電力

①電力の種類

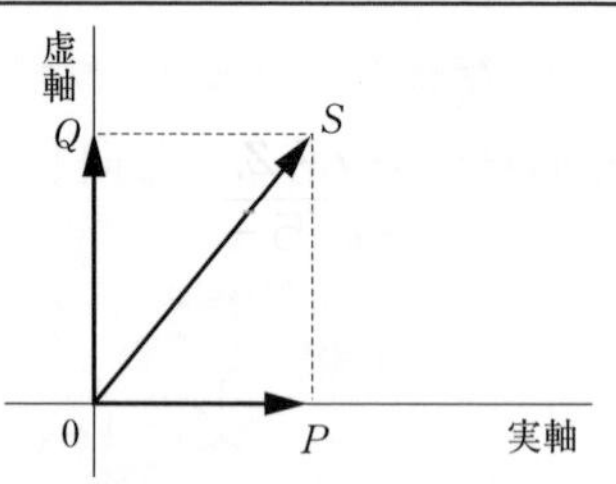

交流の電力には次の3種類があります。

●皮相電力[※32]　$\boldsymbol{S}$〔V・A：ボルトアンペア〕

●無効電力[※33]　$\boldsymbol{Q}$〔var：バール〕

●有効電力[※34]　$\boldsymbol{P}$〔W：ワット〕

一般に電力という場合は有効電力のことで，消費電力ともいいます。

②電力の大きさ

- 直流電力　$P = VI$　〔W〕
- 単相交流電力　$S = VI$　〔VA〕

  $Q = VI\sin\theta$　〔var〕

  $P = VI\cos\theta$　〔W〕
- 三相交流　$S = \sqrt{3}\,VI$　〔VA〕

  $Q = \sqrt{3}\,VI\sin\theta$　〔var〕

  $P = \sqrt{3}\,VI\cos\theta$　〔W〕

力率 $\cos\theta$ は P/S で計算できます。

※32
皮相電力
皮相とは，うわべ，見かけを意味し，数値は大きいですが，数値に見合った仕事をしません。

※33
無効電力
電力として取り出すことができませんが，電圧調整の役にたつ電力です。

※34
有効電力
有効に電力として利用できるものです。

チャレンジ問題！

問1　難　中　易

図に示すRLC直列回路に交流電圧を加えたとき，当該回路の有効電力の値〔W〕として正しいものはどれか。

(1) 860W
(2) 1,200W
(3) 1,785W
(4) 2,000W

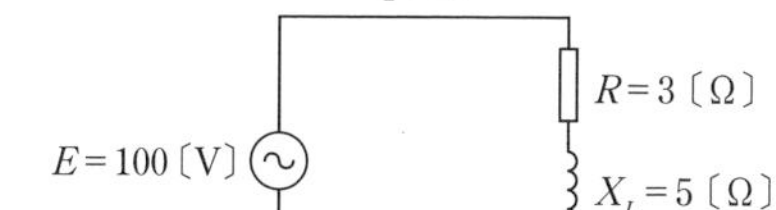

解　説

インピーダンス Z，電流 I，力率 $\cos\theta$，有効電力 P は次のように表されます。

$Z = \sqrt{3^2 + (5-1)^2} = 5$〔Ω〕

$I = 100/5 = 20$〔A〕　$\cos\theta = R/Z = 0.6$

$P = VI\cos\theta = 100 \times 20 \times 0.6 = 1{,}200$〔W〕

解答（2）

第1章　　電気工学

CASE 2　計測・制御

まとめ & 丸暗記　この節の学習内容とまとめ

□　分流器

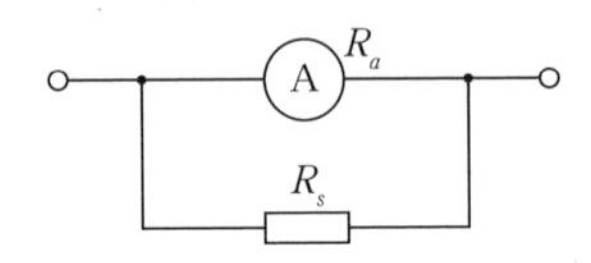

分流器の抵抗値 $R_s = R_a/$（拡大倍率－1）

□　倍率器

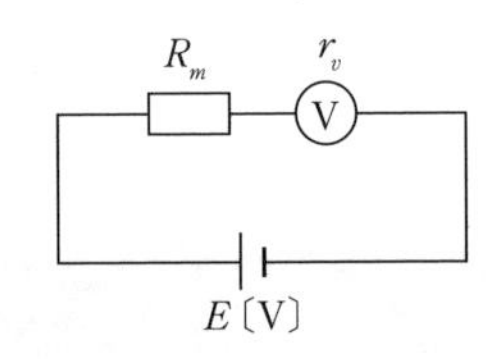

倍率器の抵抗値 $R_m = r_v \times$（拡大倍率－1）

□　シーケンス制御

あらかじめ定められた順序または手続きに従って，制御の各段階を順次進めていく制御。定値制御，追従制御などに分類される

□　フィードバック制御

制御量を目標値と比較し，それらを一致させるように操作量を生成する制御。サーボ制御，プロセス制御などに分類される

□　論理回路

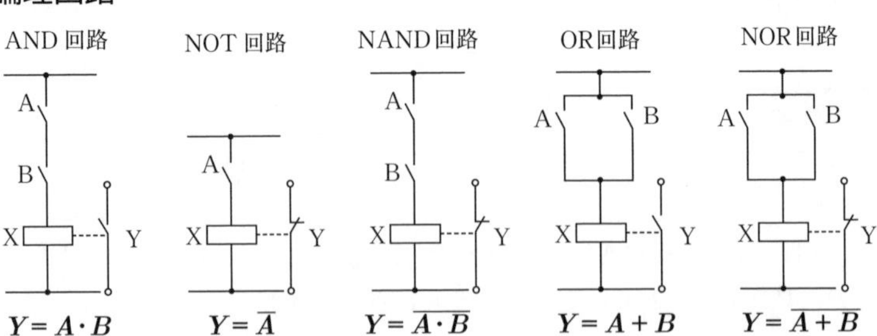

計器と計測法

1 電気計器の種類

電流，電圧，電力，電力量などを計測する計器を電気計器といい，次のような種類があります。

種類	記号	動作原理	使用回路	主な計器
可動コイル形	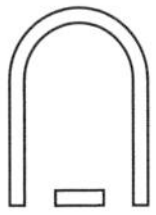	固定永久磁石の磁界と，可動コイルに流れる直流電流との間に働く力により，可動コイルを駆動させる	直流	電圧計 電流計
可動鉄片形	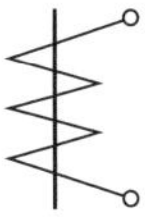	固定コイルに流れる電流の磁界と，その磁界によって磁化された可動鉄片との間に生じる力により，可動鉄片を駆動させる	交流	電圧計 電流計
整流形	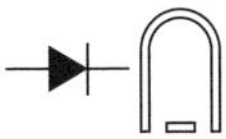	整流器によって交流を直流に交換し，可動コイル形の計器で指示させる	交流	電圧計 電流計
誘導形	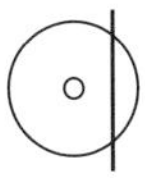	交流電磁石による回転磁界と，その磁界によって可動導体中に誘導されるうず電流との間に生じる力により，可動導体を駆動させる	交流	電力量計
電流力計形	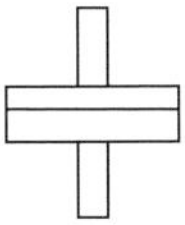	固定コイルに流れる電流の磁界と，可動コイルに流れる電流との間に生じる力により可動コイルを駆動させる	交流 直流	電力計
熱電対形	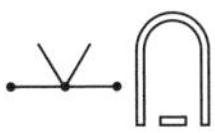	ヒータに流れる電流によって熱せられる熱電対に生じる起電力を可動コイル形の計器で指示させる	交流 直流	電圧計 電流計

直流のみに使用されるものは，可動コイル形計器です。誘導形は電力量計として使用されます。

2 測定器の接続

電圧計，電流計，電力計の接続方法は図のとおりです。電圧計は負荷[※1]に対して並列に接続し，電流計は直列に接続します。電力計は，電圧測定端子を並列に，電流測定端子を直列につなぎます。電圧と電流を測定することで電力が求められます。

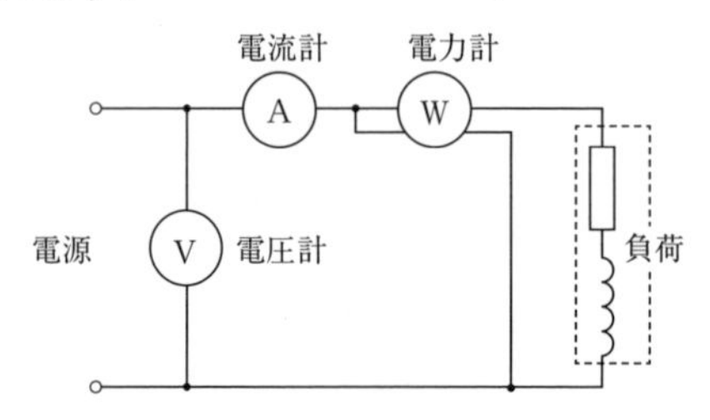

3 分流器

電流計の測定範囲を拡大したいとき，電流計と並列に接続する抵抗$\boldsymbol{R_s}$のことを**分流器**といいます。

図において，$\boldsymbol{R_a}$は電流計の**内部抵抗**[※2]です。

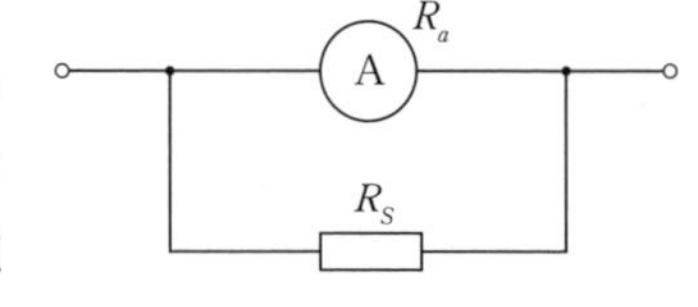

左から流れる電流が抵抗$\boldsymbol{R_s}$に分流するため，電流計Ⓐに流れる電流が少なくなり，電流計のフルスケールより大きい電流が測定できます。

分流器の抵抗値は，下記の計算式で求めることができます。

$$R_s = R_a / (\text{拡大倍率} - 1)$$

たとえば，フルスケール100Aの電流計の測定範囲を500Aまで拡大したい場合，拡大倍率は5倍です。電流計の内部抵抗を8Ωとすれば，$\boldsymbol{R_s}=8/(5-1)=2\,\Omega$の分流器を電流計に並列接続すればよいことになります。

電流の分流では，抵抗値の小さい方に多くの電流が流れることを利用します。

4 倍率器

電圧計の測定範囲を拡大したいとき，電圧計と直列に接続する抵抗 R_m のことを倍率器といいます。

図において，r_v は電圧計の内部抵抗です。

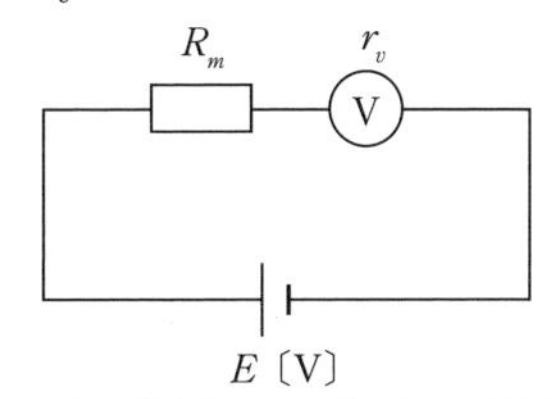

電圧が抵抗 R_m に分圧するため，電圧計Ⓥにかかる電圧が小さくなり，フルスケールより大きい電圧が測定できます。

倍率器の抵抗値は，下記の計算式で求めることができます。

$$R_m = r_v \times (\text{拡大倍率} - 1)$$

たとえば，フルスケール100Vの電圧計の測定範囲を500Vまで拡大したい場合，拡大倍率は5倍です。電圧計の内部抵抗を8kΩとすれば，$R_m = 8 \times (5-1) =$ 32kΩの倍率器を電圧計に直列接続すればよいことになります。

電圧の分圧では，抵抗値の大きい方に多くの電圧が加わることを利用します。

5 電力測定

①単相交流電力の測定

●三電流計法

図のような回路において，負荷の電力 P は次式で表されます。

※1
負荷
電気機器（電気製品）を意味します。
一般に抵抗とコイルで表現することが多いです。

※2
内部抵抗
電流計などの機器本体が持つ抵抗です。
電流計は回路に直列に挿入して計測するので，内部抵抗値は小さく，電圧計は並列に挿入するので，その値は大きくなります。

$$\frac{R}{2}P=(I_1^{\,2}-I_2^{\,2}-I_3^{\,2})$$

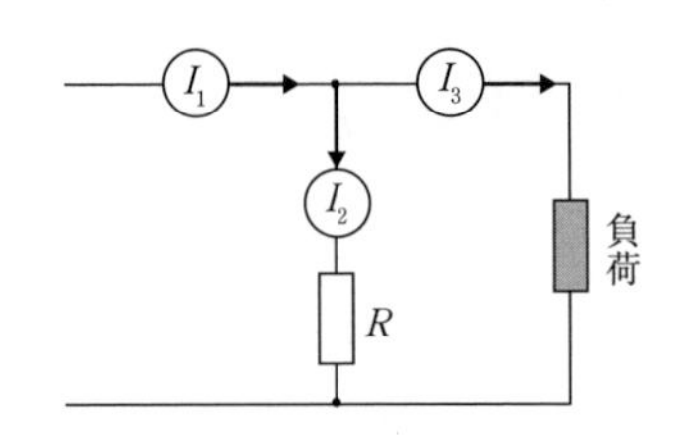

R：負荷と並列に接続した抵抗　　I_1, I_2, I_3：各部に流れる電流

3個の電流計を用いるので，**三電流計法**といいます。

● **三電圧計法**

図のような回路において，負荷の電力 P は次式で表されます。

$$P=\frac{1}{2R}(V_1^{\,2}-V_2^{\,2}-V_3^{\,2})\,[\mathrm{W}]$$

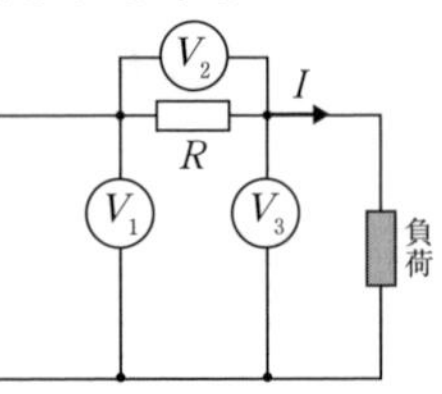

R：負荷と直列に接続した抵抗　　V_1, V_2, V_3：各部の電圧

3個の電圧計を用いるので，**三電圧計法**といいます。

②三相交流電力の測定

図のように，2つの**単相電力計**を接続すると，三相電力 P は次式で表されます。

$$P=W_1+W_2=\sqrt{3}VI\cos\theta$$

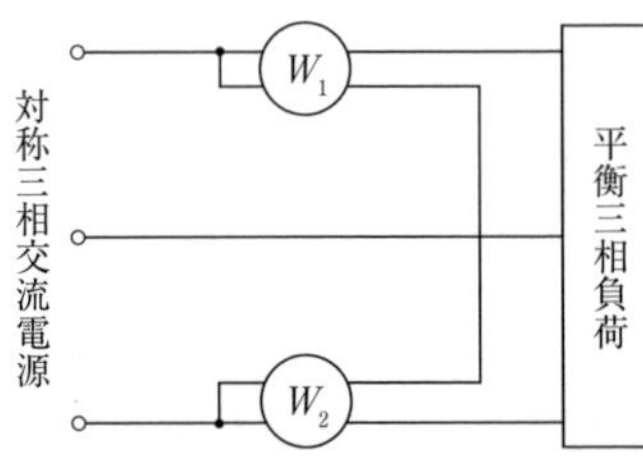

W_1, W_2：電力計の読み

2個の電力計を用いるので，**二電力計法**といいます。

例題

負荷の力率を表す式を求めなさい。

解説

$W_1 + W_2 = \sqrt{3}VI\cos\theta$ より，力率 $\cos\theta$ は，次のようになります。

$$\cos\theta = \frac{W_1 + W_2}{\sqrt{3}VI}$$

チャレンジ問題！

問1

難　中　易

内部抵抗 R_v が1,000Ω，最大目盛が1Vの電圧計を，最大指示が1V,5V,10Vの多重範囲電圧計とするために接続する直列抵抗器 R_{m1}，R_{m2} の抵抗値〔Ω〕の組合わせとして，適当なものはどれか。

	R_{m1}	R_{m2}
(1)	3,000 Ω	4,000 Ω
(2)	3,000 Ω	5,000 Ω
(3)	4,000 Ω	5,000 Ω
(4)	4,000 Ω	9,000 Ω

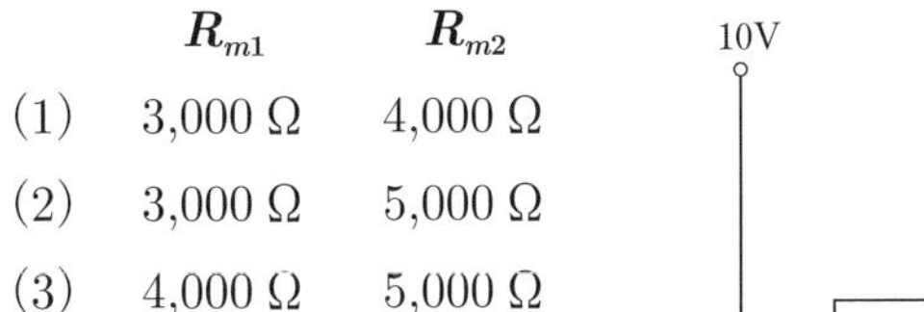

解 説

分圧された電圧は，抵抗の大きさに比例します。R_{m1} の両端に4Vかかるようにすればよいので，R_{m1}＝4,000〔Ω〕，R_{m2}＝5,000〔Ω〕となります。

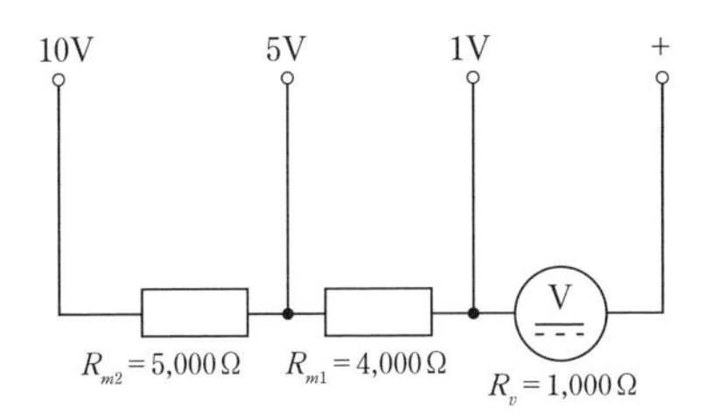

解答（3）

自動制御

1 シーケンス制御

あらかじめ定められた順序または手続きに従って，制御の各段階を順次進めていく制御を**シーケンス制御**といいます。一般に「入」と「切」などの不連続な制御量を対象として扱います。

シーケンス制御は，目標値の特性により**定値制御**，**追従制御**などに分類されます。

定値制御は，目標値を一定に保つよう，外乱に対し常に制御対象を一定にする制御で，追従制御は，対象物の移動に従い目標値が常に変化している制御です。

2 シーケンス図

シーケンス図において，P, Nは電源ラインです。A, B, Cはスイッチで，長方形をしたX_1～X_4は**電磁接触器**[※3]，A, B, Cの右側にあるのは接点です。

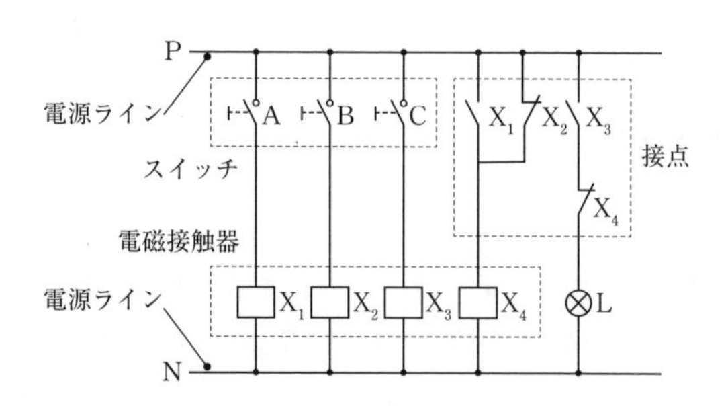

（動作例）①スイッチAを入れるとX_1が働き，**メーク接点**[※4]**X_1**が入ります。

②スイッチBを入れるとX_2が働き，**ブレーク接点**[※5]**X_2**が切れます。

③スイッチCを入れるとX_3が働き，メーク接点**X_3**が入ります。結果として，ランプLが点灯します。

3 フィードバック制御

図のように，制御量を目標値と比較し，それらを一致させるように操作量を生成する制御をフィードバック制御といいます。

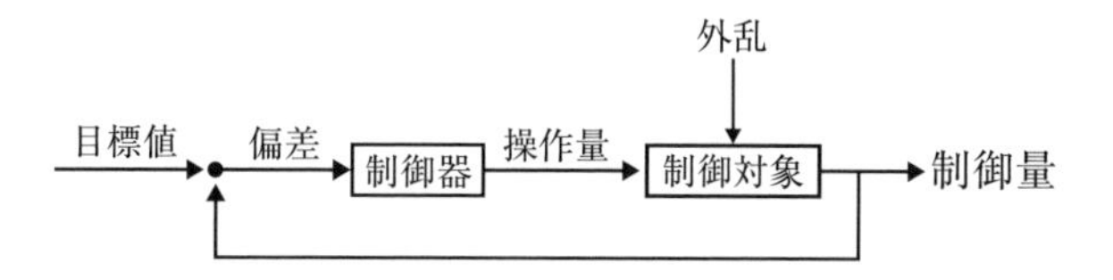

フィードバック制御は，制御量の種類によりサーボ[※6]制御，プロセス制御などに分類されます。

サーボ制御は，位置・方向・姿勢などを目標として，任意の変化に追従するように制御する自動制御です。プロセス制御は，化学工場などに用いられ，主に化学反応プロセスにおける物理量を制御量としています。

4 フィードバック制御の伝達関数

伝達関数とは，システムの入出力の関係を表す数式で，次の式で表すことができます。

$$G=Y/X$$

G：伝達関数　　Y：出力信号　　X：入力信号

伝達関数により，どのような入力を加えたらシステムがどのように動作するかわかります。

伝達関数については，次のルールがあります。

※3
電磁接触器
内蔵の電磁石を利用して，電気的に接点の開閉を行うスイッチです。主接点と補助接点を有します。

※4
メーク接点
電磁接触器が働くと入る接点です。

※5
ブレーク接点
電磁接触器が働くと切れる接点です。

※6
サーボ制御
言い付け通りに動く使用人（サーバント）が語源です。

①**伝達関数：*G***

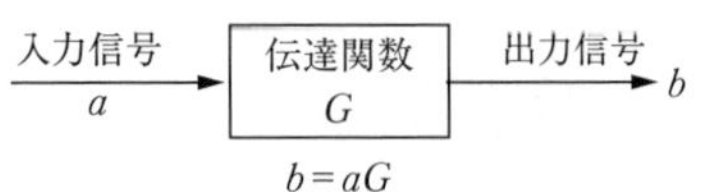

$b = aG$

②**加え合せ点：○**

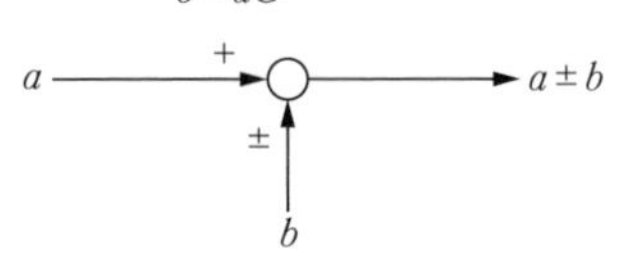

③**引出点：•**

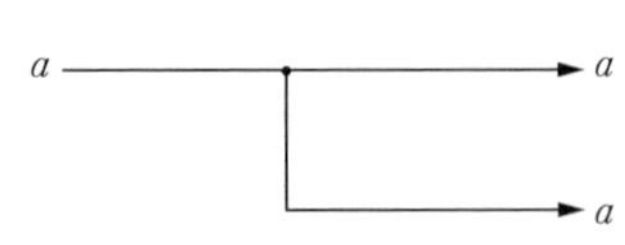

④**直列接続**

伝達関数G_1，G_2が直列接続の場合，1つの伝達関数で表すことができます。

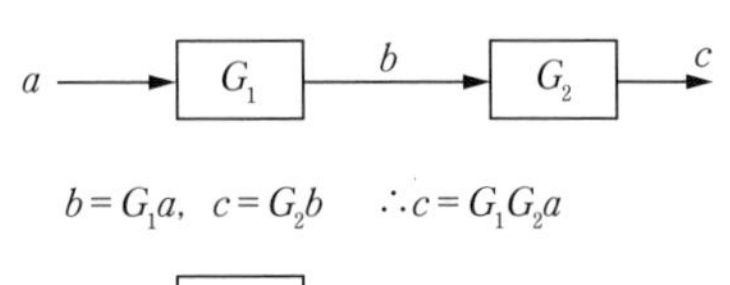

$b = G_1 a$，$c = G_2 b$　$\therefore c = G_1 G_2 a$

a → $G_1 G_2$ → c

⑤**並列接続**

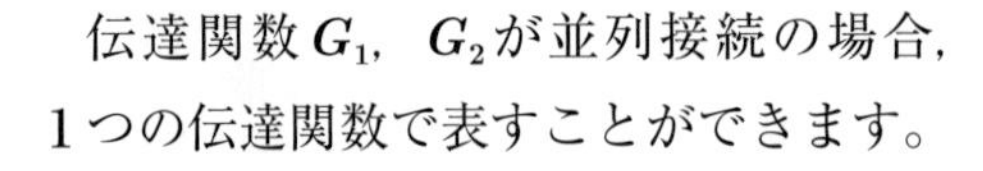

伝達関数G_1，G_2が並列接続の場合，1つの伝達関数で表すことができます。

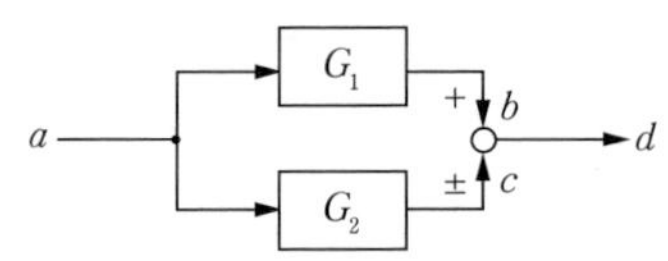

$b = G_1 a$，$c = G_2 a$，$d = b \pm c = (G_1 \pm G_2)a$
$\therefore G = G_1 \pm G_2$

例題

図に示すブロック線図の合成伝達関数Gを表す式を求めなさい。

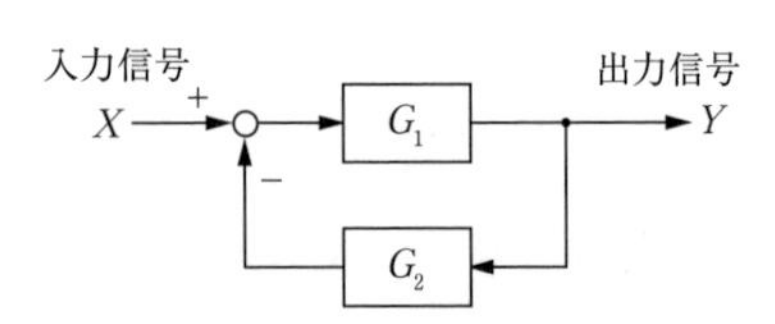

解説

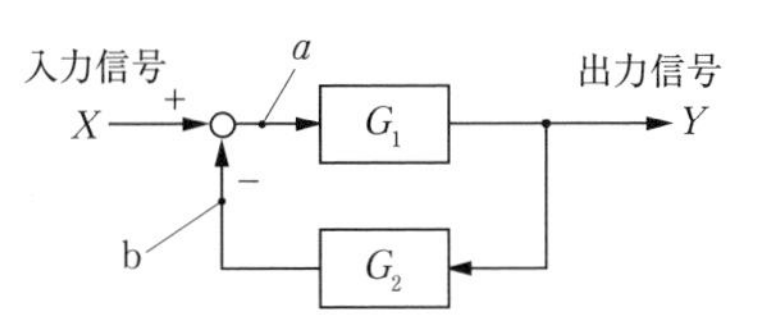

図の点をa, bとすると，$Y=G_1a$, $b=G_2Y$, $a=X-b$になります。この3つの式から，※7 $Y=G_1(X-G_2Y)$となるため，合成伝達関数は，

$$G=Y/X=\frac{G_1}{1+G_1G_2}$$

※7
$Y=G_1(X-G_2Y)$
$=G_1X-G_1G_2Y$
両辺をXで割ると
$G=Y/X$
$=G_1-G_1G_2G$
$\therefore G(1+G_1G_2)=G_1$
$G=G_1/(1+G_1G_2)$

チャレンジ問題！

問1

難 **中** 易

シーケンス回路において，スイッチA, B, Cの状態とランプLの点滅の関係として，誤っているものはどれか。

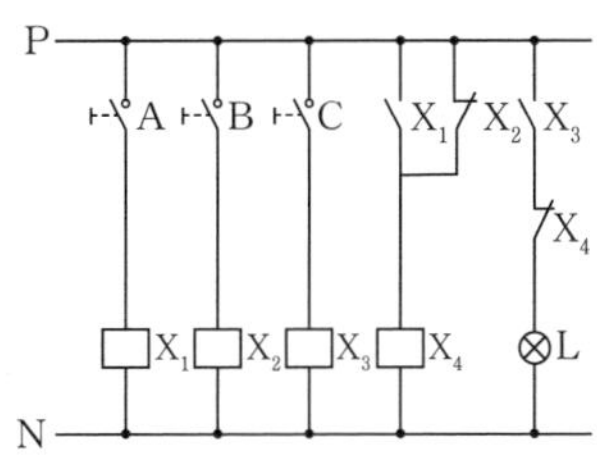

	スイッチA	スイッチB	スイッチC	ランプL
(1)	ON	OFF	OFF	消灯
(2)	OFF	ON	ON	点灯
(3)	ON	ON	OFF	消灯
(4)	OFF	ON	OFF	点灯

解説

(4) ではX_3が入らず，X_4が切れ，ランプは消灯します。

解答 (4)

論理回路

1 論理回路の種類

論理回路とは，0と1の2値からなるデータを入力し，演算出力する回路のことです。代表的なものは次のとおりです。

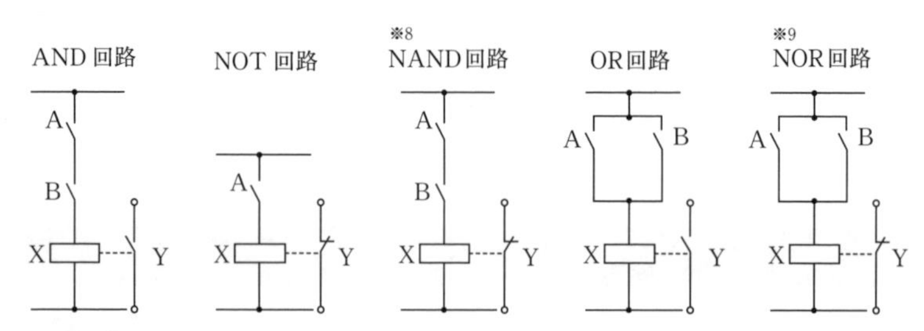

たとえば，AND回路において，スイッチAとBの両方をONにした時だけ，出力されます（接点YがONとなる）。

2 論理式

論理回路の入力と出力の関係を式で表したものを，論理式[※10]といいます。各論理式は次のとおりです。Yは出力，A，Bは入力です。

①AND回路　$Y=A\cdot B$

②NOT回路　$Y=\overline{A}$

③NAND回路　$Y=\overline{A\cdot B}$

④OR回路　$Y=A+B$

⑤NOR回路　$Y=\overline{A+B}$

論理式の法則は次のとおりです。

①交換法則

$$A+B=B+A$$

$$A\cdot B=B\cdot A$$

②結合法則

$$(A+B)+C=A+(B+C)$$

$$(A\cdot B)\cdot C=A\cdot (B\cdot C)$$

③分配法則

$$A\cdot (B+C)=A\cdot B+A\cdot C$$

（例）次の回路図を論理式で表すと，

$$(A\cdot \overline{B})+(\overline{A}\cdot B)=Y$$

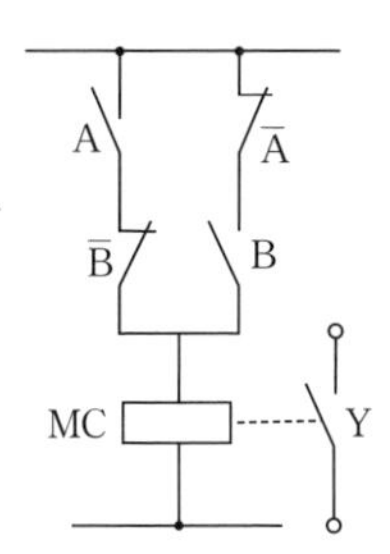

3 真理値表

論理回路の入力と出力の関係を表で表したものを，真理値表といいます。

0と1からなるデータ入力に対して，出力したデータを一覧表にしたものです。

※8

NAND回路

NOTとANDの組合わせで，AND回路の出力を否定します。たとえば，AND回路で0が出力されたら1，1が出力されたら0です。

※9

NOR回路

NOTとORの組合わせで，OR回路の出力を否定します。たとえば，OR回路で0が出力されたら1，1が出力されたら0です。

※10

論理式

・や＋などを用いて数学的に表した式です。

①AND回路

$$Y = A \cdot B$$

入力		出力
A	B	Y
0	0	0
1	0	0
0	1	0
1	1	1

②NOT回路

$$Y = \overline{A}$$

入力	出力
A	Y
0	1
1	0

③NAND回路

$$Y = \overline{A \cdot B}$$

入力		出力
A	B	Y
0	0	1
1	0	1
0	1	1
1	1	0

④OR回路

$$Y = A + B$$

入力		出力
A	B	Y
0	0	0
1	0	1
0	1	1
1	1	1

⑤NOR回路

$$Y = \overline{A + B}$$

入力		出力
A	B	Y
0	0	1
1	0	0
0	1	0
1	1	0

例題

入力（A，B）と出力（Y）の状態が真理値表の関係となる論理回路の名称は何か。

入力		出力
A	B	Y
0	0	1
0	1	0
1	0	0
1	1	0

解説

入力A＝B＝0のときだけ出力Y＝1なので，NOR回路です。

チャレンジ問題！

問1　難　中　易

図に示す回路を論理式に置き換えたものとして，正しいものはどれか。

(1)　$A+B+C=Z$

(2)　$A\cdot B\cdot C=Z$

(3)　$(A+B)\cdot C=Z$

(4)　$A\cdot(B+C)=Z$

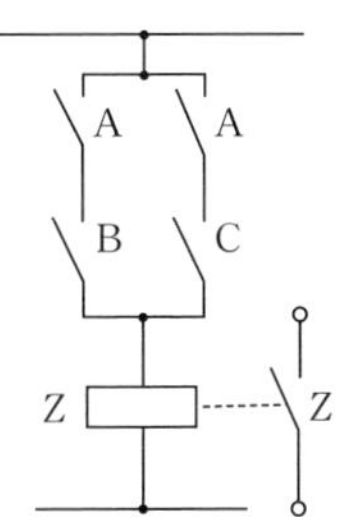

解説

$A\cdot B+A\cdot C=A\cdot(B+C)$ ……分配法則

解答（4）

第1章  電気工学

CASE 3 電気機器

まとめ & 丸暗記　この節の学習内容とまとめ

□ 同期発電機

種類	固定子	回転子
回転界磁形	電機子	界磁(磁石)
回転電機子形	界磁(磁石)	電機子

□ 発電機の短絡比

$K_s = I_s / I_n$

K_s：短絡比　I_s：短絡電流〔A〕　I_n：定格電流〔A〕

□ 短絡比と同期インピーダンス

短絡比	同期インピーダンス	リアクタンス	安定度	機械
大	小	小	高い	鉄機械
小	大	大	低い	銅機械

□ 電圧変動率

$$\varepsilon = \frac{V_0 - V_n}{V_n} \times 100 〔\%〕$$

ε：電圧変動率〔%〕　V_n：定格端子電圧〔V〕

V_0：無負荷端子電圧〔V〕

□ 変圧器

$a = n_1 / n_2 = E_1 / E_2 = I_2 / I_1$

n_1：一次巻線の巻数　E_1：一次側誘導起電力〔V〕

I_1：一次側電流〔A〕　n_2：二次巻線の巻数

E_2：二次側誘導起電力〔V〕　I_2：二次側電流〔A〕

□ 力率改善に必要なコンデンサ容量は次の式で計算できます

$$Q = Q_1 - Q_2 = P(\tan\theta_1 - \tan\theta_2) = P\left(\frac{\sin\theta_1}{\cos\theta_1} - \frac{\sin\theta_2}{\cos\theta_2}\right)$$

Q：コンデンサ容量〔kvar〕，P：有効電力〔kW〕

発電機

1 同期発電機

同期発電機は，界磁[※1]のつくる磁界が電機子巻線を横切る回転速度に同期した電力を発電する交流発電機です。

同期発電機には，回転界磁形と回転電機子形があります。

①回転界磁形

図のように，回転子は界磁（磁石）で，固定子は電機子となります。回転子には小さな直流電気を供給し，電機子コイルに大きな交流電圧が発生します。

容量の大きな電機子を固定し，回転させる必要がないため，一般用途に広く用いられています。

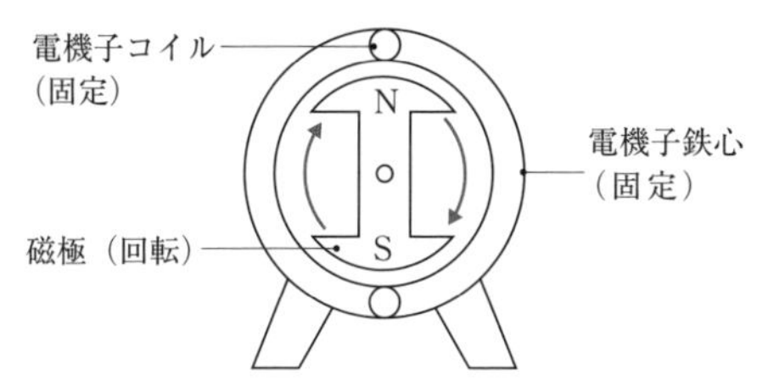

②回転電機子形

固定子が界磁で，回転子が電機子となります。電機子コイルに交流電圧を発生させます。特殊用途の小容量機に用いられます。

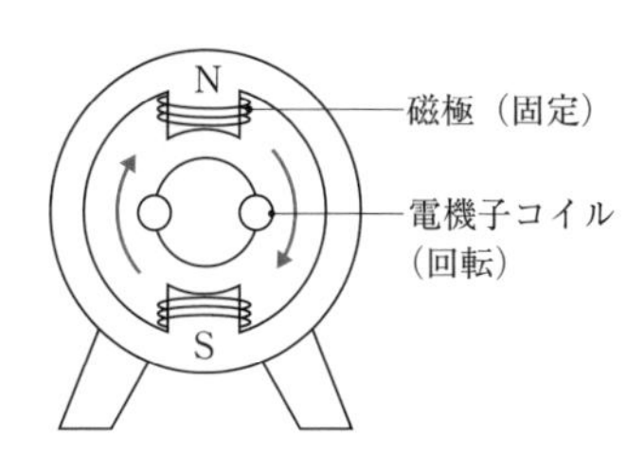

※1
界磁
電動機，発電機などの回転電気機器において，磁界をつくるために設ける磁石です。固定子または回転子のことです。

2 並行運転

三相同期発電機[※2]の並行運転[※3]を行うための条件として，次の①～⑤を一致させます。なお，三相同期発電機の並行運転に，定格電流は同じにする必要はありません。

①周波数　②起電力の大きさ　③起電力の位相　④電圧波形　⑤相回転

3 短絡比

短絡比とは，同期発電機を定格速度，定格電圧，無負荷で運転したときの，三相短絡した場合の短絡電流と，同期機の定格電流の比のことです。次式で表されます。

$$K_s = I_s / I_n$$

K_s：短絡比　　I_s：短絡電流〔A〕　　I_n：定格電流〔A〕

次の図のような三相同期発電機の三相短絡試験において，定格回転速度で運転しているときの界磁電流I_fと短絡電流I_sの関係を表すグラフを三相短絡曲線といいます。

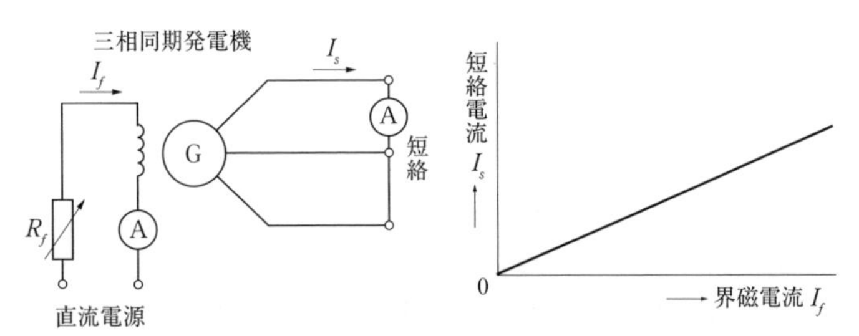

4 同期インピーダンス

同期発電機のインピーダンスを同期インピーダンスといい，次式で表されます。

$$Z_s = V_n / (\sqrt{3} \cdot I_s)$$

Z_s：同期インピーダンス〔Ω〕
V_n：定格電圧〔V〕　　I_s：短絡電流〔A〕

5 短絡比と同期インピーダンス

短絡比と同期インピーダンスには，次の表に示す関係があります。

短絡比	同期インピーダンス	リアクタンス	安定度	機械
大	小	小	高い	鉄機械
小	大	大	低い	銅機械

6 電圧変動率

発電機や変圧器において，定格負荷で運転されていた機器をいきなり無負荷にしたとき，電圧が変動します。その電圧変動の割合を**電圧変動率**といい，次式で表されます。

$$\varepsilon = \frac{V_0 - V_n}{V_n} \times 100〔\%〕$$

ε：電圧変動率〔%〕　　V_n：定格端子電圧〔V〕
V_0：無負荷端子電圧〔V〕

7 安定度

同期発電機を運転しているとき，負荷変動があっても，安定して運転できる度合いを**安定度**といいます。

安定度を向上させるには，次の方法があります。

- 同期リアクタンス[※4]を小さくする
- 励磁装置の応答速度を速くする

※2
三相
位相が120度ずつずれた波形を持つ電気です。

※3
並行運転
2台以上の発電機を同時運転して出力を得ることです。

※4
同期リアクタンス
発電機の巻線（コイル）のインピーダンスは，抵抗とリアクタンスからなりますが，ほとんどがリアクタンス成分のため，同期リアクタンスを小さくすることは，同期インピーダンスを小さくすることになります。

- 逆相，零相インピーダンスを大きくする
- 回転部の慣性力を大きくし，はずみ車効果[※5]を大きくする

8 誘導発電機

誘導発電機には，かご形誘導電動機[※6]を使用することができます。

一般に構造は簡単で安価です。

運転にあたっては，他の電源から励磁電流を供給する必要があり，単独運転はできません。

発電には，外力を加えて回転子速度を同期速度以上の速度で回転させると，回転子導体は回転磁界を追い越して回転し，電動機のときとは逆向きの電流が流れます。つまり，固定子巻線に誘導起電力が生じ，発電機として外部に電流を供給します。

チャレンジ問題！

問1　難　**中**　易

定格電圧6,600Vの同期発電機を，定格力率における定格出力から無負荷にしたとき，端子電圧が7,920Vになった。このときの電圧変動率の値として，正しいものはどれか。

ただし，励磁を調整することなく，回転速度は一定に保つものとする。

(1) 5.0%　(3) 16.7%

(2) 6.0%　(4) 20.0%

解　説

電圧変動率＝（無負荷端子電圧－定格電圧）÷定格電圧より，

（7,920－6,600）÷6,600＝0.2

解答（4）

変圧器

1 原理

一般に，けい素鋼板成層鉄心[※7]にコイルを巻いた構造で，一次巻線と二次巻線からできています。一次巻線は交流電源，二次巻線は負荷に接続します。

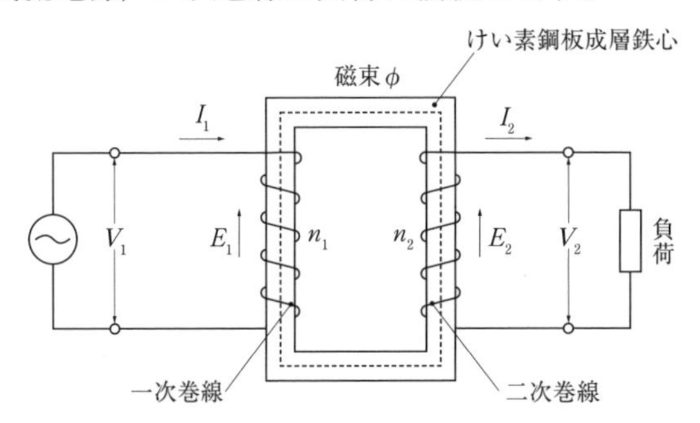

巻線に誘導される誘導起電力は，巻数に比例します。巻線比 a とすると，理想変圧器[※8]では次の関係があります。

$$a = n_1/n_2 = E_1/E_2$$

また，変圧器の一次側と二次側の電力は等しく，次式が成り立ちます。

$$E_1 I_1 = E_2 I_2$$

n_1：一次巻線の巻数，E_1：一次側誘導起電力〔V〕，I_1：一次側電流〔A〕

n_2：二次巻線の巻数，E_2：二次側誘導起電力〔V〕，I_2：二次側電流〔A〕

※5
はずみ車
回転速度のむらをなくすために取り付けられた車のことです。直径が大きく，重量のあるものほど，回転数への影響が小さくなるため安定します。

※6
かご形誘導電動機
構造が簡単で堅ろうです。

※7
成層鉄心
薄くスライスしたような鋼板を，何層にも重ねて成形したものです。中心部は，ドーナツ状にくり抜かれています。

※8
理想変圧器
磁束漏れ，損失の無い変圧器です。

例題

図に示す変圧器の一次側電流 I〔A〕の値を求めなさい。

ただし，各負荷の電流は図示の値，各負荷の力率は100％とし，変圧器および電線路の損失は無視するものとする。

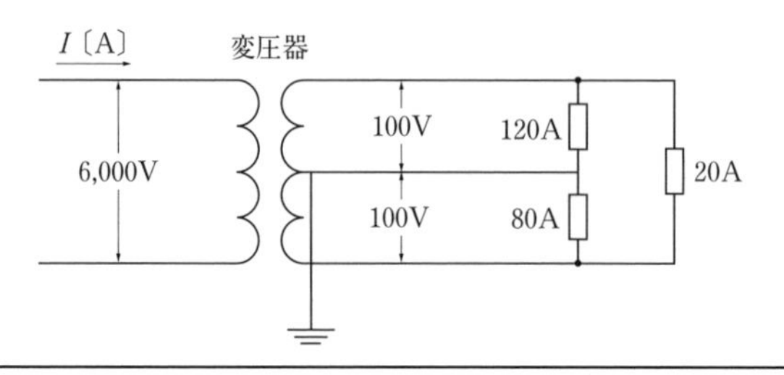

解説

一次側の VI＝二次側の VI より，

$$6{,}000 \times I = 100 \times 120 + 100 \times 80 + 200 \times 20$$

$$\therefore \ I = 4 \text{〔A〕}$$

2 変圧器の種類

変圧器には次の種類があります。

①油入変圧器

鉄心と巻線を絶縁油の中に収めたもので，絶縁性，冷却性に優れています。重量や寸法が大きく，設置スペースを要する欠点はありますが，騒音が小さく，安価であるため，一般に使用されています。

②モールド変圧器

巻線部をエポキシ樹脂などの絶縁物で覆った変圧器です。小型軽量で絶縁性，難燃性に優れますが，鉄心が露出しているため振動，騒音が大きくなります。

③ガス絶縁変圧器

鉄心と巻線を，不活性ガスである SF_6[※9]ガスの中に収めたものです。SF_6 ガスは，無色，無臭，無毒，不燃性の気体です。

3 変圧器の損失

変圧器には損失があります。大別すると，無負荷時にも生じる**無負荷損**と負荷時だけに生じる**負荷損**があります。

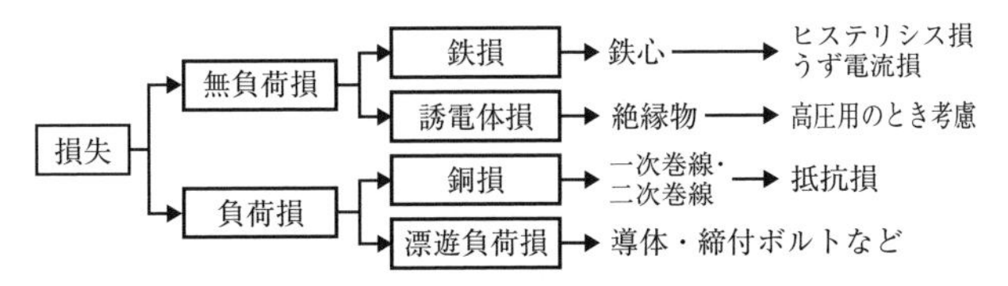

変圧器の鉄損，銅損，および変圧器効率のグラフは，次の図のとおりです。

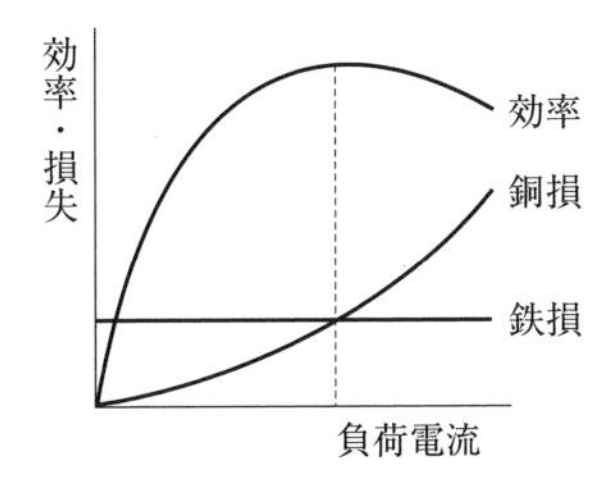

無負荷損の主なものは鉄心に生じる**鉄損**，負荷損の主なものは巻線に生じる**銅損**です。使用する周波数が一定であれば，鉄損は負荷電流によらず一定で，銅損は負荷電流の二乗に比例します。

変圧器の**効率**[※10]ηは，変圧器の入力に対する出力の比で，次式で表されます。

$$\eta = \frac{出力}{入力} \times 100〔\%〕= \frac{出力}{出力+損失} \times 100〔\%〕$$

$$= \frac{出力}{出力+無負荷損+負荷損} \times 100〔\%〕$$

また，変圧器の効率は，無負荷損（鉄損）と負荷損（銅損）が等しいときに最大となります。

※9
SF_6ガス
六フッ化硫黄ガスのことです。地球温暖化ガスの1つです。このガスは絶縁性が高いため，ガス遮断器，GIS（P94参照）などに使用されています。

※10
効率η
ηはギリシャ文字で「イータ」と読みます。機器の効率を表す場合によく用いられます。

4 変圧器の結線

① Δ－Δ結線

次の図のように変圧器の一次側，二次側ともにΔ結線（デルタ結線）したものです。

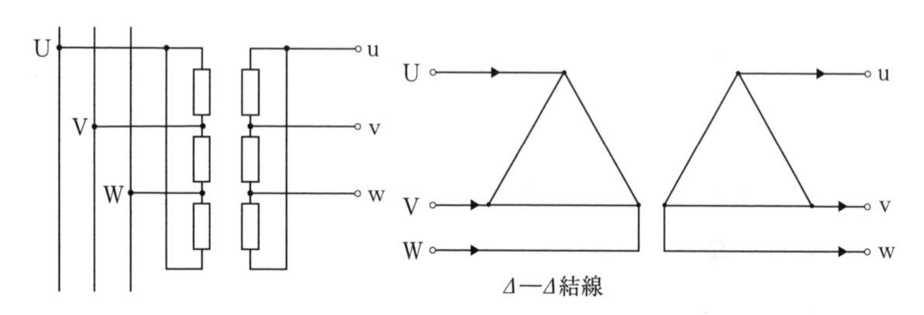

Δ—Δ結線

Δ結線は，線間電圧[※11]と相電圧[※12]が等しいため，線間電圧がそのまま変圧器巻線に印加されます。絶縁対策に費用が掛かるので，60kV以下の配電用変圧器に用いられます。

② Δ－Y結線

一次側をΔ結線，二次側をY結線したものです。Y結線は，線間電圧は相電圧の3倍となります。二次側の線間電圧は変圧器巻線の電圧の3倍となるため，発電所の送電線の送電端電圧のように，昇圧する場合に用いられます。また，一次電圧と二次電圧に30度の位相差の角変位を生じます。

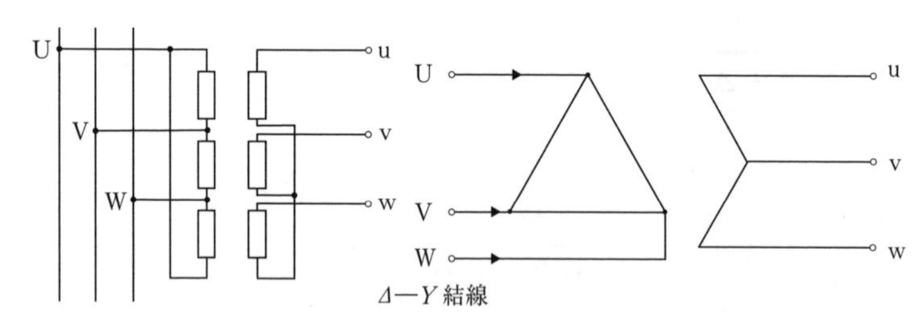

Δ—Y結線

③ Y－Δ結線

一次側をY結線，二次側をΔ結線したものです。降圧する場合に用いられます。また，一次電圧と二次電圧に30度の位相差の角変位を生じます。

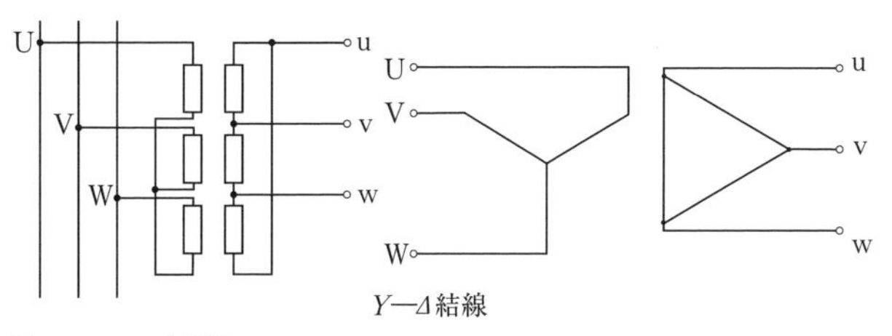

Y—Δ結線

④ *Y*－*Y*結線

一次側，二次側とも***Y***結線にしたものです。変圧器の励磁電流には**第3調波**が含まれます。***Δ***結線のように第3調波を循環させる結線でないため，電圧波形がひずみ，通信障害などの原因となります。

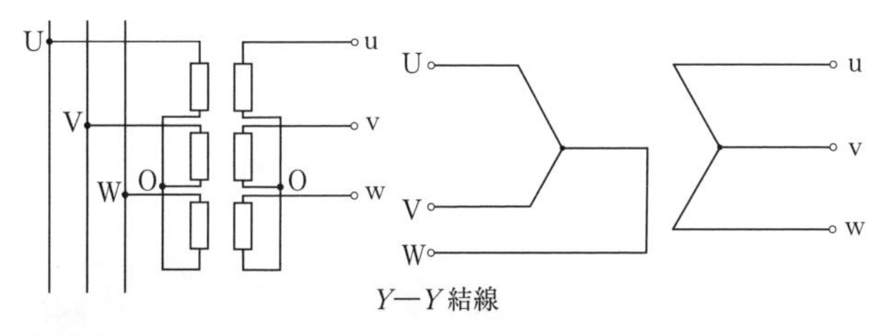

Y—Y結線

※11

線間電圧

三相のうち，二相間の電圧です。つまり線と線の間の電圧をいいます。

※12

相電圧

三相の各相の対地電圧です。

5 変圧器の並行運転

複数の変圧器を並行して運転する場合，組合わせ可能なものと不可能なものがあります。表において，可能な組合わせは○，不可能な組合わせは×で示しました。

	Δ－Δ	***Δ－Y***	***Y－Δ***	***Y－Y***
Δ－Δ	○	×	×	○
Δ－Y	×	○	○	×
Y－Δ	×	○	○	×
Y－Y	○	×	×	○

並行運転の主な条件は次のとおりです。

- 一次，二次の定格電圧が等しいこと
- 極性が等しいこと
- 巻線比が等しいこと

- 内部抵抗とリアクタンスの比が等しいこと
- 相回転方向が一致していること（三相変圧器の場合）
- 一次，二次巻線の角変位が等しいこと（三相変圧器の場合）

6 励磁突入電流

変圧器の電圧を**印加した直後**に，過渡的に流れる電流を**励磁突入電流**といい，定格電流より大きな電流となります。電源投入時の電圧位相や鉄心の**残留磁気**※13などにより大きさは異なります。

励磁突入電流には**高調波電流**が流れ，特に**第2調波**が多く含まれます。

励磁突入電流の継続時間は，変圧器回路のインダクタンスと抵抗によって決まり，大容量器ほど長くなります。

突入電流は，変圧器の保護継電器の誤動作の原因となる場合があります。

チャレンジ問題！

問1 難 中 易

変圧器の負荷電流に対する効率と損失を表すグラフとして，適当なものはどれか。

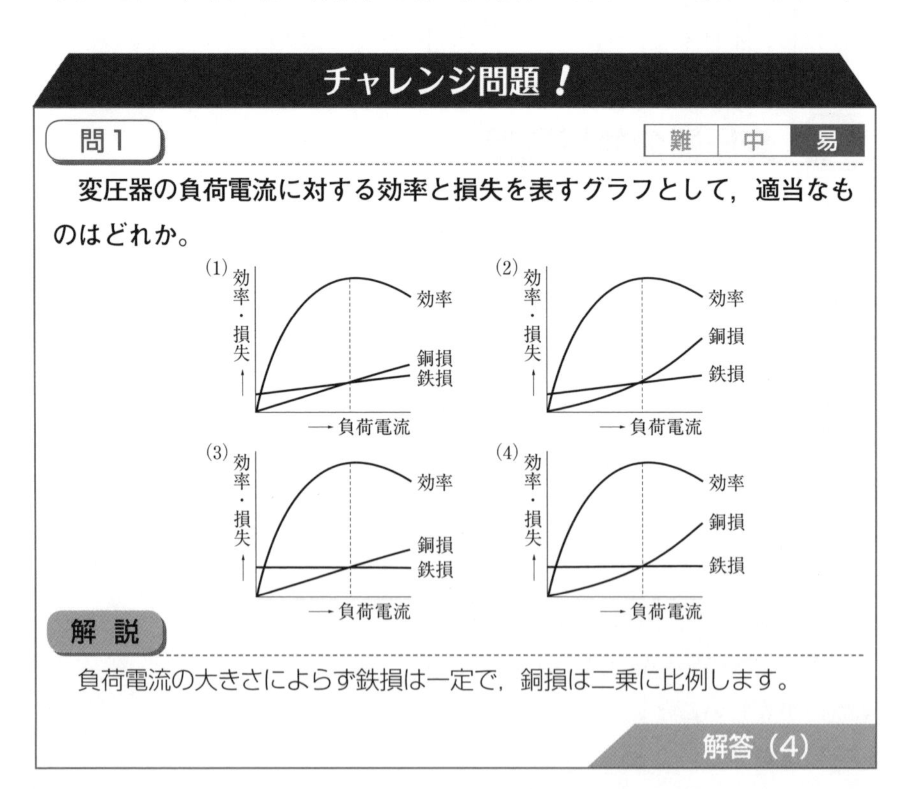

解説

負荷電流の大きさによらず鉄損は一定で，銅損は二乗に比例します。

解答（4）

コンデンサ・リアクトル

1 コンデンサの種類

日本産業規格（JIS）に定められている，高圧進相コンデンサには，次のような種類があります。

①はく電極コンデンサ

金属はくを電極（薄いアルミ箔でフィルムを挟む）にしたコンデンサで，誘電体の一部が絶縁破壊するとその機能を失い，自己回復できません。

②蒸着電極コンデンサ

蒸着金属を電極（薄い絶縁シートの両側に亜鉛を蒸着）にしたコンデンサで，誘電体の一部が絶縁破壊しても，自己回復できます。

③油入コンデンサ

コンデンサ内部に，80℃において流動性がある絶縁油またはこれと同等以上の性能を持つ液体含浸剤を充てんしたコンデンサです。

④乾式コンデンサ

コンデンサ内部に，80℃において流動性のない固体含浸剤または気体を充てんしたコンデンサです。

⑤集合形コンデンサ

適切な個数の単器形コンデンサを1個の共通容器または枠に収めて1個の単器形コンデンサと同等に取り扱えるように構成したコンデンサです。

⑥保安装置内蔵コンデンサ

コンデンサの内部に異常が生じた際，異常素子または素体に電圧が加わらないように切り離しできるコンデンサです。

※13

残留磁気
ヒステリシス曲線において，外部磁場を飽和磁化の状態から0に戻した時に残る磁気です。

2 力率改善

進相コンデンサの役割は，送配電線路に並列に接続して力率を改善することです。

電圧降下の軽減，電力損失の軽減，設備容量の増加，電気料金※14の節減などの効果があります。

力率改善に必要なコンデンサ容量は次の式で計算できます。

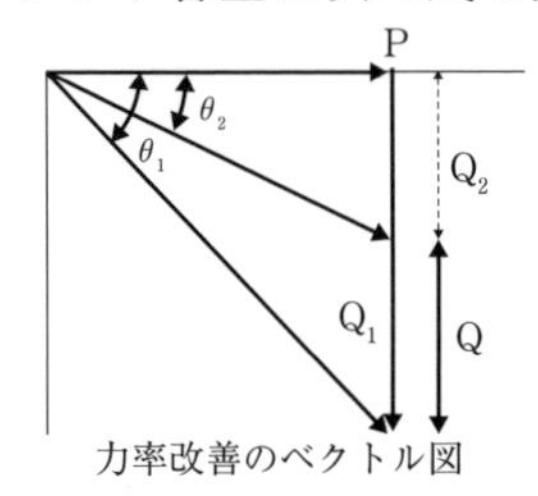

力率改善のベクトル図

$$\boldsymbol{Q}=\boldsymbol{Q}_1-\boldsymbol{Q}_2=\boldsymbol{P}(\tan\theta_1-\tan\theta_2)=\boldsymbol{P}\left(\frac{\sin\theta_1}{\cos\theta_1}-\frac{\sin\theta_2}{\cos\theta_2}\right)$$

$\boldsymbol{Q}$：コンデンサ容量〔kvar〕，$\boldsymbol{P}$：有効電力〔kW〕

3 リアクトル

リアクトル※15には種類により，次のような役割があります。

- 架空送電線路，電気回路に直列に接続し，短絡時の電流を制限します。
- 高圧進相用コンデンサに直列に接続し，コンデンサへの高調波の流入を抑制，およびコンデンサ投入時の突入電流を抑制します。回路電圧波形を改善します。
- 特別高圧変圧器の中性点と大地間に接続し，地絡電流を制限します。

4 調相設備

調相設備は，無効電力を調整する設備で，次のような設備があります。

①電力用コンデンサ

線路や負荷に並列に接続し，進み電流を供給して遅れ力率を補償します。無効電力の調整はステップ制御[※16]になります。

②分路リアクトル

線路や負荷に並列に接続し，進相無効電力を吸収して電力系統の電圧上昇を軽減します。コンデンサと同じく，ステップ制御です。

③静止形無効電力補償装置（SVC[※17]）

無効電力を遅相から進相まで連続的に制御できます。即応性に優れた電圧調整ができます。

④同期調相機

界磁電流を調整することにより，無効電力を遅相から進相まで連続的に制御できます。

※14
電気料金の節減
力率を改善することにより，基本料金の割引があります。

※15
リアクトル
コイルです。

※16
ステップ制御
段階的な制御です。

※17
SVC
Static Var Compensator。

チャレンジ問題！

問1　難　**中**　易

有効電力 P が1,200kWで力率0.6の三相負荷に接続して，力率を0.8に改善するために必要な電力用コンデンサの容量 Q〔kvar〕として，正しいものはどれか。

0　P　Q

(1) 240kvar　(3) 700kvar
(2) 336kvar　(4) 900kvar

解説

$Q=P(\tan\theta_1-\tan\theta_2)$ で計算する。

$\tan\theta_1=\sin\theta_1/\cos\theta_1=0.8/0.6$

$\tan\theta_2=\sin\theta_2/\cos\theta_2=0.6/0.8$

$Q=1{,}200(0.8/0.6-0.6/0.8)=1{,}200\times7/12=700$

解答（3）

第1章  電気工学

CASE 4 電力系統

まとめ & 丸暗記　この節の学習内容とまとめ

□ 水力発電の式

理論水力　$P=9.8QH$〔kW〕

発電機の出力　$P_G=9.8QH\eta_T\eta_G$〔kW〕

H：有効落差〔m〕　Q：流量〔m^3/s〕

η_T：水車効率　η_G：発電機の効率

□ 再熱再生サイクル

再熱サイクルと再生サイクルを組合わせたものです

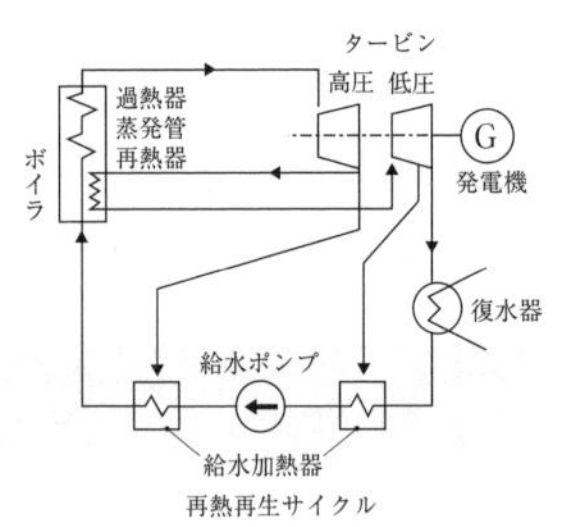

再熱再生サイクル

□ 表皮効果

次のとき，表皮効果が大きくなる

①周波数が高い

②導電率が大きい（抵抗率が小さい）

□ 短絡電流I_s・短絡容量P_s

$\%Z=IZ/V\times100$〔%〕

$I_s=I/\%Z\times100$〔kA〕

$P_s=P/\%Z\times100$〔MV・A〕

I：定格電流〔kA〕，V：定格電圧〔kV〕

P＝基準容量〔MV・A〕（$P=\sqrt{3}VI$）

□ 電力の安定

①送電電圧を高くする

②系統のリアクタンスを小さくする

③高速度保護リレー方式を採用する

水力発電

1 水車の調速機

水車の調速機は負荷の変動に対し，流入水量を調節し，回転速度を一定に保ちます。発電機と系統との並列運転が解けたとき，電圧上昇を防止します。

ペルトン水車[※1]ではニードル弁を，フランシス水車[※2]では案内羽根（ガイドベーン）の開度を加減します。

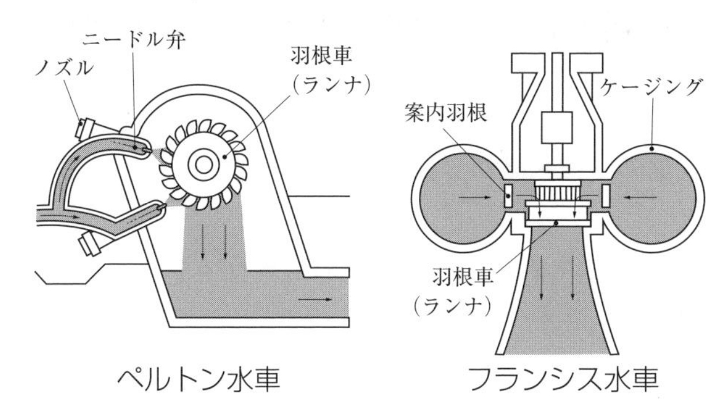

ペルトン水車　　フランシス水車

発電機が系統と並列運転するまでは，自動同期装置などの信号により調速制御を行い，運転後は，発電機の出力や周波数変化の調整を行います。

2 水力発電の式

水力発電[※3]は，水の持つ位置エネルギーを電気エネルギーとして出力します。

有効落差 $\boldsymbol{H}$〔m〕の高さより，流量 $\boldsymbol{Q}$〔m^3/s〕の水を落下させたとき，水車に与えられるエネルギー $\boldsymbol{P}$〔kW〕は次式で表され，これを理論水力といいます。

※1
ペルトン水車
水を水車に当てて，発電する衝動水車です。

※2
フランシス水車
高所にある水の位置エネルギーを速度と圧力のエネルギーに変換し，羽根車での圧力降下の際に生じる反動力によって回転する水車です。

※3
水力発電
水の持つ位置エネルギーを水車の運動エネルギーに変えて，水車と連動する発電機により電気エネルギーとして出力します。また，揚水式発電では，軽負荷時に，余った電気エネルギーを上部貯水池に水の位置エネルギーとして蓄え，これをピーク時に電気エネルギーに変換して供給します。

$$P = 9.8QH \text{〔kW〕}$$

発電機の出力 P_G〔kW〕は，水車効率 η_T，発電機の効率 η_Gとすると，次式で表されます。

$$P_G = 9.8QH\eta_T\eta_G \text{〔kW〕}$$ ※4

また，揚水式発電では，揚水時に必要な電力 P_M〔kW〕は，ポンプ効率 η_P，電動機効率 η_mとすると，次の式で表されます。

$$P_M = 9.8QH/\eta_P\eta_m$$

チャレンジ問題！

問1 難 中 易

図のような揚水式発電の，揚水時に必要な電力量〔MW·h〕として，正しいものはどれか。

ただし，条件は次のとおりとする。なお，水の揚程は一定とし，損失水頭はないものとする。

水の揚程　H_P：240m　揚水量　V：$3.6 \times 10^6 m^3$

ポンプの効率　η_p：0.80　電動機の効率　η_m：0.98

(1) 1,900MW・h

(2) 2,400MW・h

(3) 3,000MW・h

(4) 4,500MW・h

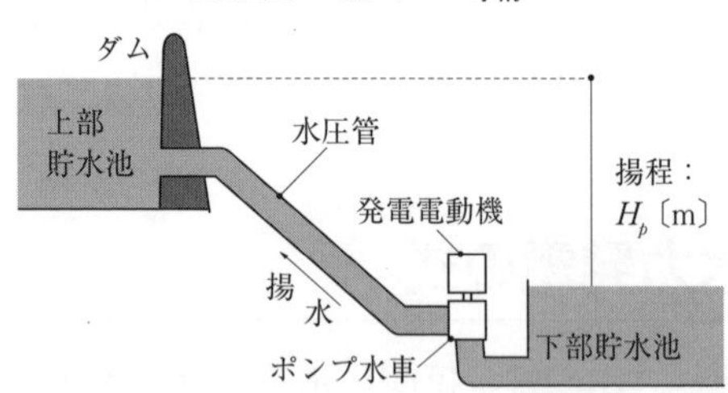

解説

揚水時に必要な電力量 P〔MW·h〕は，$P = 9.8QH/\eta_p\eta_m$になります。また，流量 Q〔m³/s〕は，$Q = V/3{,}600 = 1{,}000$〔m³/s〕より，

$$P = 9.8QH/\eta_p\eta_m = 9.8 \times 1{,}000 \times 240 \div (0.8 \times 0.98)$$
$$= 3{,}000 \text{〔MW・h〕}$$

解答（3）

汽力発電

1 熱サイクル

汽力発電[※5]は，蒸気タービン[※6]を原動機に用いた火力発電のことです。

重油，LNG[※7]，石炭などを燃やした熱で高温・高圧の蒸気をつくります。この蒸気をタービンの羽根車に吹付けて回転させ，タービンにつないだ発電機を動かし発電します。

熱サイクルとは，気体を何段階かの状態に変化させ，元の状態に戻すことをいいます。熱サイクルには次のものがあります。

2 熱サイクルの種類

①ランキンサイクル

ランキンサイクルは，基本的な熱サイクルです。水は給水ポンプからボイラ内の蒸発管と過熱器を経て過熱蒸気となり，タービンを回転させます。

タービンの回転軸により発電機の回転子がまわり，発電します。蒸気は断熱膨張[※8]して復水器で水に戻され，給水ポンプでボイラに給水されます。

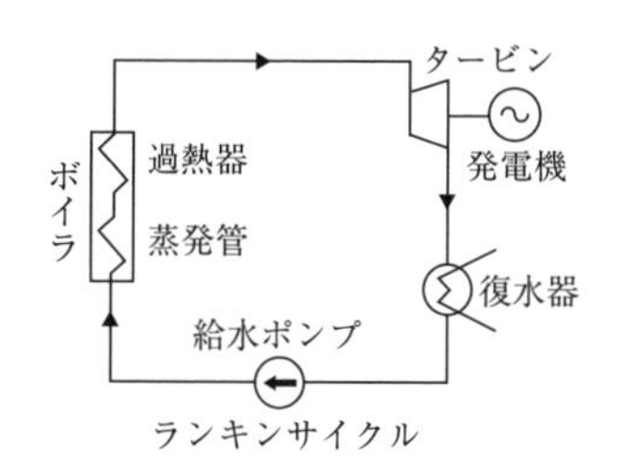

ランキンサイクル

※4
$\eta_T\eta_G$
水車と発電機の効率を掛け合わせたものを，総合効率といいます。

※5
汽力発電
火力発電の一種ですが，一般的には火力発電と同義語として使われています。

※6
蒸気タービン
蒸気の持つ熱エネルギーを羽根車の回転エネルギーに変換する装置です。

※7
LNG
液化天然ガスのことです。

※8
断熱膨張
外部から熱の出入りがない状態で物体の体積が大きくなる現象のことです。気体が液化します。

ランキンサイクルのP-V線図[※9]とT-S線図[※10]は次のとおりです。特に，タービンの入口から出口までの断熱膨張部分が重要です。タービンで一気に仕事をするので温度が下がります（T -S線図の5→6）。

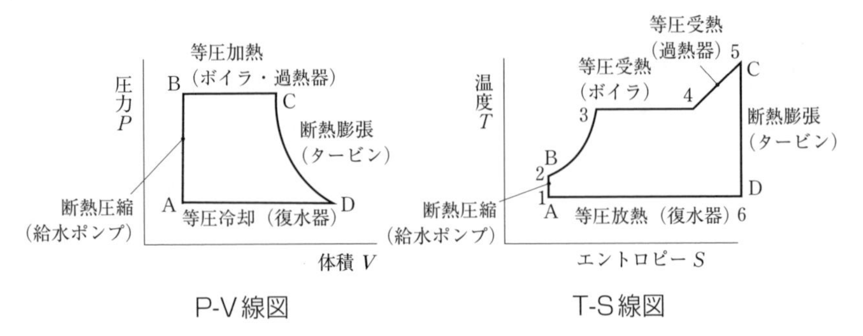

P-V線図　　T-S線図

②再熱サイクル

高圧タービンで断熱膨張した蒸気を，再びボイラの**再熱器**に戻して加熱し，低圧タービンに送って断熱膨張させます。再熱過程があり，タービンが二段となるため，熱効率が向上します。

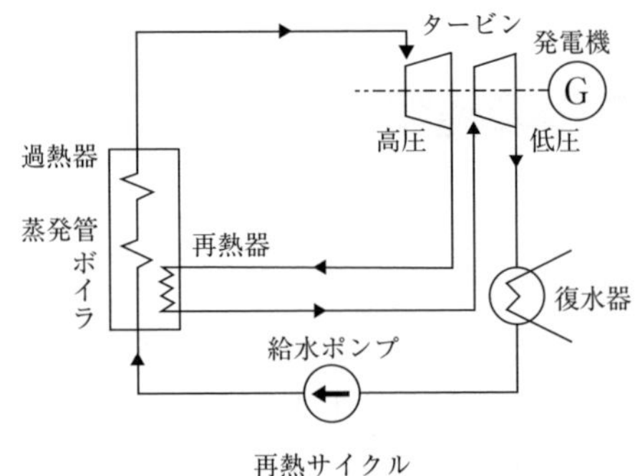

再熱サイクル

③再生サイクル

タービンの途中から抽気[※11]した蒸気の熱で給水を加熱します。熱効率が向上します。

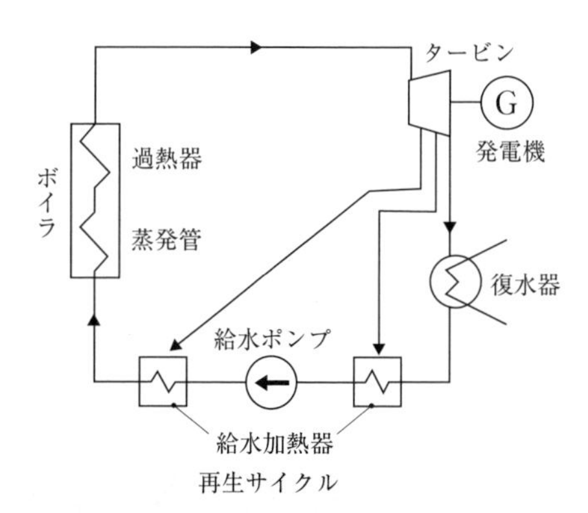

再生サイクル

④再熱再生サイクル

再熱サイクルと再生サイクルを組合わせたものです。熱効率はさらに向上します。

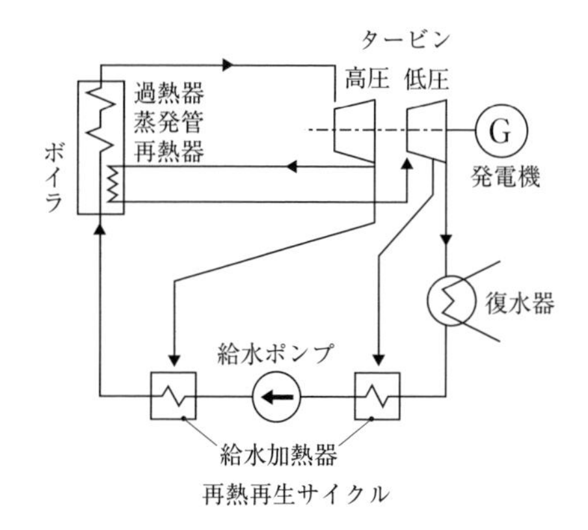

再熱再生サイクル

※9
P-V線図
圧力（P）と体積（V）の関係を表した図です。

※10
T-S線図
絶対温度（T）とエントロピー（S）の関係を表した図です。エントロピーとは，蒸気が得た熱量の変化です。

※11
抽気
蒸気の一部を抜き出すことです。

チャレンジ問題！

問1

難	中	易

図に示す汽力発電のランキンサイクルにおいて，タービンの入口から出口に至る蒸気の圧力および体積の変化を表す過程として，適当なものはどれか。

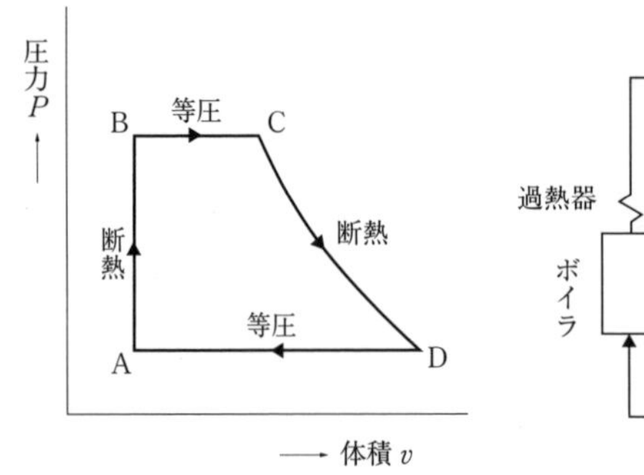

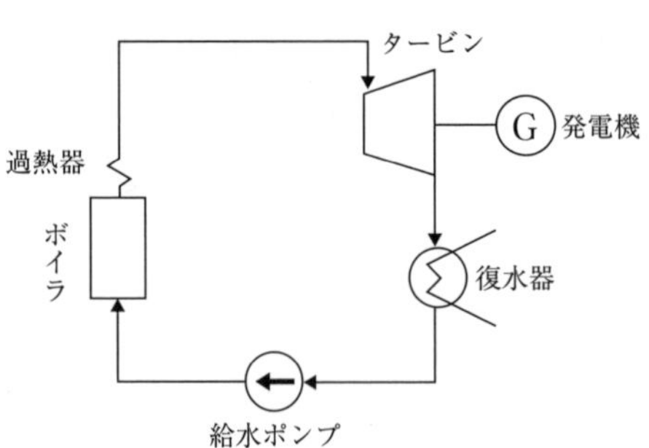

(1) A→B

(2) B→C

(3) C→D

(4) D→A

解説

断熱膨張なので，C→Dです。

解答（3）

送電線

1 電磁誘導

電磁誘導とは，送電線に電流が流れることにより磁界が発生し，その変化によって回路に誘導起電力を生じる現象です。通信線が電力線の近くにある場合，電磁誘導障害を受けることがあります。

電磁誘導電圧（$\boldsymbol{E}$）は，送電線長さ（$\boldsymbol{l}$），地絡電流（$\boldsymbol{I_g}$）に比例して増大します。

$\boldsymbol{E} \propto \boldsymbol{l}\boldsymbol{I_g}$

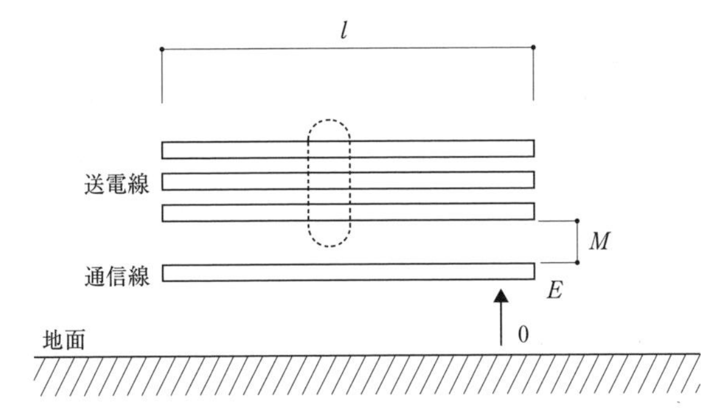

電磁誘導障害の低減対策は，次のとおりです。

- 故障送電線を，迅速，確実に遮断する
- 送電線と通信線の離隔距離を大きくする
- 送電線と通信線の間に遮へい線を設ける
- 遮へい層付の通信ケーブルを使用する
- 架空地線に導電率の良い材料を使用する

2 表皮効果

電線に交流の電流が流れるとき，電流密度は電線の周辺部に近づくほど大きくなります。つまり，電線の中心部にはあまり電流が流れず，表皮に近い部分にたくさん電流が流れる現象で，**表皮効果**といいます。

これは，電線の中心部に近いほど電流と鎖交する磁束数が多くなり，イ[※12]ンダクタンス（L）が大きくなるためです。電力損失も増大します。

表皮効果が大きくなるのは，次の場合です。

①周波数が高い

②導電率が大きい（抵抗率が小さい）

3 短絡電流・短絡容量

送電線で三相短絡事故が発生すると，**短絡電流** I_s が流れます。その時の電力を短絡容量（P_s）といい，P_s は，次の式で表すことができます。

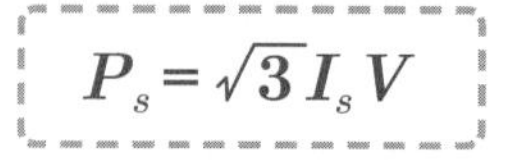

$$P_s = \sqrt{3} I_s V$$

V：線間電圧

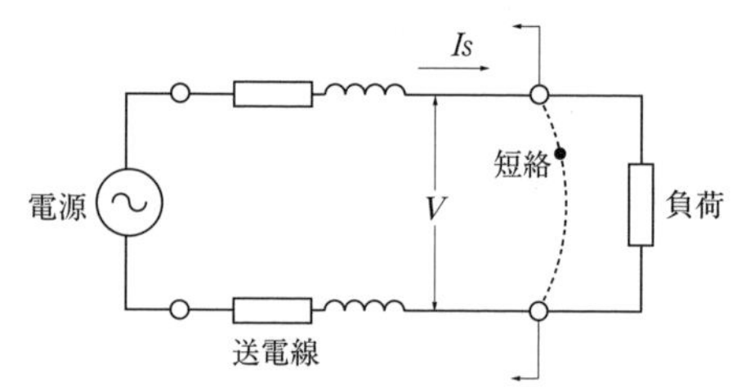

短絡電流や短絡容量の計算をする場合，%インピーダンス（%Z）を用いると便利です。

$$\%Z = IZ/V \times 100 \ [\%]$$
$$I_s = I/\%Z \times 100 \ [\mathrm{kA}]$$
$$P_s = P/\%Z \times 100 \ [\mathrm{MV \cdot A}]$$

I：定格電流〔kA〕，V：定格電圧〔kV〕

P：基準容量〔MV・A〕（$P = \sqrt{3} VI$）

例題

図に示す受電点の短絡容量を求めなさい。

ただし，基準容量：10〔MV・A〕

変電所の％インピーダンス：

$\% Z_g = j2$〔％〕

配電線の％インピーダンス：

$\% Z_l = 6 + j6$〔％〕

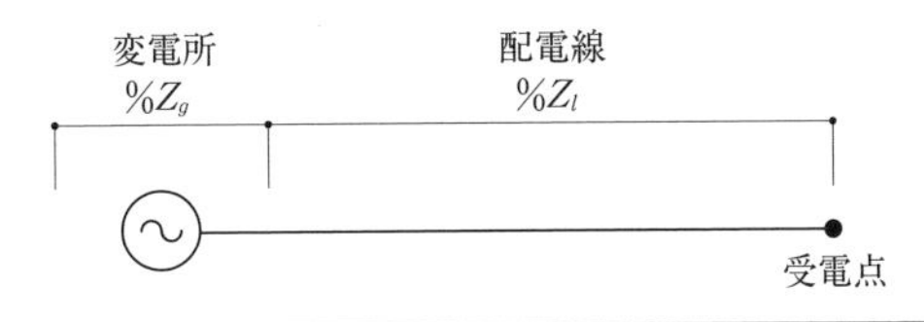

解説

$$\% Z = \% Z_g + \% Z_l = j2 + 6 + j6 = 6 + j8$$

したがって，％Zの大きさは10となります。

$$P_s = P / \% Z \times 100 \text{〔MV・A〕}$$

より，$P_s = 100$〔MV・A〕

受電設備の遮断器の遮断容量[※13]は，この短絡容量より大きくする必要があります。短絡容量が小さければ，遮断器の遮断容量も小さくできるので，設備のコスト上有利です。短絡容量の軽減対策としては，次のものがあります。

- 高インピーダンスの変圧器を採用する
- 限流リアクトル[※14]を設置する
- 上位電圧の系統を導入し，既設系統（母線）を分割する

なお，電力用コンデンサを設置しても，短絡容量の軽減対策にはなりません。

※12
インダクタンス（L）
コイルのインダクタンスがL〔H〕のとき，そのリアクタンスは$2\pi fL$〔Ω〕になります。周波数fが高いほど大きくなります。

※13
遮断容量
三相短絡が発生したとき，短絡容量より大きければ，事故を阻止することができます。

※14
限流リアクトル
交流回路に直列で接続され，短絡電流を制限する目的で使用します。

4 単導体・多導体

架空送電線において，**単導体**とは，三相の各相をそれぞれ1本の電線（導体）で構成するもので，**多導体**は，複数本の電線を30cm～50cm程度の間隔に並列に架設する方式をいいます。

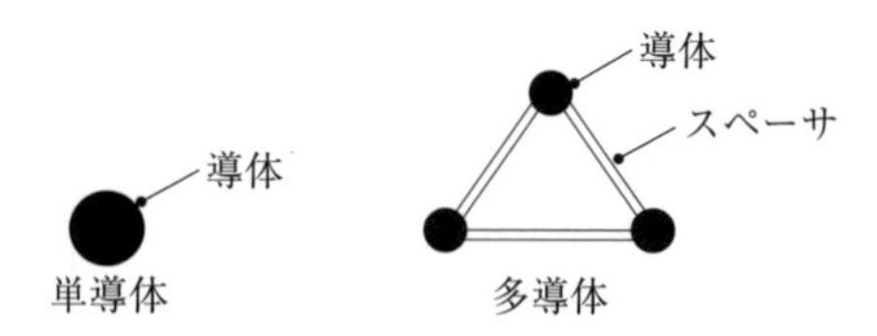

単導体の断面積と多導体の合計断面積は等しいと仮定して，単導体方式と比較した多導体方式の特徴としては，次のとおりです。

- インダクタンスが小さい
- 静電容量が大きい
- **送電容量が大きい**
- コロナ開始電圧が高い ※15
- 風圧や氷雪荷重が大きい

多導体は，構造上，風圧や氷雪荷重が大きいのは欠点ですが，インダクタンスが小さいこと，静電容量が大きいことは，送電容量が大きいことにつながります。

なお，**コロナ放電**とは，尖った電極に高電圧をかけると起きる持続的な放電です。

5 電力の安定

電力系統の安定度向上対策として，次のものがあります。

- 送電電圧を高くする
- 系統のリアクタンスを小さくする
- 高速度保護リレー方式を採用する
- 中間開閉所を設置する

6 直流送電

直流で電気を送電することを，直流送電といいます。

● 長所

①大電力の長距離送電ができる

②周波数の異なる交流系統間が連系できる

③送電損失が少ない

④ケーブル送電の場合は，誘電体損失[※16]がない

⑤電力潮流の制御が迅速，かつ容易に行える

● 短所

①高電圧・大電流の遮断が難しい

②交直変換所での高調波の防止対策が必要

③大地帰路方式[※17]の場合は，電食を起こすおそれがある

※15

コロナ

放電現象です。高圧送電線の周囲の空気の絶点が破壊されて青白い光を発します。

※16

誘電体損失

ケーブルに高電圧を印加したとき，絶縁体部分に発生する損失です。誘電体損失は周波数に比例するので，直流の場合はありません。

※17

大地帰路方式

直流における帰路電流を，大地に流す方式です。

チャレンジ問題！

問1　　難　**中**　易

送配電系統における短絡容量の軽減対策に関する記述として，不適当なものはどれか。

(1) 高インピーダンスの変圧器を採用する。

(2) 上位電圧の系統を導入し，既設系統を分割する。

(3) 限流リアクトルを設置する。

(4) 電力用コンデンサを設置する。

解説

コンデンサを設置するのは，電圧安定度の向上となりますが，短絡容量の軽減対策とはなりません。

解答 (4)

第1章  電気工学

CASE 5 電気応用

まとめ & 丸暗記　この節の学習内容とまとめ

□ 光源

光源の種類	平均演色評価数	ランプ効率〔lm/W〕	定格寿命〔時間〕
白熱電球	◎	×	×
Hf蛍光ランプ	○	○	○
メタルハライドランプ	○	○	○
水銀ランプ	△	△	○
低圧ナトリウムランプ	×	◎	○

□ 点光源の照度

$E_h = I \cdot \cos\theta / R^2$〔lx〕

I：P方向に向かう光度〔cd〕

R：LPの距離〔m〕

θ：∠PLOの角度θ

□ 鉛蓄電池

正極に過酸化鉛，負極に鉛を用い，電解液として希硫酸を満たした蓄電池

□ 三相誘導電動機

$s = (N_0 - N)/N_0$

$N = N_0 (1 - s)$

$N_0 = 120f/p$

N_0：同期速度〔$\mathrm{min^{-1}}$〕　N：回転子の速度〔$\mathrm{min^{-1}}$〕

s：すべり　f：周波数　p：磁極数

□ Y-Δ始動法（スター・デルタ）

始動電圧：$1/\sqrt{3}$倍　始動電流：1/3倍

始動トルク：1/3倍

照明

1 用語と単位

①放射束

単位時間にある面を通過する放射エネルギーの量です。

②光束〔lm：ルーメン〕

電磁波の放射束のうち光として感じるエネルギーの量です。

③光度〔cd：カンデラ〕

点光源からある方向の単位立体角当たりに放射される光束の量です。

④輝度〔cd/m^2〕

ある方向への光度を，その方向への見かけの面積で割ったものです。

⑤照度〔lx：ルクス〕〔lm/m^2〕

照射面の単位面積当たりに入射する光束の量[※1]を照度といいます。照射面の明るさを表します。

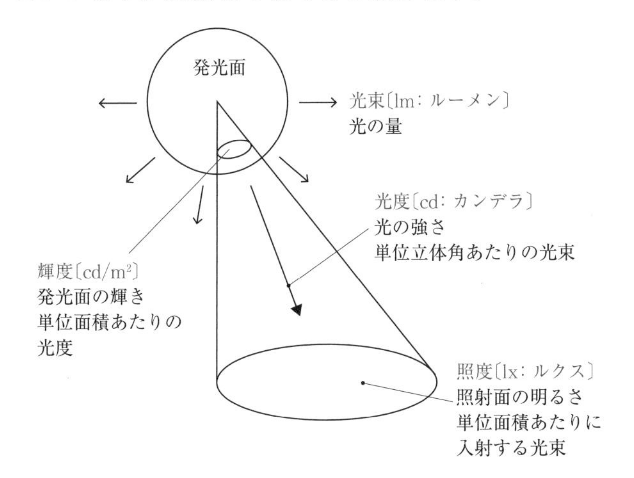

※1

入射する光束の量

照度は〔lm/㎡〕という単位で表すこともでき，同じ単位をもつものに光束発散度があります。これは，光を発生していたり，反射している物体の単位面積から発散する光束の量をいいます。つまり，照度は「入射」，光束発散度は「反射」で逆の現象といえます。

⑥色温度〔K：ケルビン〕

光源の色を黒体放射の温度（絶対温度[※2]）で表したものです。

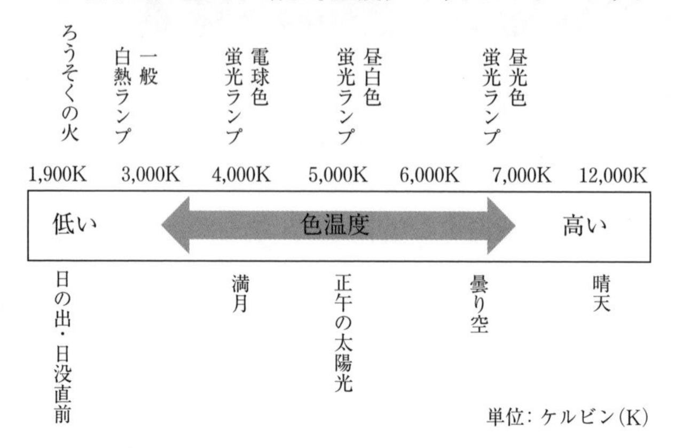

⑦演色性

光源による色の見え方が基準光源にどれだけ近いかを表したものです。**平均演色評価数**（Ra：100点満点）が高いほど優れています。精密な作業における演色性については，Raの最小値として80が推奨されています。

⑧グレア

視野の中に輝度の高い光源などがあることにより，不快を感じたり物の見え方を害することをいいます。

グレアには**直接グレア**と**間接グレア**があり，前者は人に不快感を及ぼす**不快グレア**と視対象物を見えにくくする**減能グレア**に分類されます。間接グレアは光沢のある面に映り込んだ光源を間接的に見ることによりおこるものです。

⑨照度均斉度[※3]

作業領域におけるある面上の「**最小照度／平均照度**」で表されます。

照度均斉度が大きいほど，明るさが均一であることを示します。

2 光源

①電球

電球には白熱電球とハロゲン電球があります。

白熱電球は，ガラス球体内のタングステンのフィラメントを電流により高温に加熱し，その温度放射によって発光させる光源です。ガラス球体内には不活性[※4]ガスが封入されています。効率が低く，寿命は1,000～1,500時間程度と短いですが，平均演色評価数は100点です。

ハロゲン電球は，白熱電球のガラス球体内に微量のハロゲン物質を封入した電球です。白熱電球に比べて，高効率，長寿命です。色温度の低い光源です。

②蛍光ランプ

ガラス管内壁に塗布された蛍光体が，放電により発生する紫外線によって励起され発光します。

ガラス管内の水銀蒸気にアルゴンを加えることで，始動電圧を下げることができます。

高周波点灯専用形蛍光ランプ[※5]は，寿命も長く色温度の高いランプです。

③水銀ランプ

発光管内に高圧水銀蒸気とアルゴンガスが封入されています。発光管内の高圧水銀蒸気圧中におけるアーク放電を利用している放電ランプです。

蛍光ランプに比べてランプ効率[※6]が低いです。

④メタルハライドランプ

高圧水銀ランプの発光管の中に，ハロゲン化物質などを封入し，演色性を改善したランプです。

⑤低圧ナトリウムランプ

発光管の中に，ナトリウムなどを封入した放電ランプです。発光は橙黄色の単色光で演色性が悪いですが，ランプ効率は最高レベルです。

トンネル照明，高速道路照明などに用いられます。

※2
絶対温度
絶対温度T〔K〕と，一般に用いられる温度t〔℃〕の関係は次のとおりです。
$T=t+273$

※3
照度均斉度
室内の隅1mを除いて，「最低照度/最高照度」で表されることもあります。

※4
不活性ガス
他のガスと化学反応しないガスです。

※5
高周波点灯専用形蛍光ランプ
Hf蛍光ランプともいいます。

※6
ランプ効率
単位は〔lm/W〕で，大きいほど省エネで明るいです。

※7
蒸気圧
低圧・高圧は，蒸気圧の高低です。

⑥高圧ナトリウムランプ

蒸気圧[※7]が10kPa程度の高圧ナトリウム蒸気中の放電により発光します。演色性はかなり改善され，輝度[※8]の高い放電ランプです。

⑦LED

pn接合の個体デバイスであり，順方向に電流を流すと発光します。次の特徴があります。

- 蛍光ランプに比べて振動や衝撃に強い
- 最も長寿命である（約40,000時間）
- 小型・軽量であるため，デザイン性に優れ自由な形状の照明器具が製作可能

3 点光源による照度計算

次の図においてLは点光源[※9]で，床面P点の水平面照度$\boldsymbol{E_h}$〔lx〕を求める式は，次のとおりです。

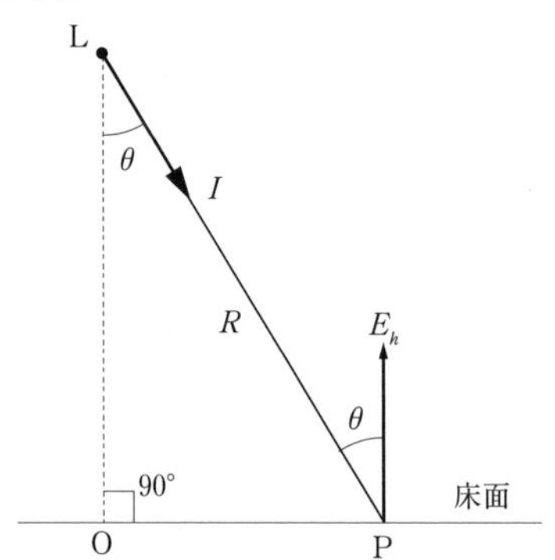

$$E_h = I \cdot \cos\theta / R^2 \text{〔lx〕}$$

$\boldsymbol{I}$：P方向に向かう光度〔cd〕　$\boldsymbol{R}$：LPの距離〔m〕

θ：∠PLOの角度θ

なお，点光源の真下の水平面照度は，$\cos\theta = \cos 0 = 1$により，$\boldsymbol{E} = \boldsymbol{I}/\boldsymbol{R}^2$となります。

例題

次の図において，

$I=2{,}700$〔cd〕，$R=3$〔m〕，$\theta=60$度

のときP点の水平面照度を求めなさい。

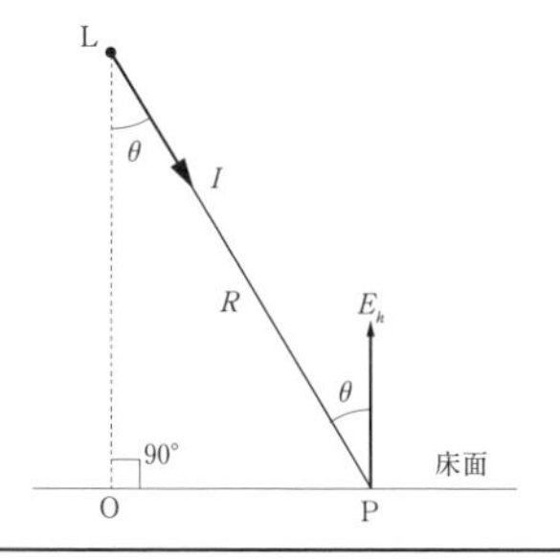

解説

$$E_h = I \cdot \cos\theta / R^2 = 2{,}700 \times 1/2 \div 9 = 150 \text{〔lx〕}$$

※8
輝度の高い放電ランプ
高輝度放電ランプ（HIDランプ）といい，高圧水銀ランプ，メタルハライドランプ，高圧ナトリウムランプが該当します。

※9
点光源
天井にスポットライトのような光源が1つあるような場合を想定しています。
事務室のように多数の照明器具のある室の照度計算は後述します。

チャレンジ問題！

問1 難 中 **易**

照明に関する用語の記述として，不適当なものはどれか。

(1) 光度とは，ある面上の最小照度の，平均照度に対する比をいう。
(2) 光量とは，光束の時間積分量をいう。
(3) グレアとは，視野の中に輝度の高い光源などがあることにより，不快を感じたり物の見え方を害することをいう。
(4) 照度とは，光を受ける面の単位面積当たりに入射する光束をいう。

解 説

光度とは，点光源からある方向の単位立体角当たりに放射される光束の量です。ある面上の最小照度の，平均照度に対する比は照度均斉度といいます。

解答（1）

電池・発電

1 鉛蓄電池

正極に過酸化鉛，負極に鉛を用い，両極間に隔離板を入れ電解液として希硫酸を満たした蓄電池です。放電時は図のようになります。

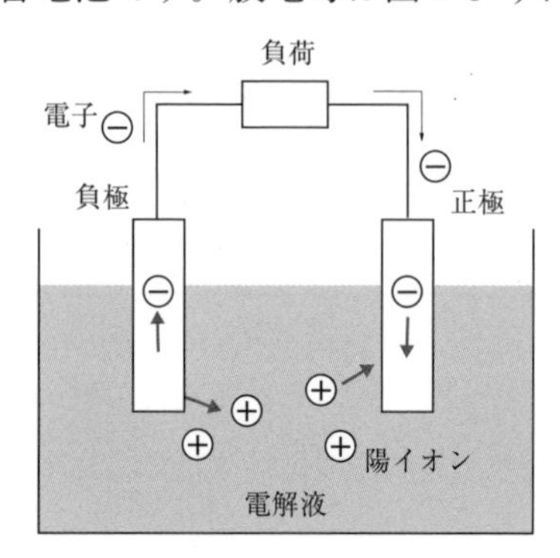

ベント形蓄電池は，酸霧が脱出しないようになっています。自然蒸発で水分が失われるため，補水作業が必要ですが，触媒栓[※10]を取り付ければ，補水作業を減らすことができます。

シール形蓄電池は蓄電池から発生するガスをほとんど外部に放出しない機構です。

極板の種類には，主としてペースト式[※11]とクラッド式[※12]があります。

蓄電池の容量を表すものとして，次のものがあります。

①定格容量

規定の条件下で放電終止電圧[※13]まで放電した時に取り出せる電気量です。

②放電容量

蓄電池から取り出せる電気量です。放電電流が大きいほど小さくなります。

③残存容量

蓄電池に残存している電気量です。蓄電池の内部抵抗は，残存容量の減少にともない増大します。

2 アルカリ蓄電池

アルカリ蓄電池は，電解液にアルカリ溶液を用いている蓄電池の総称です。電解液には主に水酸化カリウムが使われ，極板に使われる素材によって，蓄電池の名前が異なります。

アルカリ蓄電池の中で一番多く使用されているのが，ニッケル-カドミウム蓄電池（ニッカド電池）で，正極に水酸化ニッケル，負極に水酸化カドミウムを使用しています。

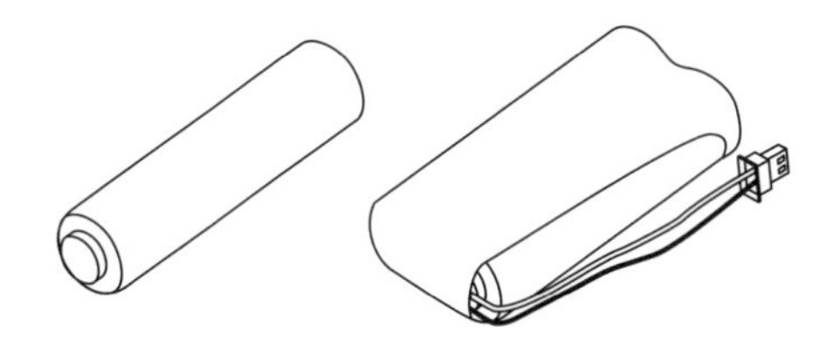

3 燃料電池

水の電気分解[※14]とは逆で，水素と酸素を反応させて電気を取り出すのが燃料電池です。

燃料電池という言葉から，乾電池や蓄電池のような「電池」をイメージしますが，燃料電池は化学エネルギーを電気エネルギーに変換する「発電設備」といえます。排熱は給湯や冷暖房に利用できます。

主な種類に，電解質にりん酸溶液を用いる，りん酸形燃料電池とイオン交換膜を用いる固体高分子形燃料電池があります。りん酸形燃料電池に比べて作動温度が低いです。

※10
触媒栓
ベント形蓄電池を長期間使用すると，電解液中の水分が電気分解され，酸素・水素ガスが発生します。触媒栓は充電したときに発生するガスを水に戻す機能を持っています。

※11
ペースト式
格子体とよばれる極板の骨組みにペースト状の活物質を塗り込んで極板にしたものです。

※12
クラッド式
ガラス繊維をチューブ状に編み上げて焼き固め，その中に極板活物質である鉛粉を充てんしたものです。

※13
放電終止電圧
電池はある程度まで放電すると電圧が急激に低下します。
安全に放電を行える放電電圧の最低値のことです。

※14
水の電気分解
水に電気を通すと水素と酸素の泡が出てくることです。

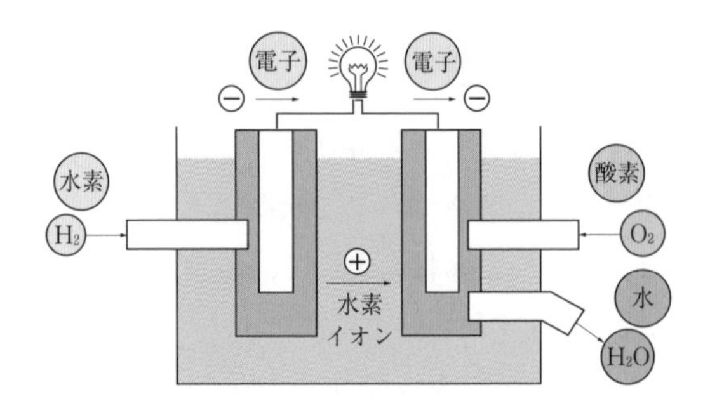

4 NAS電池

負極にナトリウム（Na），正極に硫黄（S），電解質にファインセラミックスを用いて，硫黄とナトリウムイオンの化学反応により充電・放電を行う電池です。高エネルギー密度などの特長を持っており，電力貯蔵用に適しています。

チャレンジ問題！

問1　難　**中**　易

鉛蓄電池に関する記述として，不適当なものはどれか。

(1) ベント形蓄電池は，酸霧が脱出しないようにしたもので，使用中補水が必要である。
(2) 蓄電池の内部抵抗は，残存容量が少なくなるほど減少する。
(3) 触媒栓は，充電したときに発生するガスを水に戻す機能を持つ。
(4) 定格容量は，規定の条件下で放電終止電圧まで放電したとき，取り出せる電気量である。

解説

蓄電池の内部抵抗は，残存容量が少なくなるほど増大します。

解答（2）

電動機

1 三相誘導電動機

①特性曲線

三相誘導電動機は，三相交流によって駆動する電動機です。固定子と回転子にそれぞれ巻線があり，両巻線の電磁誘導作用によって，トルクを発生して軸が回転します。

三相誘導電動機の出力に対する回転速度，効率，トルク，一次電流，すべりなどの図を出力特性曲線といいます。

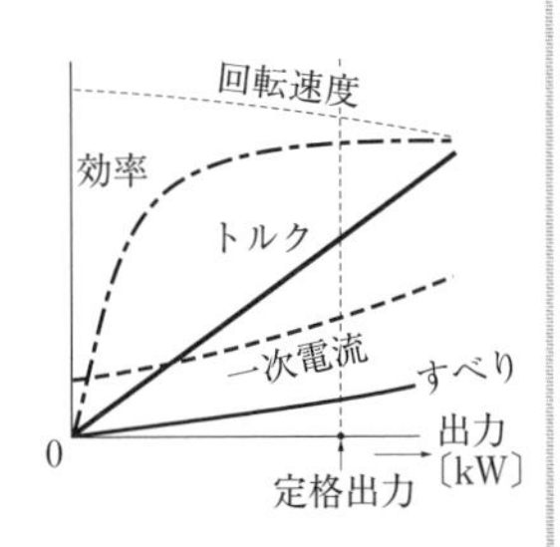

すべり s と回転速度，同期速[※15]度は次の式で表されます。

$$s = (N_0 - N)/N_0 \qquad N = N_0(1 - s)$$

$N_0 = 120f/p$ 　 N_0：同期速度〔min^{-1}〕

N：回転子の速度〔min^{-1}〕

f：周波数 　 p：磁極数

2 始動

①全電圧始動法（直入始動）

三相の定格電圧を直接巻線に加えて始動する方法です。始動時に定格電流の5～7倍の始動電流が流れます。小さい容量の電動機に用いられます。

② Y-Δ 始動法（スター・デルタ）

始動時に一次巻線を Y 結線とし，各相の固定子巻線[※16]に定格電圧の $1/\sqrt{3}$ 倍の電圧を加えます。徐々に速度

※15
同期速度
回転磁界の回転速度です。速度を表す単位として，〔min^{-1}〕が使用されており，毎分という意味で，1分間当たりの回転数をいいます。

※16
固定子巻線
電動機の回転する部分（回転子という）の周りにある，固定された巻線のことです。

が上昇したら，**Δ**結線に切り替えて各相に全電圧を加えて運転します。

全電圧始動法に比べると，**始動電流，始動トルクともに1/3に低下します。**5.5kW以上の中程度の電動機に用いられます。

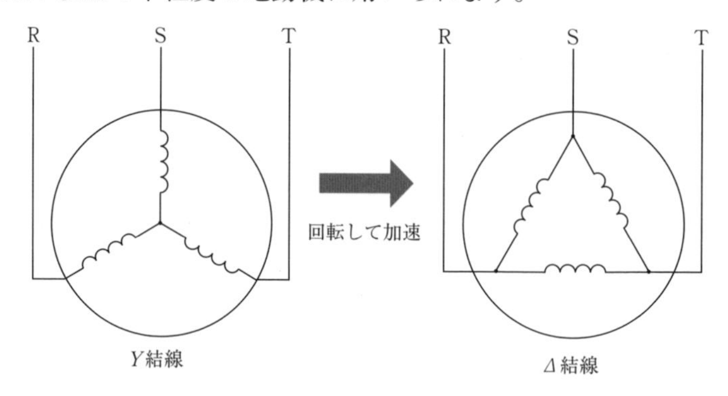

③始動補償器法（コンドルファ始動）

始動用変圧器を用いて始動時に低電圧で始動し，速度が増すと全電圧に切替える方法です。

チャレンジ問題！

問1　難　**中**　易

三相かご形誘導電動機の $Y-\Delta$ 始動方式に関する記述として，不適当なものはどれか。

(1) **Y**結線から**Δ**結線へ切り替えるときに，大きな突入電流が流れることがある。

(2) 始動時には，各相の固定子巻線に定格電圧の1/3の電圧が加わる。

(3) 始動電流は，**Δ**結線で全電圧始動したときの1/3になる。

(4) 始動トルクは，**Δ**結線で全電圧始動したときの1/3になる。

解説

始動時には，各相の固定子巻線に定格電圧の $1/\sqrt{3}$ の電圧が加わります。

解答（2）

第一次検定

第2章

電気設備

1 発電設備 ・・・・・・・・・・・・・・・・・・・・ 80
2 変電設備 ・・・・・・・・・・・・・・・・・・・・ 90
3 送配電設備 ・・・・・・・・・・・・・・・・・・・ 96
4 構内電気設備 ・・・・・・・・・・・・・・・・・ 116
5 電車線・その他 ・・・・・・・・・・・・・・・・ 156

第2章  電気設備

CASE 1 発電設備

まとめ & 丸暗記　この節の学習内容とまとめ

□ 水車

ペルトン水車	衝動水車	吸出し管なし
フランシス水車	反動水車	吸出し管あり

□ キャビテーション発生防止策
①水車の比速度を小さくする
②吸出し高さを高くしない

□ 汽力発電所の構成機器
①微粉炭器　②節炭器　③復水器　④給水加熱器
⑤空気予熱器　⑥過熱器　⑦再熱器

□ 発電効率
単結晶＞多結晶＞アモルファス

□ 風車
①水平軸形（プロペラ形）　②垂直軸形（ダリウス形）

□ 風の運動エネルギー
風力発電の風車が１秒間に受ける風の運動エネルギー W〔J〕

$$W=\frac{\rho A v^3}{2}\ 〔\mathrm{J}〕$$

A：受風面積〔m^2〕　v：風速〔m/s〕　ρ：空気密度〔kg/m^3〕

□ コンバインドサイクル発電
ガスタービンと蒸気タービンを組み合わせた発電方式。高効率
圧縮機 → 燃焼器 → ガスタービン → 排熱回収ボイラ

□ 出力分担

ベースロード電源	石炭，原子力，流れ込み式水力発電
ミドル電源	LNG，LPG
ピーク電源	揚水式水力，石油

水力発電所

1 水力発電所の仕組み

水力発電所は，図のような仕組みで発電します。

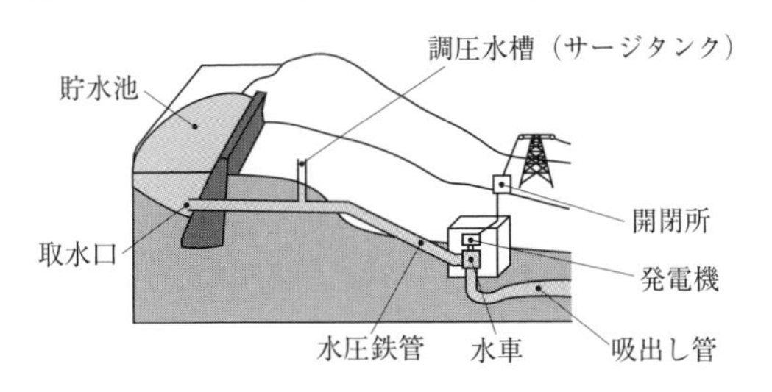

調圧水槽（サージタンク）は，水の衝撃を緩和するために設ける高さのある水槽です。

2 水車

①ペルトン水車

ペルトン水車は，ノズルから流出するジェット水流を**ランナ**※1に作用させて回転力を得るもので，**衝動水車**※2に分類されます。

水車のノズル内には，負荷に応じて使用流量を調整するための**ニードル**※3が設けられています。

急激な負荷変化でも水圧管内の圧力上昇を抑制することが可能です。

なお，ペルトン水車には，**吸出し管**※4はありません。

②フランシス水車

フランシス水車は，ランナの出口から放水面までの接続管として吸出し管が設置される**反動水車**※5の1つです。

※1
ランナ
羽根車のことです。ジェットを受けるバケットと，バケットの取付け部であるディスクからできています。

※2
衝動水車
水流をランナに直接当てる水車です。

※3
ニードル
円錐形の流量調整弁です。

※4
吸出し管
反動水車のランナ出口に接続し，放水面までの落差を有効に利用する導水管です。

※5
反動水車
圧力水頭を持った流水が水車内を通過し，反動力で回転力を得る水車です。

流水がランナ内で，半径方向から軸方向に向きを変えて流出する構造です。ランナとの間のガイドベーンの開度で流入水量を調整します。

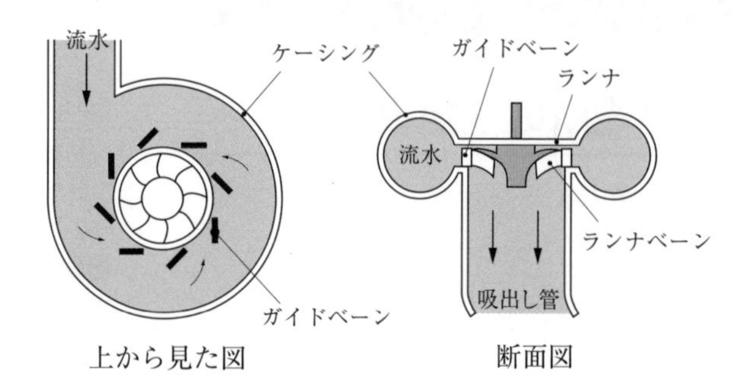

上から見た図　　断面図

3 キャビテーションの防止

水力発電所の反動水車にキャビテーション[※6]（空洞現象）が発生することがあります。

キャビテーションとは，液体の流れの中で局部的な圧力低下により，泡の発生と消滅が起きる現象です。キャビテーションが発生すると気泡がはじけ，水車に振動，騒音が発生します。また，効率や出力が低下し，流水に接する部分に壊食が生じます。

キャビテーションの発生防止策として，次のものがあります。

- 水車の比速度[※7]を小さくする
- 吸出し高さをあまり高くしない
- ランナ羽根の表面を平滑に仕上げる
- 水車を過度の部分負荷で運転しない

水車の比速度とは，水車と相似な水車を仮定し，これを単位落差（1m）の下で相似な状態で運転させ，単位出力（1kW）を発生させたときの1分間当たりの回転数をいいます。比速度を計算することにより，各水車の能力の比較ができます。

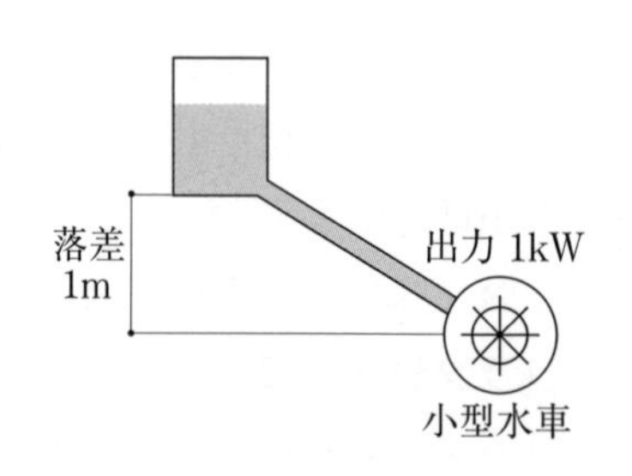

比速度が大きくなると発電機や水車を小型化でき，建設費用を低減できますが，流水とランナの相対速度が増大するのでキャビテーションが発生

しやすくなります。各水車の落差と比速度の関係図を次に示します。

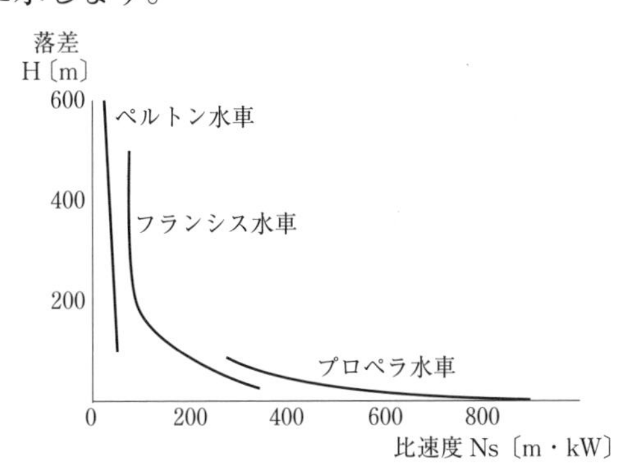

ペルトン水車やフランシス水車は適用落差が高く，比速度は小さい。プロペラ水車は適用落差が低く，比速度は大きい。

※6
キャビテーション
飽和蒸気圧以下で発生します。

※7
比速度
単位落差（1m）で単位出力（1kW）を発生させるために必要な水車の回転数のことです。

チャレンジ問題！

問1　難　**中**　易

水力発電所において，水車に発生するキャビテーションに関する記述として，最も不適当なものはどれか。

(1) キャビテーションが発生すると，水車に振動を起こし異音が発生する。
(2) 水車の比速度が小さいほど，キャビテーションを抑制できる。
(3) キャビテーションが発生すると，効率や出力が低下する。
(4) 吸出し管の高さが高いほど，キャビテーションを抑制できる。

解説

吸出し管の高さは，理論的には大気圧相当の10mまで可能ですが，高過ぎるとキャビテーションが発生しやすくなります。一般には6～7mまでです。

解答（4）

汽力発電所

1 汽力発電所の仕組み

汽力発電[※8]は，液化天然ガス（LNG）や石炭などを燃やした熱で蒸気をつくり，その膨張力でタービンの羽根車を回して発電します。

一般的な仕組みは図のとおりです。

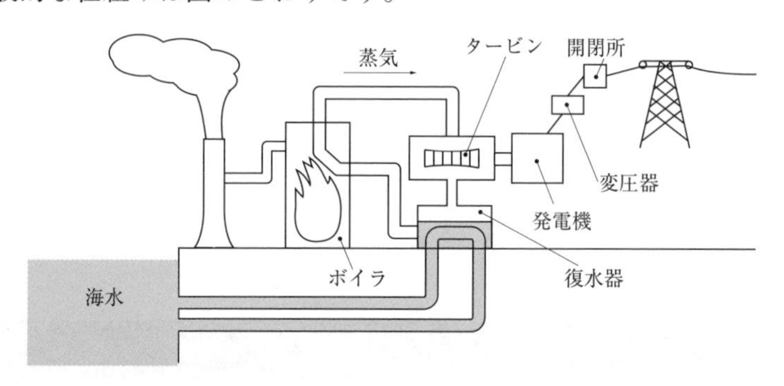

2 汽力発電所の設備

汽力発電所の機器には次のものがあります。

①微粉炭器

石炭を粉末にしてバーナから炉内に吹き込み，浮遊燃焼させます。

②節炭器

煙道ガスの余熱を利用してボイラへの給水を加熱し，熱効率を向上させます。

③復水器

タービンの排気蒸気を冷却凝縮するとともに，**水として回収**します。

④給水加熱器

タービンの抽気またはそのほかの蒸気で**ボイラへの給水を加熱**します。

⑤空気予熱器

煙道排ガスで燃焼用空気を予め加熱し，燃焼効率を向上させます。

⑥過熱器

ボイラで発生させた蒸気をさらに加熱し，高温の過熱蒸気とする装置です。

⑦再熱器

高圧タービンで仕事をした蒸気を再びボイラに戻して加熱し，過熱蒸気をつくって，中低圧タービンで仕事をさせます。

※8

汽力発電

一般的には，火力発電と同義です。

チャレンジ問題！

問1　　難　**中**　易

汽力発電所の設備に関する記述として，不適当なものはどれか。

(1) 過熱器は，高圧タービンで仕事をした蒸気を再びボイラで加熱し，熱効率を向上させる。

(2) 節炭器は，煙道ガスの余熱を利用してボイラへの給水を加熱し，効率を向上させる。

(3) 復水器は，タービンの排気蒸気を冷却凝縮するとともに水として回収する。

(4) 給水加熱器は，タービンの途中から抽気した蒸気で，ボイラへの給水を加熱する。

解説

過熱器は，ボイラで発生させた蒸気をさらに加熱し高温の過熱蒸気とする装置です。高圧タービンで仕事をした蒸気を再びボイラで加熱し，熱効率を向上させるのは，再熱器です。

解答（1）

その他発電

1 太陽光発電

①システム

太陽からの光エネルギーを太陽光パネルで吸収し，電気エネルギーへ変換します。一般住宅用の小規模な太陽光パネルから事業者向けの[※9]メガソーラーまであります。

太陽電池の最小単位であるセルにより，太陽光は直流の電気として取り出され，[※10]パワーコンディショナーを通して交流の電気に変換します。交流電流は分電盤へ送電され電気製品に電源供給されます。

発電された電気は，[※11]**系統連系**することにより，余った電気を電力会社に買い取ってもらうこともできます。

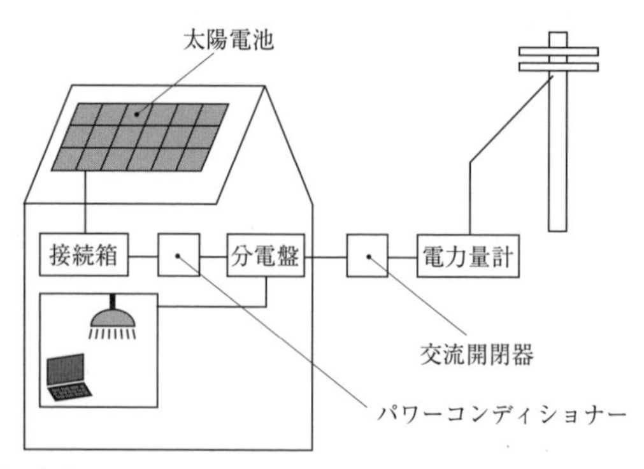

②シリコン太陽電池

太陽電池の材料には，一般的にシリコンが用いられています。シリコン太陽電池は，p形半導体とn形半導体を接合した構造となっており，電流は，n形半導体→p形半導体→負荷の順に流れます。

シリコン太陽電池は，シリコン[※12]**半導体接合部**に光が入射したときに起こる[※13]**光起電力効果**を利用しています。また，表面温度が高くなると最大出力が低下する温度特性を有しています。

シリコンの結晶系では，セルが1つの結晶でできている**単結晶**と複数の結晶でできている多結晶があります。また，非結晶のアモルファス製品もあります。

およその変換効率は，単結晶では15%～20%，多結晶では12%～17%，アモルファスでは7%～10%です。

2 風力発電

①風車の種類

風力発電は，風の力により発電するものです。風力発電の発電量は，不安定で間欠的となります。

●水平軸形

代表例はプロペラ形風車です。風速変動に対して回転数制御や出力制御が容易に行えます。

ナセルは，水平軸風車においてタワーの上部に配置され，動力伝達装置，発電機，制御装置などを格納するもの，およびその内容物の総称です。

●垂直軸形

代表例はダリウス形風車です。風向の変化に対して向きを変える必要がありません。

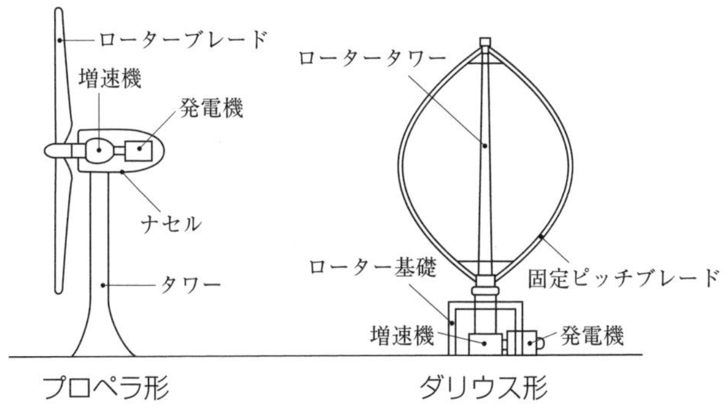

②風の運動エネルギー

風力発電の風車が1秒間に受ける風の運動エネルギー W〔J〕を表す式は，次のとおりです。

※9
メガソーラー
発電規模が1MW以上の大規模な太陽光発電のことです。

※10
パワーコンディショナー
太陽光発電した直流の電気を，交流に変換するための機器で，インバータの一種です。

※11
系統連系
電力会社の配電線と接続することです。

※12
半導体接合部
pn接合部です。

※13
光起電力効果
物質に光を照射すると起電力が発生する現象です。

$$W=\frac{\rho A v^3}{2}\text{〔J〕}$$

A：受風面積〔m^2〕　　v：風速〔m/s〕　　ρ：空気密度〔kg/m^3〕

3 コンバインドサイクル発電

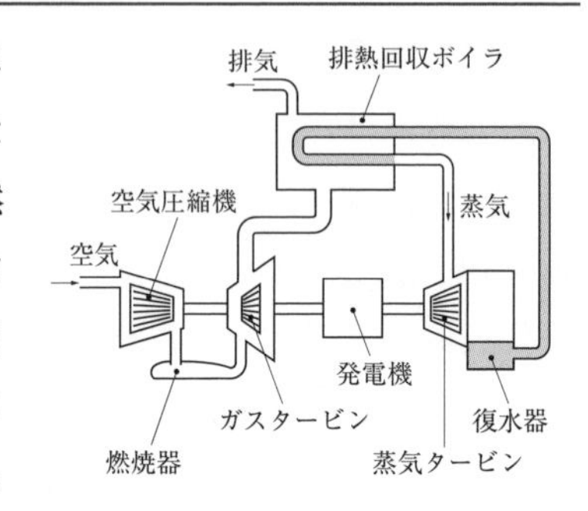

コンバインドサイクル発電は，ガスタービンと蒸気タービンを組み合わせた発電方式です。最初に圧縮空気の中で燃料を燃やしてガスを発生させ，その圧力でガスタービンを回して発電を行います。ガスタービンを回し終わった排ガスは，十分な余熱があるので，これを使って水を沸騰させ，蒸気タービンによる発電を行います。

排熱回収方式のコンバインドサイクル発電における作動流体（空気と燃焼ガス）の流れの順序は，次のようになります。

圧縮機 → 燃焼器 → ガスタービン → 排熱回収ボイラ

蒸気タービンによる汽力発電と比較したコンバインドサイクル発電は次の特徴があります（※発電容量は同じとして比較）。

- 始動用電力が少ない
- 熱効率が高い
- 起動・停止の時間が短い
- 大気温度の変化が，出力に与える影響が大きい

4 発電方式と出力分担

電源は，次の3つに分類されます。

①ベースロード電源[※14]

ベースロード電源としては，石炭，原子力，水力，地熱等があります。

流込み式水力発電[※15]は，需要に見合った出力調整が難しく，ベース供給力として使用されます。

②ミドル電源

ミドル電源はベースロード電源だけで足りなくなった場合に電力を供給します。発電所の運転や停止は電力需要により随時行います。

主な電源には，LNG[※16]，LPG[※17]などがあります。

③ピーク電源

供給電力がピーク時に稼動する電源です。主な電源には，揚水式水力，石油などがあります。

※14
ベースロード電源
稼働したら止まることなく，長期にわたって電力を生産します。

※15
流込み式水力発電
調整池をもたず，出力は河川自流に依存します。

※16
LNG
液化天然ガスです。

※17
LPG
液化石油ガスです。

チャレンジ問題！

問1　　難　**中**　易

発電方式に関する記述として，最も不適当なものはどれか。

(1) 流込み式水力発電は，河川の水をそのまま利用するため，出力は河川自流に依存する。

(2) 揚水式水力発電は，河川の水を有効活用できることから，ベース電源として利用する。

(3) 火力発電は，効率がよく発電単価が低い発電機を優先して運転する。

(4) 太陽光発電や風力発電は，季節や気象条件等に左右されるため，出力変動が大きい。

解説

揚水式水力発電は，ピーク負荷電源として利用します。

解答（2）

第2章 電気設備

CASE 2 変電設備

まとめ & 丸暗記　この節の学習内容とまとめ

□ 変電所の変圧器

インピーダンスを小さくすると
①変圧器の電圧変動率が減少する
②系統の安定度が向上する
③変圧器の全損失が減少する
④系統の短絡電流が増加する

□ 母線

①単母線方式
②二重母線方式

□ 調相設備

電力用コンデンサ	段階的に無効電力を調整
分路リアクトル	段階的に無効電力を調整
同期調相機	連続的に無効電力を調整
SVC	連続的に無効電力を調整

□ ガス絶縁開閉装置（GIS）

①小型化が可能で，容積，設置面積が小さい
②現場の工事が簡素化され，設置工期が短い
③安全性に優れる
④内部事故の場合，復旧までの時間が長くかかる

□ SF_6ガス

①化学的に安定し，無色無臭である
②空気と比べてアーク放電に対する消弧性能が高い
③空気と比べて絶縁耐力が高い
④地球温暖化係数がCO_2に比べてはるかに大きい

変電所の設置

1 遮断器

変電所や受変電設備において遮断器は，短絡電流を遮断する能力を持った機器で，次のものがあります。

①ガス遮断器

圧縮したガス中で回路の電極を開離し，発生したアーク[※1]に超音速流を吹き付けて消弧します。

②磁気遮断器

アークに磁界を加えて引き伸ばし，アークシュート[※2]内に押し込んで冷却し消弧する方式です。

③真空遮断器

高真空中での高い絶縁耐力と強力なアークの拡散作用により消弧する方式です。

④油遮断器

アークによる油の気化を利用してアークを冷却し消弧する方式です。

可燃性のため，現在はほとんど見られません。

2 断路器

無負荷時に回路を切り離したり，系統の接続変更をするために用います。作業の安全を確保するために使用します。

※1
アーク
大電流を遮断する際に発生する放電です。

※2
アークシュート
アークを消失させるためのケースです。

3 変圧器

①ガス絶縁変圧器

六フッ化硫黄ガス（SF_6ガス）を絶縁に使用しており，地下変電所など屋内設置に適しています。SF_6ガスは不燃性で，冷却効果もあり，巻線および鉄心を冷却しています。

②油入変圧器

絶縁や冷却を目的として内部に**絶縁油**を満たした構造の変圧器です。油劣化防止装置として，窒素封入密封式があります。

変圧器の冷却方式は次のとおりです。

●油入自冷式

変圧器内部の絶縁油の自然対流によって鉄心及び巻線に発生した熱を外箱に伝え，外箱からの放射と空気の自然対流によって熱を外気に放散させる方式です。自冷式は**自然空気で冷却**します。構造が簡単で保守が容易です。

●油入風冷式

絶縁油を**外部ファン**で強制的に冷却します。

●送油自冷式

油を**強制循環**して冷却します。

●送油風冷式

油を**強制循環して外部ファン**で強制的に冷却します。冷却効果が高く，大容量器に用いられますが，冷却ファンによる騒音の大きいことが難点です。

③負荷時タップ切換変圧器[※3]

負荷電流が流れている状態で段階的に**電圧調整**できます。

変電所の変圧器のインピーダンスを小さくすると，系統の短絡電流が増加しますが，次のメリットがあります。

- 変圧器の**電圧変動率が減少する**
- 系統の**安定度が向上する**
- 変圧器の**全損失が減少する**

なお，500kV変電所などで使用される大型の変圧器は，単相器の状態で輸送し，現地で三相器に組み立てる場合があります。

※3
負荷時タップ切替変圧器
切替時に2つのタップ間が短絡しないように限流抵抗が用いられています。

4 母線

母線とは，発電所や変電所内において受変電設備の主回路となる導体で，電源から生じるすべての電流を受け，外線に分電する線のことです。

単母線方式は，最も単純な構造の母線方式です。横の線が母線で，これが1本なので単母線です。建設コストが安いので多く使われていますが，母線部に故障が発生すると全停電となります。

二重母線方式は，横の線が2本なので二重母線方式です。単母線方式と比べて断路器等が増え，所要面積も増えてコストは増加しますが，信頼性は向上します。機器の点検等で必要となる母線の停止も容易になります。

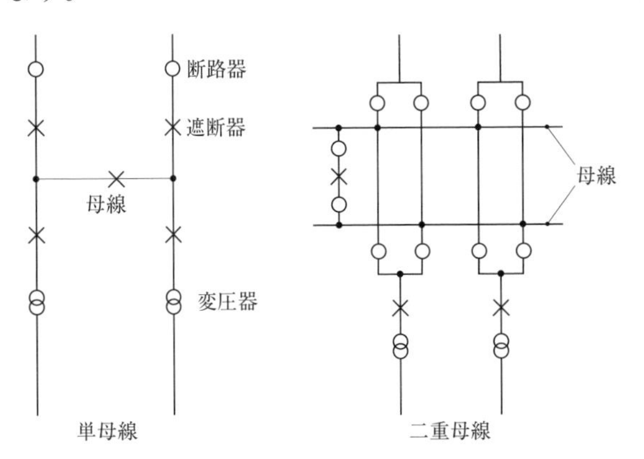

なお，**密閉母線**[※4]には，SF_6ガスを充てんしたガス絶縁母線や，エポキシ樹脂などの絶縁体で導体を被覆した，固体絶縁母線などがあります。

※4
密閉母線
接地した金属箱内に導体を収納したものです。

5 その他設備

①負荷開閉器

定格電流までの負荷電流やループ電流の開閉能力をもちますが，短絡時の事故電流の遮断はできません。

②計器用変成器

直接測定することができない高電圧や大電流を，測定しやすい電圧や電流に変成します。

③接地開閉器

遮断器や断路器が開路した後に，閉路して残留電荷を放電するために使用します。

6 ガス絶縁開閉装置（GIS）

ガス絶縁開閉装置（GIS[※5]）は，接地された金属製の**密閉容器**内に遮断器，断路器，母線など変電設備一式を収容した装置です。絶縁特性，消弧能力をもったSF_6ガスにより主回路を絶縁しています。

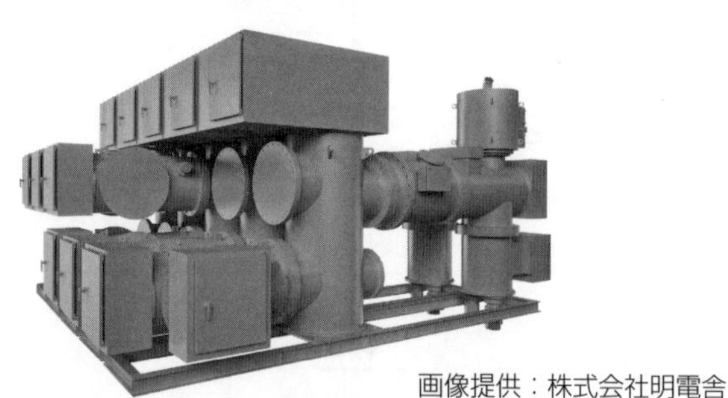

画像提供：株式会社明電舎

気中絶縁を利用したものに比べて**小型化が可能**で，容積，設置面積が小さくなります。その小型化の効果は電圧が高いほど大きくなります。

現場の工事が簡素化され，設置工期も短くなります。

充電部が露出していないことから，感電のおそれがなく安全性に優れており，外気の影響を受けないので，長い年月にわたり高信頼性が確保できます。しかし，**内部事故の場合**，機器が密閉されているため復旧までの時間が長くかかります。

規模に応じて，組立調整，熱伸縮吸収，地震時の過渡変位吸収などの目的のために**伸縮継手**が必要となります。

なお，SF_6ガスの特性は次のとおりです。

- 化学的に安定し，無色無臭である
- 空気と比べてアーク放電に対する消弧性能が高い
- 空気と比べて絶縁耐力が高い
- **地球温暖化係数**[※6]がCO_2に比べてはるかに大きい

※5
GIS
Gas Insulated Switchgear の略です。

※6
地球温暖化係数
地球の温暖化を進めてしまう度合いを表した数値です。二酸化炭素の基準を1とした場合，SF_6はおよそ24,000となります。

チャレンジ問題！

問1　難　**中**　易

変電所で用いられる機器に関する記述として，不適当なものはどれか。

(1) 負荷時タップ切替器は，負荷電流が流れている状態で段階的に無効電力を調整する。

(2) 計器用変成器は，直接測定することができない高電圧や大電流を測定しやすい電圧や電流に変成する。

(3) 接地開閉器は，遮断器や断路器を開路した後に，閉路して残留電荷を放電させる。

(4) 断路器は，無負荷時に回路を切り離し，作業の安全を確保するために使用する。

解　説

負荷時タップ切替器は，負荷電流が流れている状態で段階的に電圧を調整します。無効電力調整ではありません。

解答（1）

第2章 電気設備

CASE 3 送配電設備

まとめ & 丸暗記　この節の学習内容とまとめ

□ 中性点接地

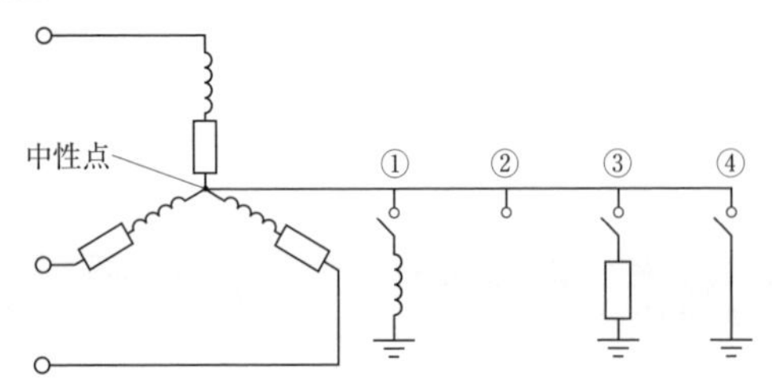

①：消弧リアクトル接地　②：非接地
③：抵抗接地　④：直接接地

□ 雷害

①フラッシオーバ
架空送電線に落雷すると電力線から鉄塔に電流が流れる
②逆フラッシオーバ
鉄塔や架空地線に落雷したとき，電力線へ電流が流れる

□ 電線のたるみと実長

$$D=\frac{WS^2}{8T} \qquad L=S+\frac{8D^2}{3S}$$

□ フェランチ現象

送電線の受電端電圧が送電端電圧より高くなる現象
①電線路（ケーブル）のこう長が長い
②深夜などの軽負荷時に発生しやすい

□ 作用静電容量

$$C=C_s+3C_m$$

電力系統

※1
需要家
電気事業者から電気の供給を受ける者です。

1 受電方式

需要家[※1]の受電方式の名称は次のとおりです。

①平行２回線受電方式

電力会社の変電所から需要家まで，2回線で受電します。

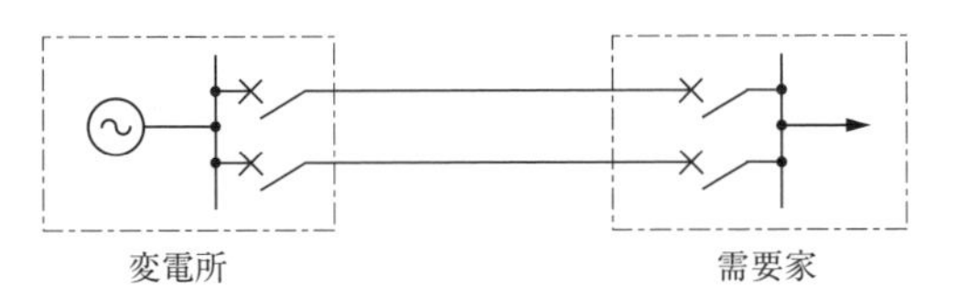

②ループ受電方式

各需要家がループ（輪）状につながっています。

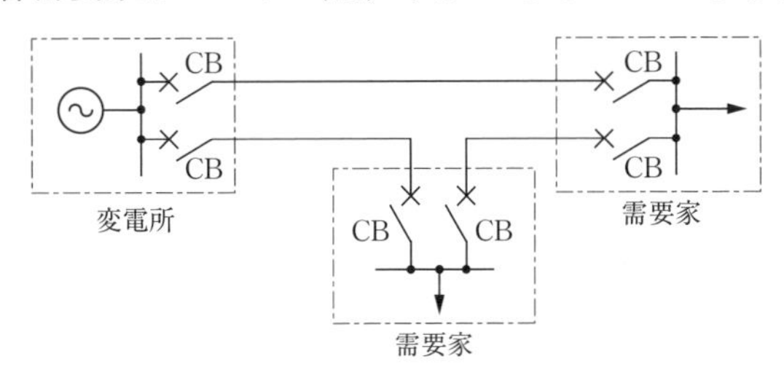

③同系統常用・予備受電方式

変電所が1つで，同じ系統から常用と予備を受電します。

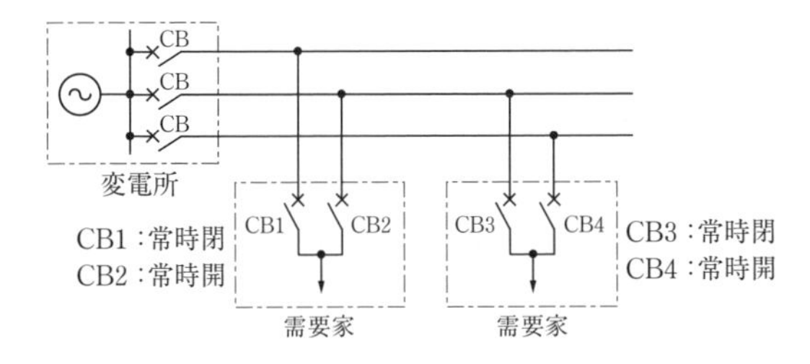

④異系統常用・予備受電方式

変電所が2つで，それぞれから常用と予備を受電します。

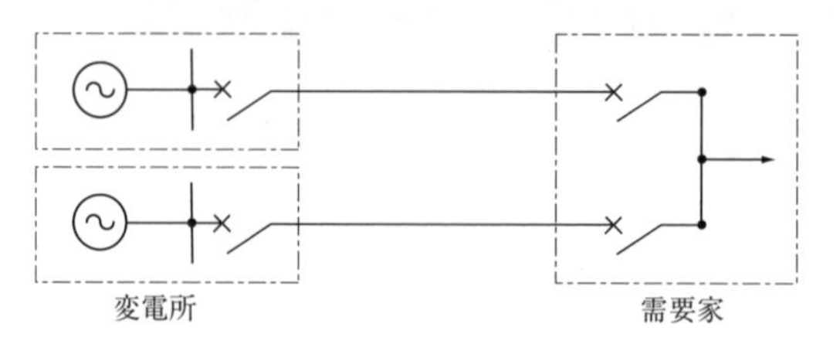

2 スポットネットワーク受電

標準的には3回線の配電線より受電し，3台のネットワーク変圧器などで構成されます。1回線受電方式に比べて多回線で供給されるので供給信頼度は高くなります。

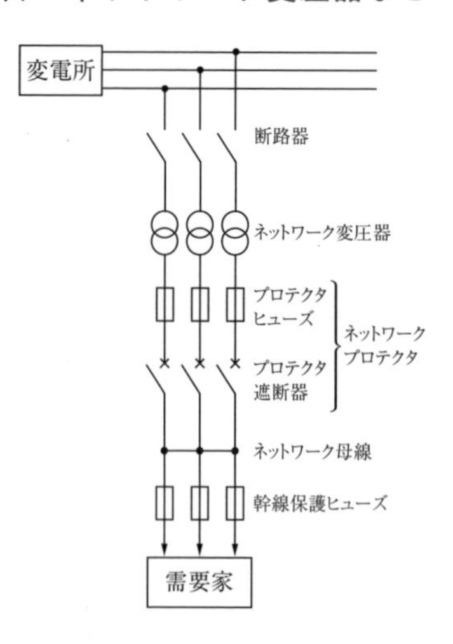

ネットワーク変圧器の容量は，1台が停止しても残りの変圧器で最大需要電力を供給できるものを選定します。

22kVまたは33kVの特別高圧で受電する場合，受電変圧器の二次側の電圧により，高圧スポットネットワーク方式と低圧のスポットネットワーク方式の2種類があります。

※2プロテクタ遮断器は，ネットワーク母線からの逆潮流により遮断動作します。

3 保護継電システム

保護継電システムとは，落雷等により送電線などに事故が発生した場合，当該送電線を電力系統から速やかに切り離すことを目的とした各種方式をいいます。

保護継電器には，その役割を果たすため事故区間判別の選択性と高速性が要求されます。

保護継電システムは，主保護継電器と後備保護継電器によって構成されます。主保護継電器は，最も速やかに故障区間を最小範囲に限定し除去するものです。もし，主保護装置が何らかの原因で不動作の場合，後備保護継電器が作動して故障が除去できるようにします。主保護継電器よりも遅く動作するようにします。

故障除去のための遮断区間は必要最小限にとどめ，余分な区間まで停止することを避けるようにします。

系統の過渡安定度[※3]維持，事故の波及事故[※4]の防止のため，速い遮断時間を有することが必要です。

確実に事故点を切り離すという観点から，隣り合った保護区間の保護範囲は重なるようにします。

4 送電線の保護

送電線の継電方式は次のとおりです。

①過電流継電方式

送電線が故障し常時の負荷電流より大きな電流が流れたとき，これを検出し遮断する方式です。

②距離継電方式

故障時の電圧と電流から，故障点までのインピーダンスを測定し，それが保護範囲内のインピーダンスより小さければ遮断器に引外し指令を出します。

③回線選択継電方式

平行2回線のうち1回線のみが故障した場合に，両回線の電流または電力を比較して，故障回線を選択遮断する方式です。

④パイロット継電方式

保護区間の両端の電流情報を比較判断して，高速度

※2
プロテクタ遮断器
プロテクタの一次側の事故や停電により，ネットを組んでいる健全回線からネットワーク母線および事故回線のネットワーク変圧器を介して事故点に電流が逆流するのを検出し，プロテクタ遮断器を自動遮断します。

※3
過渡安定度
事故に伴う遮断器の開閉等によってどれだけ安定的に電力を送り続けられるかの度合いです。

※4
波及事故
他の需要家の電気設備を停電にしてしまう事故です。

で確実に選択遮断する方式です。

⑤比率作動の継電方式

流入電流と流出電流との比が，ある率以上になると**動作する**方式です。

5 再閉路方式

再閉路方式とは，送電線系統の事故で遮断器がいったん開放された後，一定時間経過してから**自動的に再投入**される方式です。停電時間の短縮などを目的としています。遮断器開放から再閉路までの無電圧時間により，高速度[※5]・中速度・低速度に区分されています。

再閉路方式では，遮断器の性能や保護方式の故障検出性能との協調が重要です。故障を除去するために三相を同時に遮断するものもありますが，送電線事故のほとんどが雷による**1線地絡事故**なので，単相だけ遮断する方式もあります。

6 交流連系

複数の電気事業者が持つ電力系統を**交流連系**すると，次のようになります。

- 供給予備力の節減ができる
- 供給信頼度の向上がはかれる
- 災害等の発生時の電力緊急融通が可能となる
- 系統の短絡電流，地絡電流が増加する
- 周波数制御，電圧・無効電力制御など系統運用が複雑になる

7 保護装置の略記号とリレー保護

特別高圧連系時の系統連系用保護装置の略記号とリレー保護内容の組合せは，次のとおりです。

名称	略記号	用途
短絡方向継電器	**DSR**(Directional Short-circuit Relay)	系統側の短絡事故検出
地絡過電圧継電器	**OVGR**(Over Voltage Ground Relay)	地絡電圧の上昇を検出
地絡過電流継電器	**OCGR**(Over Current Ground Relay)	零相電流を検出
逆電力継電器	**RPR**(Reverse Power Relay)	逆方向の電力を検出
周波数低下継電器	**UFR** (Under Frequency Relay)	周波数の低下を検出

※5
高速度
無電圧時間が1秒程度以下の場合を高速度再閉路方式と呼んでいます。

チャレンジ問題！

問1　難　中　易

電力系統の保護継電方式の基本的な考え方として，最も不適当なものはどれか。

(1) 事故の発生および事故点を検出し，遮断器に遮断指令を与える。
(2) 事故除去のための遮断区間を必要最小限にとどめ，余分な区間までの停止を避ける。
(3) 隣り合った保護区間は保護範囲が重ならないようにして，事故を検出する。
(4) 主保護が何らかの原因で不動作となっても事故が除去できるよう，後備保護を検討する。

解説

隣り合った保護区間は重なるようにして，確実に事故を検出します。

解答 (3)

架空送電線路

1 鋼心アルミより線（ACSR）

①構造

電線の中心部に亜鉛メッキ鋼線を配置し，その周囲を硬アルミ線でより合わせた電線です。鋼線部で張力，アルミ部で導電を分担するので，強度もあり軽量なため，長距離送電用の架空電線として用いられています。

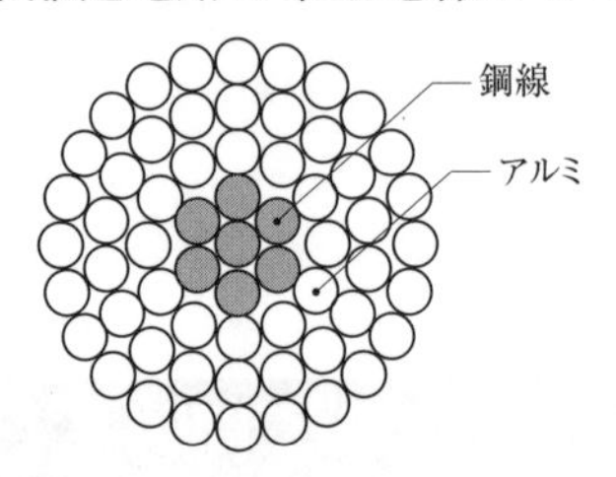

②２種硬銅より線との比較

鋼心アルミより線（ACSR[※6]）を，２種硬銅より線[※7]（PH）と比較すると，次のような違いがあります。

※電線の単位長さ当たりの電気抵抗は同一とする。

- 重量が軽い
- 外径が大きい（コロナ放電は発生しにくい）
- 引張りに対する強度が大きい
- 導電率[※8]は小さい

2 線路定数

線路定数は，架空送電線路の電気的特性を決める数値です。送電線路は，抵抗，漏れコンダクタンス，インダクタンス，静電容量の4つの定数を持つ電気回路とみなすことができます。

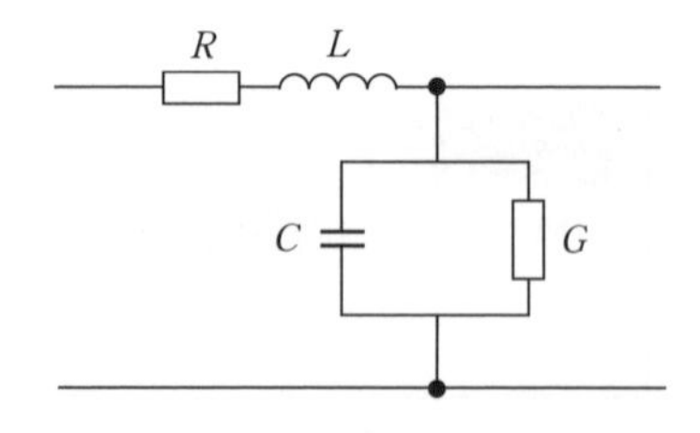

線路定数を定める要素として関係するものは次の3つです。

●電線の種類　●電線の太さ　●電線配置

電流，電圧の大きさや負荷の力率とは無関係です。

3 中性点接地方式

①目的

中性点接地は，次の目的で行います。

- 地絡事故による異常電圧の発生を防止する
- 一線地絡事故における，健全相の電圧上昇を抑制する
- 保護継電器の作動を確実にする

②接地方式

架空送電線の中性点接地方式には，中性点に接続するものにより，次のものがあります。

- 消弧リアクトル接地（消弧リアクトルを接続します）
- 非接地（接地しません）
- 抵抗接地（100～1,000 Ω程度の抵抗を接続します）
- 直接接地（直接，何も介さずに接地します）

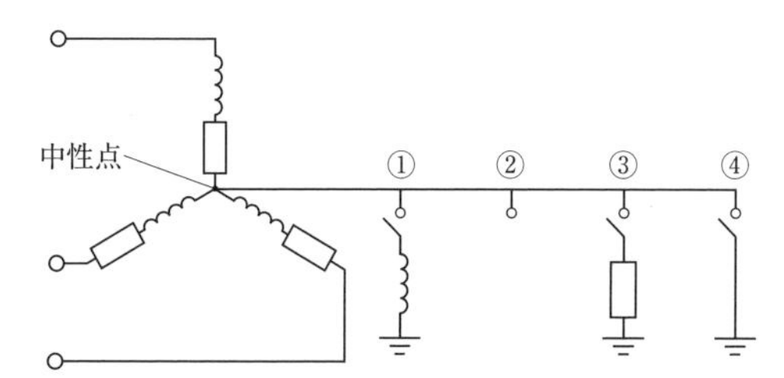

①：消弧リアクトル接地　②：非接地
③：抵抗接地　④：直接接地

※6
ACSR
Aluminum Conductors Steel Reinforcedの略です。

TACSRは耐熱性に優れ，許容電流が大きいため，大容量送電が可能です。また，ACSR/ACは耐食性が高く，海岸地帯などに採用されています。

※7
2種硬銅より線(PH)
架空送電線用の硬銅より線です。

※8
導電率
電流の流れやすさを表したもので，数値が大きいほど電流がよく流れます。
大きい順に，銀，銅，金，アルミニウムです。

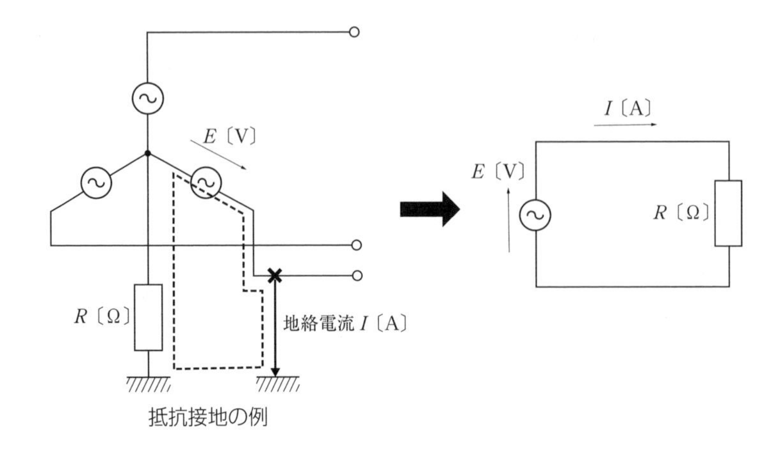

抵抗接地の例

4 架空送電線の振動

①スリートジャンプ

スリートジャンプ[※9]は，電線に付着した氷雪の落下により跳ね上がる現象のことです。防止対策は，次のとおりです。

- 電線の張力を大きくする
- 長径間にならないようにする
- 電線相互のオフセット（間隔）を大きくする
- 単位重量の大きい電線を使用する

②微風振動

毎秒数メートル以下の微風が電線に対して水平に吹いたとき，電線背後にカルマン渦が発生し，上下振動します。防止対策は，次のとおりです。

- アーマロッド[※10]を取り付ける
- 電線を太線化する
- ダンパ[※11]を取り付ける
- 電線の張力を小さくする（スリートジャンプの対策と異なる）

③ギャロッピング

特に着氷した多導体の送電線に水平方向の風が当たり，上下振動します。相間スペーサを取り付ける等が有効です。

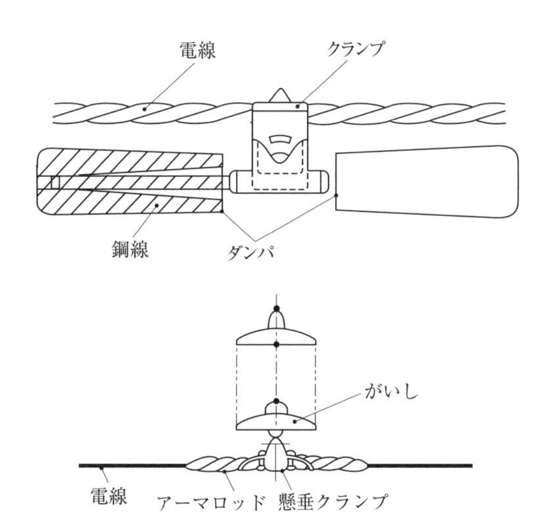

5 架空地線

架空地線とは，雷撃から送電線，配電線を保護するため，電線上部に架設する接地線です。雷が最上部に張られた架空地線に落雷し，行き先は大地にアースされるようになっており，電力線への**直撃雷**[※12]を防止する効果があります。

直撃雷に対しては，**遮へい角が小さいほど遮へい効率が大きく**，1条より2条とした方が遮へい効率が大きくなります。

架空地線は，**誘導雷**[※13]により電力線に発生する異常電圧を低減する効果があります。また，送電線の地絡故障による通信線への**電磁誘導障害を軽減**する効果もあります。

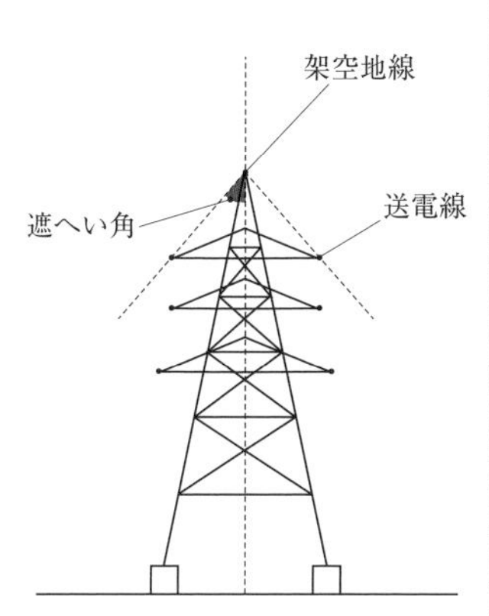

※9
スリート
氷雪のことです。

※10
アーマロッド
懸垂クランプの吊り下げ部分の電線が，素線切れするのを防ぐために巻き付けられる補強線です。電線と同種類の金属でできています。

※11
ダンパ
電線の振動による疲労を防止するために，電線の支持点付近に設ける制動子（錘（おもり））です。

※12
直撃雷
架空電線に直接落雷することです。

※13
誘導雷
送電線の周辺に落雷した際に，発生した電圧が誘導電流を起こして送電線に影響を及ぼします。

6 雷害

①フラッシオーバ

架空送電線路（電力線）に落雷すると高電圧が生じ，がいし等で絶縁破壊が起こります。結果として，電力線から鉄塔に電流が流れます。この放電現象がフラッシオーバです。フラッシオーバは，がいし類の絶縁耐力を上回る異常電圧が侵入したときに発生します。

一方，逆フラッシオーバは，鉄塔や架空地線に落雷したときに発生する現象で，鉄塔や架空地線から電力線へと電流が流れます。たとえば，鉄塔に落雷した場合地面に電流が流れますが，鉄塔の接地抵抗が高いと，その分だけ鉄塔の電位が上昇し，鉄塔の腕金，がいしから送電線に電流が流れます。

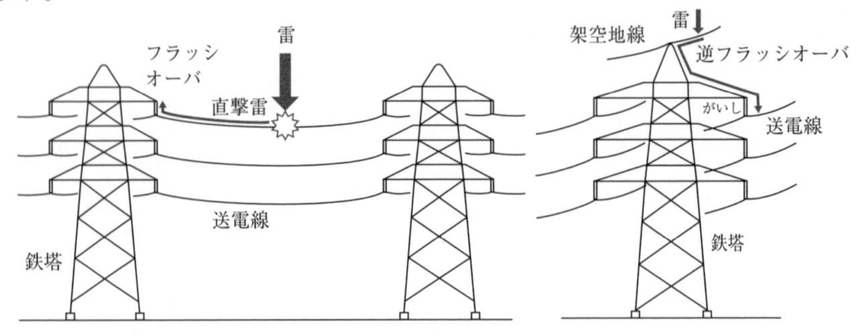

②雷害対策

架空送電線の雷害対策は次のとおりです。

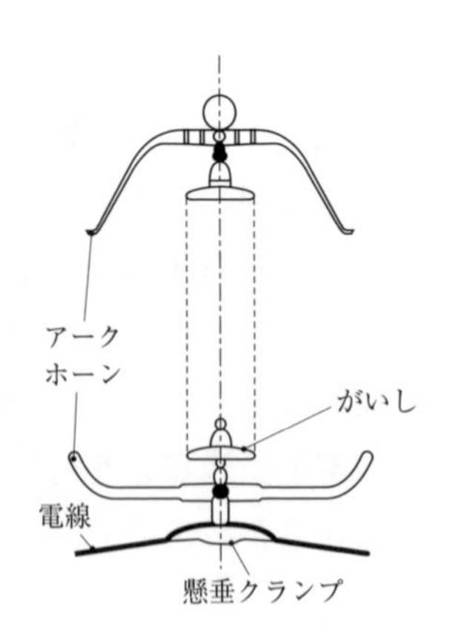

- がいし連のフラッシオーバによるがいし破損を防止するため，アークホーン[※14]をがいし連の両端に設ける
- 鉄塔逆フラッシオーバを防止するため，埋設地線[※15]を施設する
- 径間逆フラッシオーバ[※16]を防止するため，架空地線のたるみを電線のたるみより小さくする
- 雷害時の供給の安定を期するため，自動再閉路方式[※17]を採用する

● 2回線送電線での両回線同時事故を避ける対策として，不平衡絶縁[※18]方式がある

7 塩害対策

架空送電線路の塩害対策としては次のものがあります。

- 沿面距離を長くとり耐電圧性能を向上させた深溝がいしを用いる
- 耐トラッキング性能の高い材料を使用したポリマーがいしを用いる
- 高圧耐張がいしの連結個数を増加させ過絶縁とする
- 懸垂がいしの連結個数を増加させ，絶縁強度を上げる

8 コロナ放電

架空送電線路におけるコロナ放電の抑制対策は次のとおりです。

- 電線の外径を大きくする（多導体化効果あり）
- がいし装置に遮へい環（シールドリング）を設ける
- がいし装置の金具は突起物をなくし丸みを持たせる
- 電線間の距離を大きくする

9 電線のたるみと実長

架空送電線における支持点間の電線のたるみの近似値 D〔m〕および電線の実長の近似値 L〔m〕を求める式は次のとおりです。

※電線支持点の高低差はないものとします。

※14
アークホーン
送電線を絶縁支持しているがいしを保護するため，その両端に付設したホーン（角）状の金属性の電極です。フラッシオーバの際生じるアークを電極間に生じさせ，がいし破損を防止します。

※15
埋設地線
地表面下30～50cmのところを地表面に沿って亜鉛メッキ鋼より線を埋設したものです。その一端を鉄塔脚部に接続します。

※16
径間逆フラッシオーバ
架空地線に落雷した際に電力線に放電する現象です。

※17
自動再閉路方式
事故時に遮断器を開放し，一定時間後に自動的に投入する方式です。

※18
不平衡絶縁
2回線送電の場合，絶縁階級を変えて送電します。落雷等の場合，絶縁階級の高い方の回線は影響を受けない可能性があります。

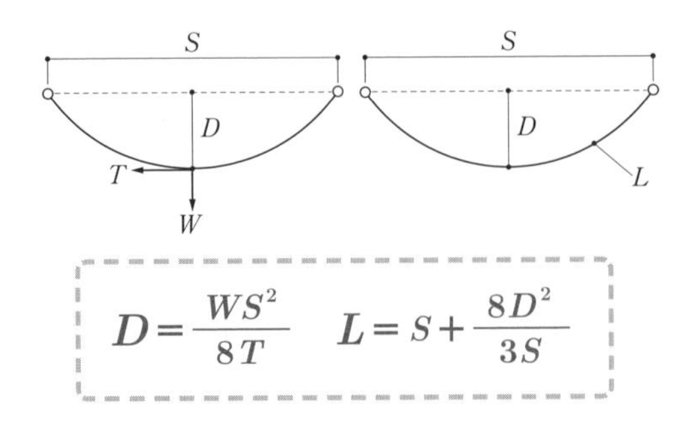

$$D = \frac{WS^2}{8T} \quad L = S + \frac{8D^2}{3S}$$

S：径間〔m〕　T：電線の最低点の水平張力〔N〕

W：電線の単位長さ当たりの重量〔N/m〕

チャレンジ問題！

問1

難　中　易

架空送電線路に使用されるアルミ電線の特徴に関する記述として，最も不適当なものはどれか。

(1) アルミ線を使用することで，銅線に比べ自重が減り長径間に有利になり，風雪の影響を受けにくくなる。

(2) 鋼心耐熱アルミ合金より線（TACSR）は，大容量送電が必要な超高圧以上の高電圧送電線に多く採用されている。

(3) アルミ線を使用することで，銅線に比べ導体が太くなるため表面電界が小さくなり，コロナ放電が発生しにくくなる。

(4) 鋼心アルミより線（ACSR）は，電線の中心部に引張強度の大きい鋼より線を用い，その周囲に硬アルミ線をより合わせた構造となっている。

解説

アルミ線の使用は，銅線に比べ自重が減りますが，構造的に断面が大きくなり，風の影響を受けやすくなります。

解答（1）

地中送電線路

1 フェランチ現象

フェランチ現象は，送電線の受電端電圧が送電端電圧より高くなる現象です。架空送電線でも発生しますが，地中電線路（ケーブル）で起こりやすい現象です。

次の場合も起こりやすくなります。

- 電線路のこう長が長い
- 深夜などの軽負荷時
- 遅れ力率の負荷がほとんど接続されていないとき

※進み力率の負荷が多く接続されているときに発生しやすいです。

電線路に分路リアクトルを接続すると抑制できます。

2 作用静電容量

ケーブルは，架空送電線に比べると，構造的に静電容量が非常に大きくなります。

ケーブルに生じる静電容量は図のようになり，作用静電容量[※19] Cは，次の式で表すことができます。

$$C = C_s + 3C_m \text{〔}\mu\text{F〕}$$

C_s：対地静電容量〔μF〕

C_m：線間静電容量〔μF〕

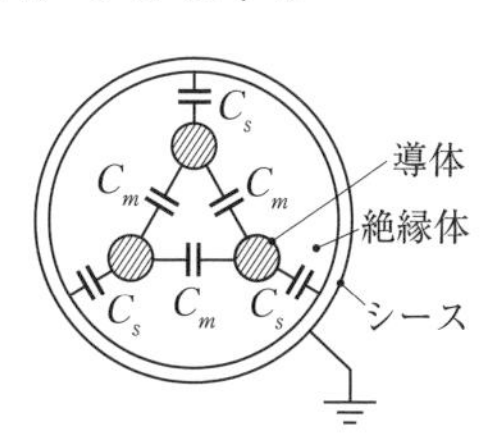

理由は，図のデルタ結線部分をスター結線にすると，インピーダンスは1/3になり，静電容量は$3C_m$で

※19
作用静電容量
１線あたりの静電容量です。$C = C_s + 3C_m$は，公式丸暗記問題が出題されているので，「さよう（作用），タイチ（対地）と指せんか（３線間）」と覚えます。

C_sとC_mの並列接続により，$C=C_s+3C_m$です。

3 充電電流・充電容量

ケーブルを無負荷状態で充電する（電圧をかける）と，作用静電容量があるので電流が流れます。これが充電電流です。

充電電流I〔A〕，充電容量[※20]Q_c〔kV・A〕は次の式で表すことができます。

$$I=\frac{1}{\sqrt{3}}\omega CV\times 10^{-3}\text{〔A〕}$$

$$Q_c=\sqrt{3}VI=\omega CV^2\times 10^{-3}\text{〔kV・A〕}$$

C：ケーブル１線当たりの静電容量（作用静電容量）〔μF〕

ω：角周波数〔rad/s〕　　V：線間電圧〔kV〕

4 許容電流の増大

電力ケーブルの常時許容電流を増大させる方法は，次のものを小さくすることです。

①抵抗損

②渦電流損

③誘電損

具体的な対策は次のとおりです。

- 導体には分割導体を使用する
- 導体の交流抵抗を小さくする
- 誘電正接（tan δ）の小さい絶縁材料を使用する
- 比誘電率の小さい絶縁材料を使用する
- 常時最高許容温度の大きい絶縁材料を使用する

5 ケーブル故障点の検出

①マーレーループ法

マーレーループ法[※21]により地中ケーブルの地絡故障点を検出する場合，地絡故障点までの距離 x〔m〕を表す式は，次のとおりです。

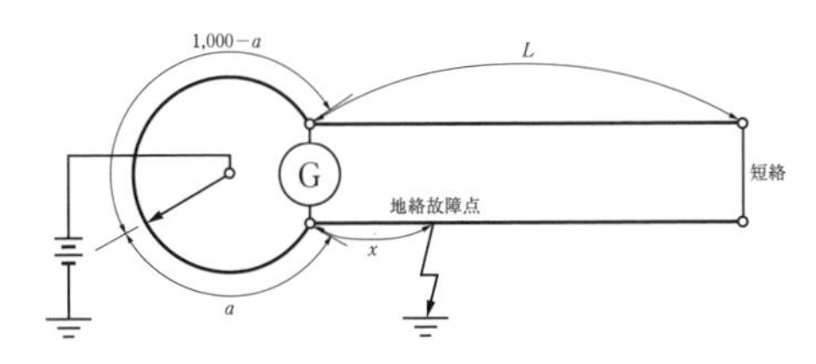

$x = 2aL/1{,}000$〔m〕

（G：検流計）　L：ケーブルの長さ〔m〕

a：抵抗辺が0～1,000で目盛られている場合の抵抗辺の読み

（理由）

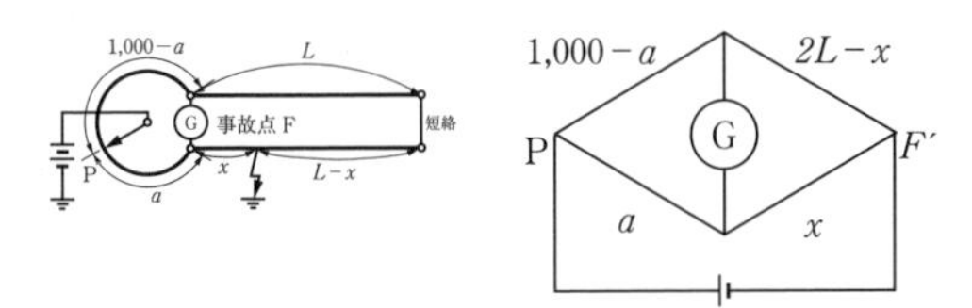

左図は右図のように表され，検流計Gに電流が流れない平衡条件から，

$(1{,}000 - a)x = (2L - x)a \rightarrow x = 2aL/1{,}000$〔m〕

②パルスレーダ法

パルスレーダ法[※22]により地中ケーブルの事故点を検出する場合，事故点までの距離 x〔m〕を表す式は，次のとおりです。

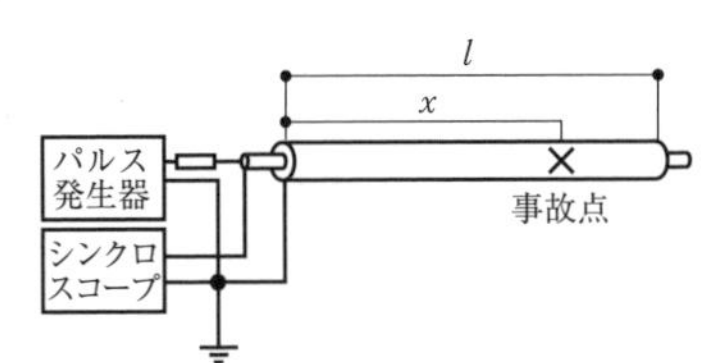

※20
充電容量
無負荷時に充電電流が流れたときの電力です。充電電流，充電容量とも，公式丸暗記問題が出題されています。電流は，「おめえが(ω) 渋い(CV)悪さ($\div\sqrt{3}$)」，容量は，「おめえが(ω) 渋る事情 (CV^2)」と覚えます。

※21
マーレーループ法
ホイートストンブリッジの原理に基づいて，平衡条件より故障点までの距離を計算する方法です。

※22
パルスレーダ法
事故ケーブルにパルス電圧を送り，事故点からの反射パルスを検知して，パルスの伝搬時間を計測します。

$x = vt/2$〔m〕

l：ケーブル長さ〔m〕）　v：パルス伝搬速度〔m/μs〕

t：パルスを送り出してから反射波が返ってくるまでの時間〔μs〕

（理由）パルスを発して戻ってくる距離は$2x$であり，vtに等しいので，

$2x = vt \rightarrow x = vt/2$

マーレーループ法，パルスレーダ法は，ケーブルの事故点を検出する方法であり，ケーブルの劣化診断法ではありません。

チャレンジ問題！

問1

三相3線式の地中送電線路において，無負荷充電電流I〔A〕を表す式として，正しいものはどれか。

ただし，静電容量以外の線路定数の影響を無視するものとする。

V：線間電圧〔kV〕

C：ケーブル1線当たりの静電容量〔μF〕

ω：角周波数〔rad/s〕

(1) $I = \omega CV \times 10^{-3}$〔A〕

(2) $I = \omega CV^2 \times 10^{-3}$〔A〕

(3) $I = \frac{1}{\sqrt{3}} \omega CV \times 10^{-3}$〔A〕

(4) $I = \frac{1}{\sqrt{3}} \omega CV^2 \times 10^{-3}$〔A〕

解説

公式そのままです。なお，線間電圧でなく，相電圧Eの場合の式は，$I = \omega CE = \omega CV/\sqrt{3}$です。

解答（3）

配電線路

1 電圧フリッカ

電圧フリッカとは，負荷の変動によって配電電圧が短時間の周期的変動を繰り返す現象です。照明器具が明るくなったり，暗くなったりしてチラつきます。

配電系統に発生する電圧フリッカの抑制対策は次のとおりです。

- 配電線を太線化してインピーダンスを低減する
- 変動負荷を短絡容量の大きい電源系統に接続する
- 変動負荷を専用の変圧器に接続する
- 変動負荷の近傍に静止形無効電力補償装置（SVC）を接続する

2 高調波

①高調波

日本で使用される商用周波数[※23]は，50Hzと60Hzですが，この周波数を持った正弦波を基本波と呼び，その整数倍の周波数を持った正弦波を高調波といいます。

基本波と第3高調波（左図）を合成すると，ひずんだ波（右図）になります。

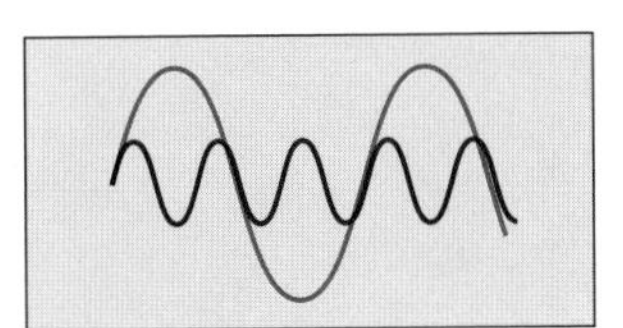

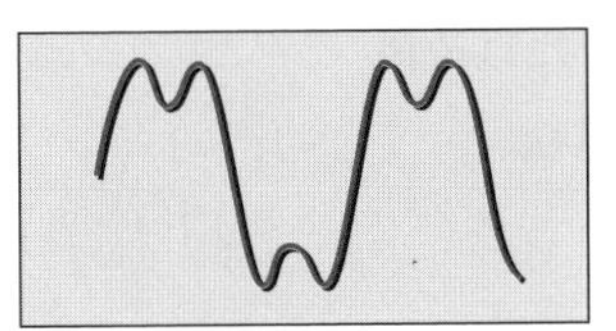

②影響と対策[※24]

高調波成分は，第3，第5，第7などの低次かつ奇数

※23
商用周波数
電力会社が供給する電気の周波数です。

※24
対策
進相コンデンサの一次側に直列リアクトルを設け，電源波形を改善することや，フィルタを設置するなどの方法があります。

次のものが多く，変圧器など鉄心を有する機器の鉄損を増大させ，また，電力用コンデンサを加熱し，焼損等の障害を起こします。

3 分散型電源

①用語[※25]

●分散型電源

一般電気事業者および卸電気事業者以外の者が設置する発電設備等であって，一般電気事業者が運用する電力系統に連系するものです。

●線路無電圧確認装置

電線路の電圧の有無を確認するための装置です。

●逆潮流

分散型電源設置者の構内から，一般電気事業者が運用する電力系統側へ向かう有効電力の流れです。

●自立運転

分散型電源が，連系している電力系統から解列された状態において，当該分散型電源設置者の構内負荷にのみ電力を供給している状態です。

●転送遮断装置

遮断器の遮断信号を通信回線で伝送し，別の構内に設置された遮断器を動作させる装置です。

②分散型電源の解列

高圧の電力系統に分散型電源を連系する場合において，分散型電源を自動的に解列[※26]しなければならないケースは，「電気設備の技術基準とその解釈」（経済産業省）で次のとおり定めています。

- ●分散型電源の異常または故障
- ●分散型電源の単独運転

4 配電線の張力

架空配電線路の張力に関する計算問題の解き方について，例をあげて説明します。

例題

図に示す高低圧架空配電線路において，電柱の支線に必要な許容引張強度 T〔N〕の値を求めなさい。

ただし，支線は1条とし，安全率を1.5とする。

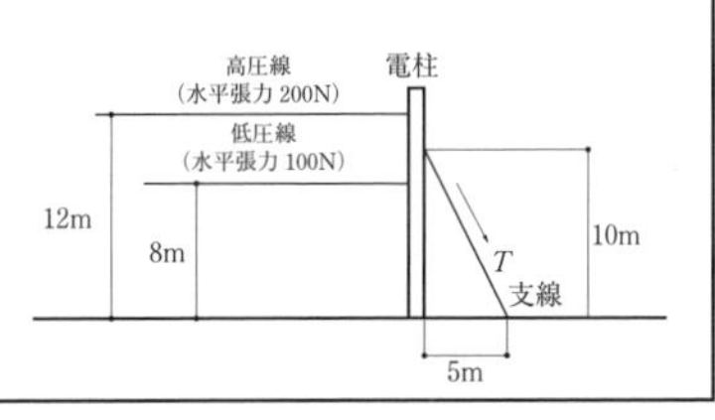

解説

電柱の根際で，左右の回転モーメントを考えます。

①左回転モーメント＝100×8＋200×12

②右回転モーメント＝T×5/5$\sqrt{5}$×10　①＝②より，

T＝320$\sqrt{5}$　安全率1.5をかけると480$\sqrt{5}$〔N〕

※25
用語
「電気設備の技術基準とその解釈」に定められています。

※26
解列
電力系統から発電設備を切り離すことです。解列した瞬間に大きな瞬時電圧変動を引き起こします。フリッカや高調波の発生は，解列の要件にはありません。なお，解列の反対用語が「並列」です。

チャレンジ問題！

問1　難 **中** 易

配電系統における高調波に関する記述として，最も不適当なものはどれか。

(1) 高調波電流の低減対策として，配電系統の短絡容量を小さくする。
(2) 高調波により電力用コンデンサは，過熱し焼損に至る事がある。
(3) 高調波により変圧器など鉄心を有する機器の鉄損が増大する。
(4) 高調波電流の抑制のためフィルタを設置する。

解 説

配電系統の短絡容量を大きくする必要があります。

解答（1）

第2章

電気設備

CASE 4

構内電気設備

まとめ & 丸暗記

この節の学習内容とまとめ

□ 主遮断設備

タイプ	受電設備容量	備考
PF・S形	300kV·A以下	PF：短絡保護　LBS：過負荷保護
CB形	4,000kV·A 以下	

□ 光束法による照度計算

室内の平均照度 E〔lx〕＝光束 / 面積＝$FUMN/S$

F：ランプ１本の光束〔lm〕　U：照明率　M：保守率

N：ランプ本数　S：室の面積〔m^2〕

□ ガスタービン，ディーゼル

比較項目	ガスタービン機関	ディーゼル機関
据付面積	小さい	大きい
重量	部品点数少なく，軽い	部品点数多く，重い
冷却水	不要	必要
燃焼用空気	多い	少ない

□ 接地工事

接地工事の種類	接地抵抗値	接地線の種類
A種接地工事	10Ω以下	直径2.6mm以上の軟銅線
B種接地工事	150/IΩ以下	直径4mm以上の軟銅線
C種接地工事	10Ω以下	直径1.6mm以上の軟銅線
D種接地工事	100Ω以下	直径1.6mm以上の軟銅線

受電設備

1 単線結線図

高圧受電設備の単線結線図[※1]は次のとおりです。

①主要機器（図中番号①〜⑧）

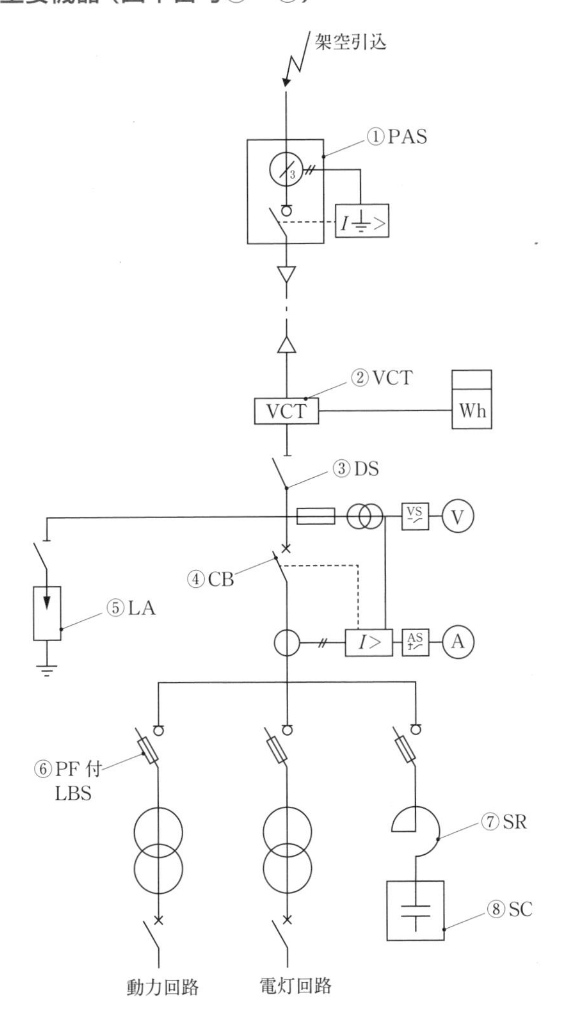

※1
単線結線図
三相を単線で表した図です。詳細は省略しています。見やすいという利点があります。
なお，三相を省略せずにそのまま表した図を複線結線図といいます。

図中番号	名称	写真	機　能
①	高圧気中負荷開閉器(PAS)		※2 1号柱に取り付け，地絡電流の遮断，波及事故の防止を行います。
②	電力需給用計器用変成器(VCT)		使用電力量を計測します。
③	断路器(DS)		保守点検用に回路を入り切りします。
④	遮断器(CB)		短絡電流を遮断します。
⑤	避雷器(LA)		雷の異常電圧から高圧機器を保護します。
⑥	限流ヒューズ付高圧交流負荷開閉器(PF付LBS)		PFで短絡電流を遮断し，LBSで負荷電流等を遮断します。
⑦	直列リアクトル(SR)		進相コンデンサへの突入電流の制限，波形改善をします。
⑧	進相コンデンサ(SC)		力率を改善します。

※(　)内の英記号は機器の略称

2 主遮断設備

主遮断設備は，短絡電流を遮断できる，受変電設備の心臓部で，構成機器の違いにより，次の2つのパターンがあります。

タイプ	受電設備容量	備考
PF・S形 (PF＋LBS)	300kV·A以下	PF(限流ヒューズ)は，短絡保護用，LBS(高圧交流負荷開閉器)は過負荷保護用
CB形	4,000kV·A以下	

PF·S形は，高圧交流負荷開閉器と限流ヒューズとを組み合わせたもの，または一体としたものです。

LBSは，一般にストライカ引外し式[※3]で，機械的に引き外します。ヒューズの一相が遮断した場合にストライカが動作し，3極（R，S，Tの三相）を同時に開閉できる構造で，欠相運転が防止できます。

また，ヒューズが最小遮断電流近辺で溶断した場合，負荷開閉器の動作によりヒューズの破裂を防止できます。

ヒューズの相間および側面に絶縁バリア[※4]を取り付けます。

3 高圧カットアウト

キュービクル式高圧受電設備は，図のように高圧受変電設備がコンパクトな箱体（鉄箱）に収納されたものをいいます。JISに規定する鋼板で**屋内用は1.6㎜以上，屋外用は2.3㎜以上**の厚さのものを使用します。また，通気孔は小動物の侵入を防止するため，直径10㎜

※2
1号柱
電力会社からの電気を，需要家構内に最初に引き込んだ電柱のことです。

※3
ストライカ引外し式
1本の限流ヒューズが溶断すると表示棒が飛び出し，トリップレバー（ヒューズ下にある金属性の板）を押し，三相すべてが同時開放されます。これにより，欠相運転が防止できます。

※4
絶縁バリア
ヘビやトカゲなどの小動物が高圧充電部へ接触しない目的で設けます。絶縁物でできているので，絶縁バリアです。

の丸棒が入るような孔やすき間がないものとします。

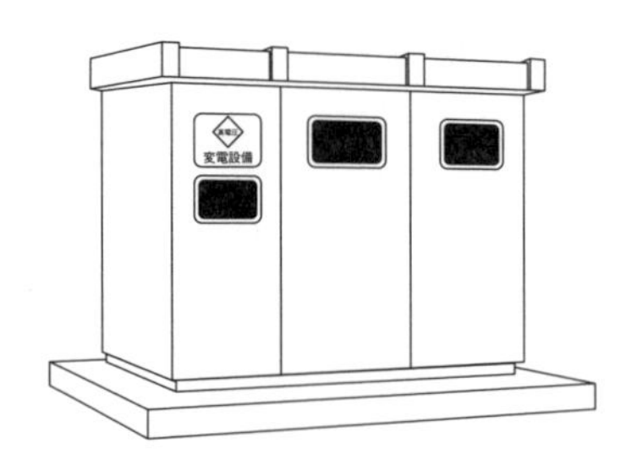

開閉装置として容量の小さいものについては安価な高圧カットアウト（PC）が使用されます。PCを使用することができるのは，次の表のものに限られます。

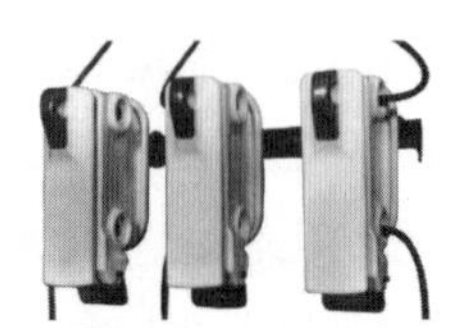

機器	開閉装置をPCにできる
変圧器	300kV·A以下
コンデンサ	50kvar以下

設備容量[※5]がこれを超えたら，1次側開閉装置は，LBS，CBなどにします。

4 設備不平衡率

変圧器で構成される高圧受電設備の設備不平衡率は，「高圧受電設備規程」に定められ，次のように計算します。

設備不平衡率＝(各線間に接続された単相負荷総設備容量の最大最小の差)÷(総設備容量×1/3)

例題

図に示す変圧器で構成される高圧受電設備の設備不平衡率を求めなさい。

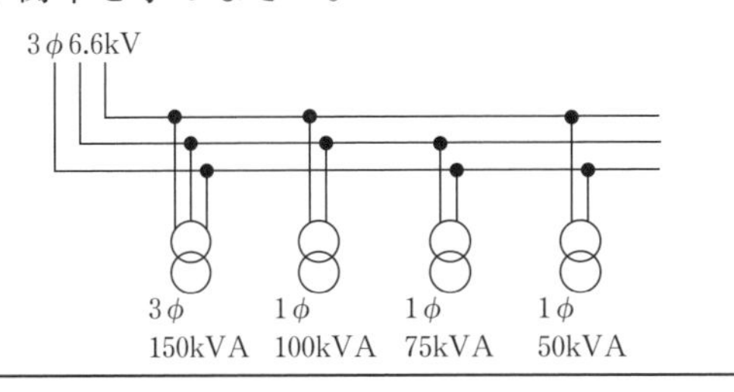

※5
設備容量
コンデンサの場合，1つの開閉装置に接続する高圧進相コンデンサの設備容量は300kvar以下です。自動力率調整を行う場合は，200kvar以下とします。

解説

設備不平衡率

$=(100-50)\div(150+100+75+50)/3=0.4$

したがって，40％

チャレンジ問題！

問1

難　中　**易**

PF･S形受電設備の主遮断装置として用いる限流ヒューズ付高圧交流負荷開閉器に関する記述として，最も不適当なものはどれか。

(1) 相間および側面には，絶縁バリアを取り付ける。
(2) 限流ヒューズは，一般に過負荷保護専用として使用する。
(3) 高圧交流負荷開閉器は，3極を同時に開閉する構造である。
(4) 限流ヒューズの一相が遮断した場合は，ストライカが動作して欠相運転を防止する。

解説

限流ヒューズは，短絡保護専用として使用します。

解答（2）

照明設備

1 光束法

光束法は，室の平均照度を求める計算方法です。照明器具の光束値，室の大きさ，天井高さ，壁面の反射率から計算します。まずは，用語についてみていきます。

①照明率

照明率は，光源から発せられた全光束のうち，ある面に直接入射したもの，および天井，壁，床，などで反射した後，その面に入射する光束の合計の割合を示したものです。式で表わすと，次のようになります。

$$照明率=\frac{ある面に入射する光束}{光源から放射された光束}$$

室指数と関連があり，室指数が大きいほど，照明率も大きくなります。また，天井面の反射率が大きいほど，照明率は大きくなります。

②室指数

$$室指数=\frac{X\times Y}{H\times(X+Y)}$$

X：室の間口〔m〕

Y：室の奥行〔m〕

H：天井高さ〔m〕

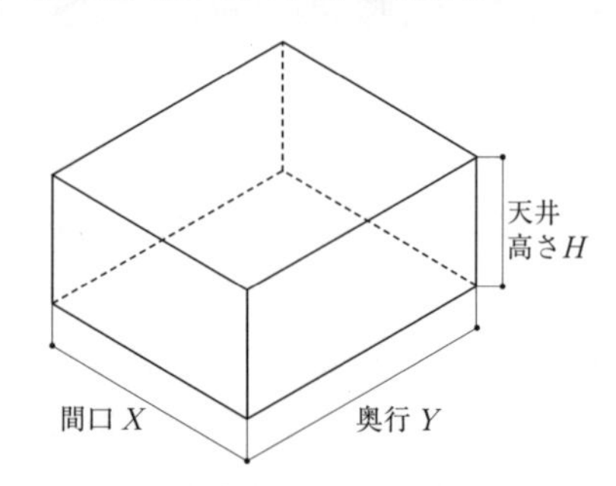

（例）① $X=Y=10$m，$H=2.5$mのとき，室指数＝2

② $X=5$m，$Y=20$m，$H=2.5$mのとき，室指数＝1.6

③ $X=Y=5$m，$H=2.5$mのとき，室指数＝1

①と②は室面積と天井高さが同じです。正方形に近いほど室指数は大きく，細長い室ほど小さい値になります。

①と③は，どちらも正方形ですが，③のように小さい正方形では，室指数は小さくなります。

③保守率

保守率＝ある期間経過後の照度/初期照度

メンテナンスがよければ保守率は高くなります。下面開放形器具は，簡易密閉形器具（下面カバー付）と比較して，保守率は大きくなります。

※6
照明率
照明率は，室指数と壁等の反射率によって構成された照明率表から求めます。
したがって，照度の計算公式には室指数等は表立っては出てきません。

2 光束法による照度計算

室内の平均照度 E〔lx〕は，次のように表せます。

E＝光束/面積＝$FUMN/S$

F：ランプ1本の光束〔lm〕

U：照明率[※6]　M：保守率　N：ランプ本数

S：室の面積〔m^2〕

チャレンジ問題！

問1　難　中　易

間口12m，奥行18mの事務室の天井に2灯用の蛍光灯器具を配置し，光束法により計算した水平面の平均照度を700lxとするための器具台数として，正しいものはどれか。

ただし，ランプ1本の光束を5,000lm，照明率を0.6，保守率を0.7とする。

(1) 15台　(3) 36台
(2) 27台　(4) 72台

解説

照度 $E=FUMN/S$ より，ランプ本数 $N=SE/FUM=$

$\frac{12\times18\times700}{5{,}000\times0.6\times0.7}$＝72本→36台　です。

解答（3）

保護装置ほか

1 地絡遮断装置

地絡遮断装置は，60Vを超える機械器具に設置しますが，次の場合は設置義務が免除されます。

- 対地電圧150V以下で水気のある場所以外
- 二重絶縁構造
- 接地抵抗値が3Ω以下
- 発電所，変電所内

2 短絡電流

短絡電流に関し，次のことがいえます。

- 電源側の変圧器のインピーダンスが小さいほど，短絡電流は大きい
- 電源側の変圧器から短絡点までのケーブルの断面積が大きいほど，短絡電流は大きい
- 同一幹線に接続されている誘導電動機が発電機として作用し，短絡電流は瞬間的に大きくなる
- 電源側の変圧器から短絡点までのケーブルが長いほど，短絡電流は小さい

3 保護協調

電動機の配線用遮断器は，電動機回路の短絡電流に見合う定格遮断容量を有するものを選定します。

電動機回路の保護協調曲線において，機器などの特性曲線は図のとおりです。

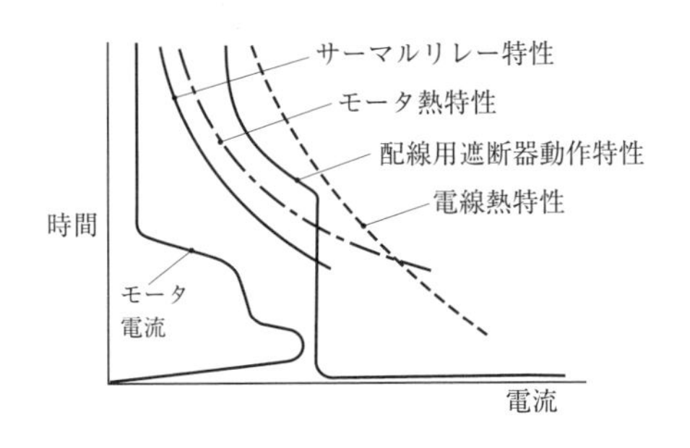

電動機は，過負荷保護（サーマルリレー[※7]と電磁接触器）と短絡保護（配線用遮断器）の両方でカバーします。また，電動機の保護継電器は表のとおりです。

継電器の種類	過負荷保護	欠相保護	反相保護[※8]
2Eリレー	○	○	×
3Eリレー	○	○	○

○：できる　×：できない

4 分岐線の長さと許容電流

図に示す電動機を接続しない分岐幹線において，分岐幹線保護用の過電流遮断器を省略できる分岐幹線の長さと分岐幹線の許容電流[※9]の組合わせは，次の表によります。

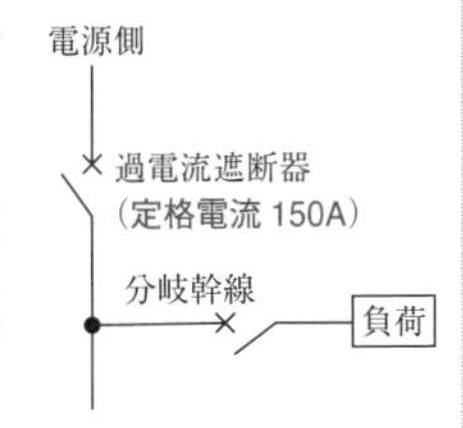

分岐幹線の長さ		分岐幹線の許容電流
①	3m以下	規定なし
②	3～8m以下	定格電流×35%以上
③	8mを超える	定格電流×55%以上

①分岐幹線の長さが3m以下の場合

分岐幹線に使用する電線の許容電流に制限はありません（何Aでもよい）。

※7
サーマルリレー
熱動継電器のことで，電動機が過負荷になると熱を帯びるため，設定温度以上になると遮断動作します。

※8
反相保護
逆相保護ともいいます。

※9
許容電流
電線に，最大限流すことのできる安全電流です。

②3～8m以下の場合

150×0.35＝52.5A以上の許容電流のある電線を使用します。

③8mを超える場合

150×0.55＝82.5A以上の許容電流のある電線を使用します。

例題

図に示す電動機を接続しない分岐幹線において，分岐幹線保護用過電流遮断器を省略できる分岐幹線の長さと分岐幹線の許容電流の組合せとして,「電気設備の技術基準とその解釈」上，適当なものはどれか。

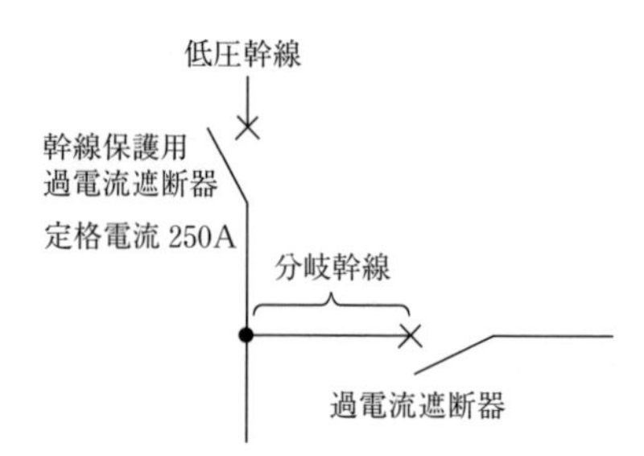

	分岐幹線の長さ	分岐幹線の許容電流
(1)	5m	70A
(2)	7m	90A
(3)	9m	110A
(4)	11m	130A

解説

①選択肢（1）：5mの場合，250A×0.35＝87.5A以上の許容電流の電線を使用する必要があります。70AではNGです。

②選択肢（2）：7mの場合，①に同じく87.5A以上です。90Aの電線ならOKです。

③選択肢（3）：9mの場合，250A×0.55＝137.5A以上の許容電流の電線を使用する必要があります。110AではNGです。

④選択肢（4）：11mの場合，③と同様です。130AではNGです。

よって，解答は（2）です。

5 幹線の許容電流

低圧屋内配線は，幹線と分岐線があり，幹線は各分岐線を流れる電流の合計となるので，負荷電流の総計以上の許容電流値の電線を用います。

負荷に電動機[※10]を接続しない場合は，単純にこれでよいのですが，電動機が接続されている場合は，次の計算方法により，幹線の許容電流値を求めます。Ⓜは電動機，Ⓗは電動機以外の負荷とします。

※10
電動機
始動時に定格電流を上回る電流が流れます。電流計も最大使用電流の約200%の定格目盛の電流計を使用します。

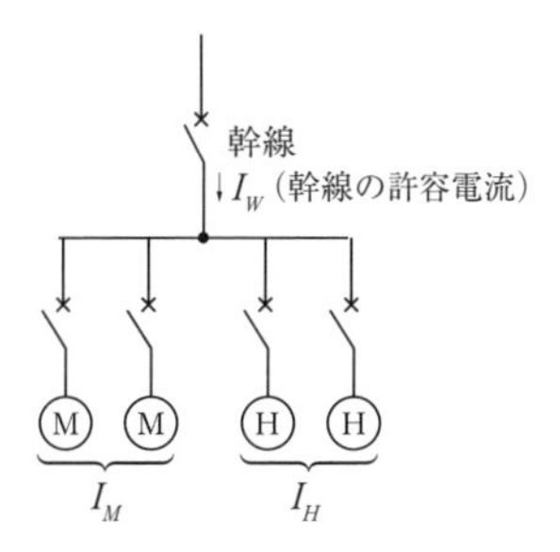

I_W：幹線の許容電流値
I_M：電動機に流れる電流値の合計
I_H：電動機以外の負荷に流れる電流値の合計

I_Mの値		I_Wの値
①	50A以下	$1.25I_M+I_H$　以上
②	50Aを超える	$1.1I_M+I_H$　以上

例題

次の負荷ア，イを接続する低圧屋内幹線に必要な許容電流の最小値を求めなさい。

ア　電動機の定格電流の合計：200A
イ　ヒータの定格電流の合計：　80A

解説

電動機が50A以上なので，表の②を適用します。

$1.1I_M+I_H=1.1\times200+80=300A$

6 内線規程

内線規程は，「電気設備の技術基準とその解釈」などを元に具体的（義務，勧告，推奨）に示した民間規格です。分岐回路の例として，配線用遮断器Ⓑの定格によって，接続できるコンセントの定格や電線太さが表のように決まっています（義務事項）。

分岐回路の種類	コンセント	電線太さ
Ⓑ 20A	20Aと15A	1.6mm以上
Ⓑ 30A	30Aと20A	2.6mm以上 (断面積約5.5mm^{2}以上)
Ⓑ 40A	40Aと30A	断面積8mm^{2}以上

勧告事項

分岐回路の種類	受口の種類	施設数
15A分岐回路 Ⓑ 20A	コンセント(住宅アパート)	8個以下(原則)
	コンセント(その他)	10個以下(原則)
	電灯受口	制限なし

7 ヒーティング

①フロアヒーティング

フロアヒーティングとは，床の内部または表面に発熱線等を施設して加温するヒーティング施設をいいます。

住宅に施設するフロアヒーティングでは，**発熱線等**[※11]に電気を供給する電路の**対地電圧は150V以下**としますが，住宅以外では対地電圧を**300V以下**とすることができます。発熱線はどのような場所でも，電路には配線用遮断器（MCCB）ではなく，**漏電遮断器（ELCB）**を設置します。

使用電圧が300V以下の発熱線に直接接続する電線の被覆に使用する金属体には，D種接地工事を行います。

発熱線等による加熱の温度は，発熱線等の周囲の**造営材**[※12]が木材などの可燃性物質で，発熱線等が触れる部分または触れるおそれがある部分は，80℃以下とします。

人の居住する部分のフロアヒーティングの床表面は，45℃以下です。

②ロードヒーティング

ロードヒーティングとは，道路，駐車場などの路面の内部または表面に発熱線等を施設して，路面の積雪または氷結を防止する施設のことです。

金属被覆を有する発熱線の温度は120℃を超えないようにします。

電気用品安全法の適用を受けた電熱シートは，車道に施設することができません。

※11

発熱線等

発熱線は加熱のために発熱させる電線のことです。シース，補強層などを付加したものもあります。「等」が付くと，発熱シート，発熱ボードを含みます。

※12

造営材

壁や柱など建物を構成する部分をいいます。

チャレンジ問題！

問1　難　**中**　易

事務室に設ける分岐回路に関する記述として，「内線規程」上，不適当なものはどれか。

(1) 20A配線用遮断器分岐回路に設ける電灯受口の数は制限されていない。

(2) 20A配線用遮断器分岐回路に設けることのできる15Aコンセントの数は10個以下である。

(3) 30A分岐回路に15A・20A兼用コンセントを設けることができる。

(4) 40A分岐回路に40Aコンセントを2個設けることができる。

解　説

30Aの分岐回路に接続できるコンセントの定格電流値は，20Aと30Aだけで，15A・20A兼用コンセントを設けることはできません。

解答（3）

自家発電設備等

1 ガスタービン，ディーゼル

ガスタービン機関とディーゼル機関は，いずれも発電機の原動機です。

ガスタービンは，燃焼ガスの熱エネルギーを直接タービンに作用させて回転運動を得ます。一方，ディーゼルは，燃焼ガスの熱エネルギーをピストンの往復運動に変換し，クランク軸[※13]にて回転運動に変換します。

比較表は次のとおりです。※同一出力で比較

	ガスタービン機関	ディーゼル機関
据付面積	小さい	大きい
重量	部品点数が少なく，軽い	部品点数が多く，重い
吸気・排気装置	大形	小形
冷却水	不要	必要
使用燃料	灯油，軽油，重油，天然ガス	灯油，軽油，重油
燃焼用空気	多い	少ない
NO_X（窒素酸化物）	少ない	多い
振動	小さい	大きい（往復運動のため）

ガスタービンは，ディーゼルに比べ，液体のほかに気体の燃料が使用できることや，排出ガス中のNO_X（窒素酸化物）濃度が低い点も長所といえます。

2 原動機の冷却方式

自家発電設備の原動機（ディーゼル機関）の主な冷却方式は次のとおりです。

①直結ラジエータ[※14]冷却方式

補給水をほとんど必要としませんが，ファンの排風の処理が必要なの

で，地下室に設置するには不向きです。

②クーリングタワー[※15]冷却方式

冷却水を循環する方式なので水の補給が必要です。開放式冷却塔は，じんあいの多い場所に設置するには不向きです。

3 コージェネレーションシステム(CGS)

①コージェネレーション[※16]

コージェネレーションとは，燃料である重油やガスを燃焼させて発電するとともに，その際に発生する熱を冷暖房や給湯，蒸気などに利用することをいいます。

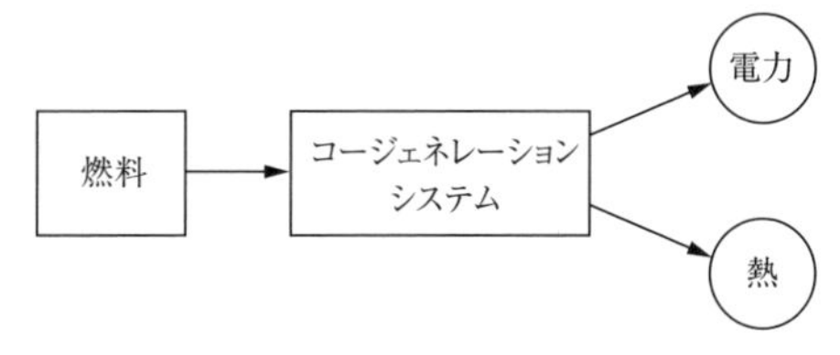

②運転方式

● 電主熱従運転[※17]

電力負荷変動に合わせて発電する運転方式です。

● 熱主電従運転

温水プールのように，熱の利用を主目的とする運転方式をいいます。

● ベースロード運転方式

需要電力の基底負荷部分に発電電力を供給する運転方式です。

● ピークカット運転

電力負荷の多い時間帯に電力を供給する発電機の運転方式です。

※13
クランク軸
ピストンの往復運動を回転運動に変える機能を持つ軸です。

※14
ラジエータ
液体や気体の熱を放熱する装置です。冷却水を，ラジエータを介して循環し，エンジンを冷却します。

※15
クーリングタワー
冷却塔ともいいます。

※16
コージェネレーション
co（一緒に）＋generation（発生）。電気と熱の２つを同時発生する仕組みです。

※17
電主熱従運転
電力負荷追従運転ともいいます。

●系統連系運転

系統連系運転とは，コージェネレーションシステムを商用電力系統と接続して運転することです。逆潮流は，系統連系をしている需要家の構内で発電した電力が，消費した電力より大きいときに発生します。

③比・率

●熱電比

消費される熱需要÷消費される電力需要

●省エネルギー率

(A－B) ÷A　で表します。

A：従来システムで運用する場合のエネルギー量

B：CGSを採用した場合のエネルギー量

●総合エネルギー効率

(発電電力量＋回収した熱エネルギー) ÷投入エネルギー

4 蓄電池

蓄電池の充電方式は次のとおりです。

①トリクル充電

蓄電池の自己放電を補うため負荷から切り離された状態で，絶えず微小電流で行う充電方式です。交流電源の通電時には，蓄電池は負荷と切り離して微小電流で充電され，交流電源の停電時のみ，蓄電池から負荷へ電力を供給します。

②浮動充電

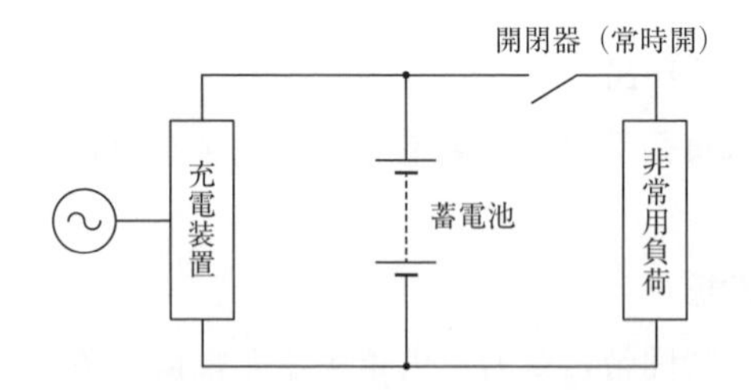

整流装置の直流出力に蓄電池と負荷とを並列に接続し，常時蓄電池に一定電圧を加え充電状態を保ちながら，同時に整流装置から負荷へ電力を供

給し，停電時または負荷変動時に無遮断で蓄電池から負荷へ電力を供給する充電方式です。

③均等充電

蓄電池を長時間使用後，充電のばらつきをなくして均等な状態にする充電方式です。

④回復充電

充電電圧を高めて充電する方式です。

5 無停電電源装置（UPS）

①UPS[※18]

UPSは，停電や瞬時電圧低下など，商用電源における電源障害が発生した場合にも，蓄電池などからコンピュータ設備などの重要設備に電源を無瞬断[※19]で供給する設備です。

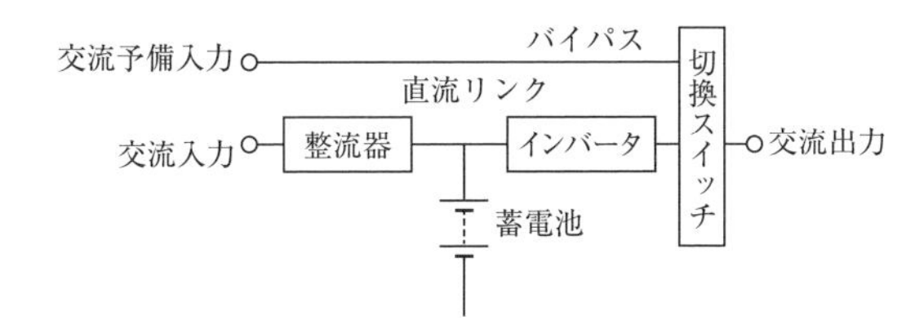

②構成要素

●UPSユニット

UPSユニットとは，インバータ，整流器および蓄電池またはその他のエネルギー蓄積装置を，それぞれ少なくとも1つずつ含むUPSの構成要素です。

●インバータ

直流電力を交流電力に変換する半導体電力変換装置です。

●保守バイパス

保守期間中，安全のためにUPSの一部もしくは複数

※18
UPS
Uninterruptible Power Supply。

※19
無瞬断
JEM（日本電機工業会規格）では，電圧が0になる時間が1/4サイクル（50Hzで5ms）以下と定義しています。

の部分を分離し，負荷電力の連続性を維持するために設けられる電力経路です。

●UPSスイッチ（切換スイッチ）

UPSユニットまたはバイパス出力を負荷へ接続，または負荷から切り離すために用いられるスイッチです。

③用語

●瞬断時間

UPSの出力電圧が許容範囲の下限値を下回っている時間です。

●同期切換

周波数と位相とが同期状態にあり，電圧が許容範囲で一致している2つの電源の間での負荷電力の切換をいいます。

●出力過電流

UPSからあらかじめ規定された時間内で流すことができるUPSの最大出力電流です。

④給電方式

●常時商用給電方式

通常運転状態では常用電源から負荷へ電力を供給します。周波数，電圧が許容値から外れた場合，インバータは蓄電池運転状態となり，負荷電力はインバータを経由して供給される給電方式です。

●常時インバータ給電方式

通常運転時は常用電源を整流器により直流に整流した後に，インバータによって交流に再変換して負荷へ供給する方式です。

⑤冗長[※20]

●冗長UPS

UPSユニットを追加することによって負荷電力の連続性を向上させたシステムです。

●並列冗長UPS

複数のUPSユニットが負荷を分担しつつ並列運転を行い，1台以上のUPSユニットが故障したとき，残りのUPSユニットで全負荷を負うことができるように構成したシステムです。

●待機冗長UPS

常用UPSユニットの故障に備えて，1台以上のUPSユニットを待機させておくシステムです。

※20
冗長
一般には，文章や話が長いということで，だらだらしている状態を意味しますが，電気関係用語としては，二重化やバックアップなど，設備，システムに余裕を持たせることを意味します。

チャレンジ問題！

問1 難 中 易

自家発電設備におけるガスタービン発電装置に関する記述として，不適当なものはどれか。

(1) 液体または気体の燃料が使用できる。
(2) ガスタービン本体を冷却するための水が必要である。
(3) ディーゼル発電装置に比べて振動が少ない。
(4) ディーゼル発電装置に比べて体積，重量ともに小さく軽い。

解 説

ガスタービン本体を冷却するための水は不要です。

解答（2）

接地工事

1 接地工事の種類

接地工事は，A種～D種まで4つの種類があります。

①接地箇所の例

表は，接地箇所の例です。

接地工事の種類	接地抵抗値	接地線の種類	接地箇所
A種接地工事	10Ω以下	直径2.6mm以上の軟銅線	高圧用または特別高圧用の機器の外箱または鉄台
B種接地工事	150/IΩ以下	直径4mm以上の軟銅線	高圧用または特別高圧と低圧を結合する**変圧器低圧側の中性点**
C種接地工事	10Ω以下	直径1.6mm以上の軟銅線	**300Vを超える**低圧用機器の外箱または鉄台
D種接地工事	100Ω以下	直径1.6mm以上の軟銅線	**300V以下**の低圧用機器の外箱または鉄台

（注）1. Iは電路の一線地絡電流(A)を示す。
2. B種の接地抵抗値は，当該電路に設置される地路遮断器の遮断時間によって緩和することができる（1秒以内に遮断される場合は600/IΩ以下，2秒以内に遮断される場合は300/IΩ以下）。
3. C種およびD種の接地抵抗値は，当該電路に地絡が生じたとき，0.5秒以内に遮断する装置を施設する場合は，500Ωまで緩和することができる。

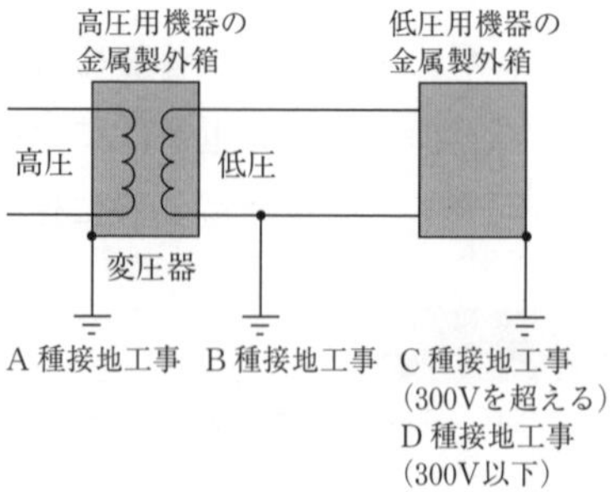

A種接地工事は，人が触れるおそれがある高圧電路に施設する機械器具の金属製の外箱で，**B種接地工事**は，変圧器の高圧と低圧との混触による危険を防止するために低圧側電路の中性点または1端子に施します。

高圧用機器の金属製外箱
低圧用機器の金属製外箱
高圧
低圧
変圧器
A種接地工事
B種接地工事
C種接地工事（300Vを超える）
D種接地工事（300V以下）

D種接地工事は，使用電圧300V以下の機器の金属製外箱に施しています。なお，**C種接地工事**は，使用電圧が

300Vを超える場合の機器に施設します。

2 A種接地工事

人が触れるおそれがある場所に施設する接地極[※21]は，地下75cm以上の深さに埋設します。この施工方法はB種接地工事においても同じです。

大地との間の抵抗値が2Ω以下である建物の鉄骨その他の金属体は，機械器具等に施すA種およびB種接地工事の接地極として使用できます。

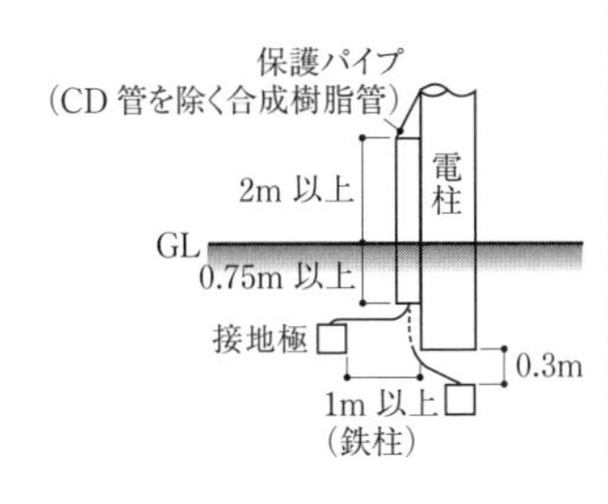

一部が地中に埋設された建物の鉄骨を，A種，B種，C種およびD種接地工事の共用の接地極として使用する場合には，等電位ボンディング[※22]を施す必要があります。等電位ボンディングとは，電気機器，鉄骨，鉄筋などの金属体を接地線でつなぎ，電位を等しくし電位差をなくすことです。

A種接地工事を施す箇所例として，次のものがあります。

- 人が触れるおそれがある**高圧電路**に施設する機械器具の金属製の外箱
- 屋内の接触防護措置を施していない高圧ケーブルを収める金属製の電線接続箱
- 特別高圧計器用変成器の二次側電路

※高圧計器用変成器の二次側はD種接地工事でよい。

- 避雷器

A種接地工事では，接地抵抗値を10Ω以下にします。

※21
接地極
銅板，銅棒などをいいます。

※22
等電位ボンディング
JIS（日本産業規格）によれば，「内部雷保護システムのうち，雷電流によって離れた導電性部分間に発生する電位差を低減させるため，その部分間を直接導体によって又はサージ保護装置によって行う接続。」とあります。

3 B種接地工事

B種接地工事は，変圧器の高圧と低圧との混触による危険を防止するために低圧側電路の中性点または1端子に施します。

接地抵抗値 R は，次の式で計算します。

$R = K/I$　　I：地絡電流

K：地絡遮断装置の動作時間（秒）により，150，300，600の数値

地絡遮断装置の動作時間(秒)	Kの値
1秒以下	600
1秒を超え2秒以下	300
2秒を超え	150

例題

高圧受電設備に設ける変圧器の高圧側電路の1線地絡電流が10Aであるとき，変圧器のB種接地工事の接地抵抗の最大値として，「電気設備の技術基準とその解釈」上，正しい数値を求めなさい。

ただし，高圧側の電路と低圧側の電路との混触時，高圧電路には2秒で自動的に遮断する装置が施設されているものとする。

解説

B種接地の値 $R = K/I$　I：1線地絡電流

$R = 300 \div I = 300 \div 10 = 30\ \Omega$

4 C種・D種接地工事

基本的には，使用電圧が**300V**を超えたらC種接地工事で，超えなければD種接地工事です。

ただし，プール内に施設した，使用電圧100Vのプール用**水中照明灯**を収める容器の金属製部分については，C種接地工事を施します。水中，また

はこれに準ずる場所の照明灯を収める金属製部分は，C種接地工事にする必要があります。

原則の接地抵抗値は，C種10Ω以下，D種100Ω以下ですが，地絡を生じたとき，回路を0.5秒以内に遮断する装置[※23]を設置した場合は，C種，D種とも接地抵抗値は500Ω以下に緩和されます。

※23
0.5秒以内に遮断する装置
漏電遮断器です。一般の漏電遮断器は，0.1秒以内に遮断するので，緩和規定が適用されます。

チャレンジ問題！

問1 　難　**中**　易

A種接地工事に関する記述として，「電気設備の技術基準とその解釈」上，誤っているものはどれか。

ただし，発電所または変電所，開閉所もしくはこれらに準ずる場所に施設する場合，および移動して使用する電気機械器具の金属製外箱等に接地工事を施す場合を除くものとする。

(1) 人が触れるおそれがある高圧電路に施設する機械器具の金属製の台および外箱に施す。
(2) 特別高圧計器用変成器の二次側電路に施す。
(3) 接地線は，直径2.0mm以上の軟銅線を使用する。
(4) 人が触れるおそれがある場所に施設する接地極は，地下75cm以上の深さに埋設する。

解説

A種接地工事の接地線は，直径2.6mm以上の軟銅線を使用します。

解答 (3)

消防用設備等

1 自動火災報知設備

①設備系統

次の図は，自動火災報知設備の系統図です。

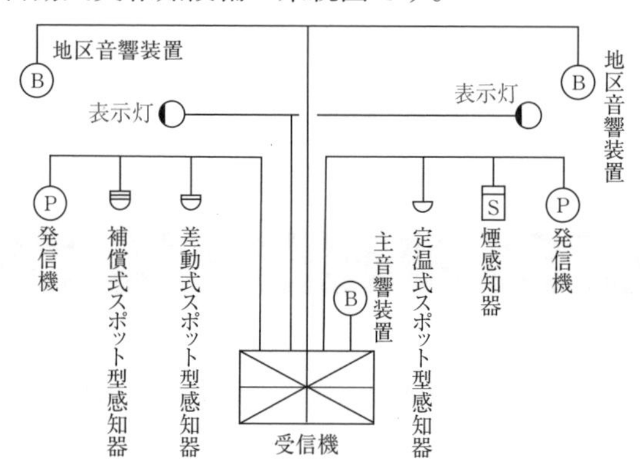

②受信機

感知器または発信機からの信号を受信して，火災発生を報知します。

受信機には，P型，R型，GP型，GR型などがあります。Gが付くとガス漏れ火災用の受信機を意味し，自動火災報知設備用の受信機と一体となっています。

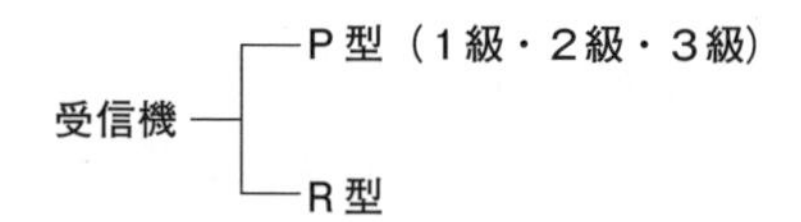

配線の1線に地絡が生じたとき，受信機に火災が発生した旨の表示を行わないことが定められています。

また，1つの防火対象物[※24]に2以上の受信機が設けられているときは，受信機のある場所相互間で同時に通話することができる設備を設けることが必要です。

非火災報[※25]を避けるため，2信号式受信機を設置することもあります。これは，同一の警戒区域[※26]からの異なる2つの火災信号を受信したときに，火災表示を行うことができる機能を有します。

③発信機

発信機は押しボタンを押して火災発生信号を受信機に送ります。

P型1級とP型2級発信機があり，P型1級発信機は受信機との間で相互に電話連絡をすることができる装置を有しますが，P型2級発信機にはありません。

P型1級発信機に接続することができる受信機は，P型1級，GP型1級，R型，GR型の各受信機です。

④感知器

火災時の熱，煙等を自動的に感知して信号を受信機に送ります。

●差動式スポット型感知器

留意点は次のとおりです。

・感知器は，45度以内の傾斜角度で設置する
・感知器の下端は，取付け面の下方0.3m以内の位置に設ける
・換気口等の空気吹出し口から1.5m以上離れた位置に設ける

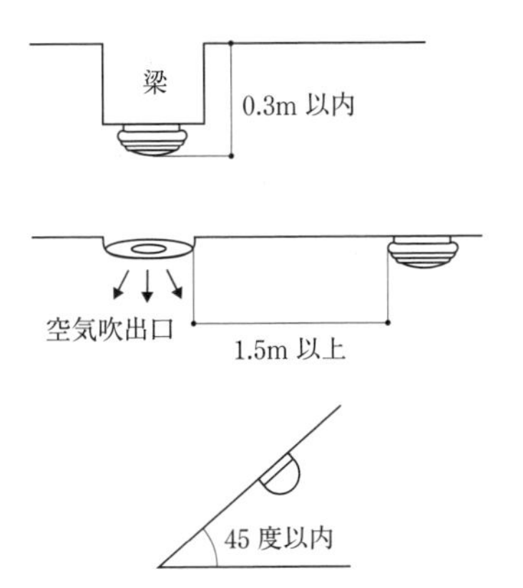

※24
防火対象物
主に建築物のことです。不特定多数，老幼弱者が利用するものを，特定防火対象物といいます。

※25
非火災報
火災でないのに火災信号を発報することです。

※26
警戒区域
火災発生の区域とそうでない区域を識別するための最小単位です。1つの警戒区域の面積は600m²以下とし，（合計500m²以下であれば2つの階に渡り1つの警戒区域にできる）その一辺の長さは50m以下（光電式分離型感知器は100m以下）とします。
なお，主要な出入口から内部を見通せる場合は，1,000m²以下にできます。

●煙感知器

スポット型と光電式分離型感知器[※27]があります。

スポット型の留意点は次のとおりです。

・壁または梁から0.6m以上離れた位置に設ける
・下端は，取付け面の下方0.6m以内の位置に設ける

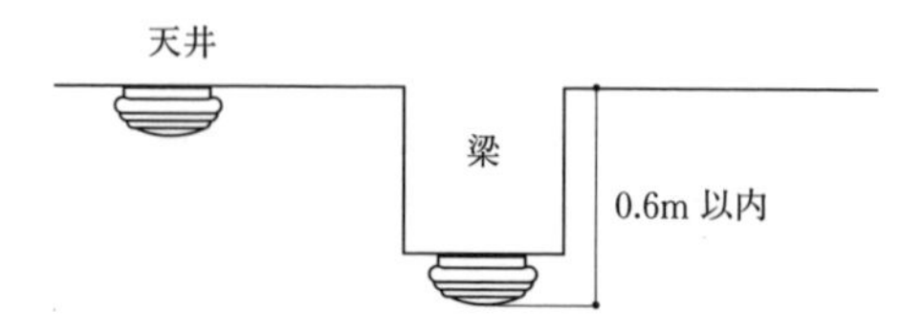

・天井付近に吸気口のある居室にあっては当該吸気口付近に設ける
・天井が低い[※28]居室または狭い居室にあっては入口付近に設ける

2 誘導灯

誘導灯は，火事や災害時に建物内の人々を安全に建物の外に誘導するための照明器具です。誘導灯は，内部に蓄電池（バッテリー）を持ち，停電時に20分以上（建物用途等によっては60分以上）点灯できるようになっています。

誘導灯の設置位置や大きさは，消防法によって定められています。表示面の縦寸法が0.4m以上をA級，0.2m以上0.4m未満をB級，0.1m以上0.2m未満をC級に区分けされています。表示面の縦寸法が大きければ使用されるランプのワット数も大きくなり表示面も明るくなります。

誘導灯の種類には，避難口誘導灯，通路誘導灯，客席誘導灯，階段通路誘導灯があります。図は，避難口誘導灯（左図）と通路誘導灯（右図）の例です。

①避難口誘導灯

屋内から直接地上へ通ずる出入口，直通階段[※29]の出入口に設けます。

②通路誘導灯

廊下または通路の曲り角に設けます。階段または傾斜路に設ける通路誘導灯は，踏面または表面および踊場の中心線の照度が1lx以上となるようにします。

③客席誘導灯

客席内の通路の床面における水平面の照度が0.2lx以上になるように設けます。

3 非常コンセント設備

非常コンセント[※30]は，消防隊が消火活動を行う際に専用として使うコンセントです。

次のような防火対象物に設置義務があります。

- 地階を除く階数が11以上の建築物
- 延べ面積1,000m^{2}以上の地下街

また，非常コンセントの設備基準は次のとおりです。

- 非常電源として附置する自家発電設備は，30分間以上電源供給できる
- 単相交流100Vで15A以上の電気を供給できる
- 回路に設ける非常コンセントの数は，10以下
- 埋込式の保護箱内に設ける
- 保護箱の上部に，赤色灯を設ける
- 設置高さは，床面または階段の踏面からの高さが1m以上1.5m以下

※27
光電式分離型感知器
送光部と受光部が分離しており，光軸内に煙が充満すると感知する構造です。

※28
低い居室・狭い居室
一般に，低いとは天井高2.3m以下，狭いとは40m^{2}以下です。

※29
直通階段
建築物のある階からその階段を通じて避難階（直接地上へ通ずる出入口のある階）に容易に到達できる階段をいいます。廊下を通って別の階段で降りるような場合は該当しません。

※30
非常コンセント
ドリル，照明器具，排煙装置など，消火活動に使用する可搬式の電気機器に，電源供給を行うためのコンセントです。停電時でも使用できる自家発電設備があります。

4 非常電源の容量

主な消防用設備等と非常電源の容量の関係は表のとおりです。

消防用設備等	非常電源の容量
自動火災報知設備	10分間以上
ガス漏れ火災警報設備	10分間以上
非常警報設備	10分間以上
誘導灯	20分間以上（建物用途等により60分間以上）
非常コンセント設備	30分間以上
赤色灯[※31]	30分間以上
排煙設備	30分間以上
屋内消火栓設備	30分間以上
スプリンクラー設備	30分間以上
不活性ガス消火設備	1時間以上

5 非常用照明

自動火災報知設備などは消防法に規定されたものですが，非常用の照明装置は，消防法に定められた消防用設備等ではなく，**建築基準法に定められた設備**です。

たとえば，非常用の照明装置を設けなければならない宿泊を伴う居室[※32]としては，旅館，ホテルの宿泊室ですが，**特別な場合**[※33]を除き，住宅（戸建て，共同住宅），病院の病室，下宿の宿泊室，寄宿舎の寝室等については非常用照明は不要です。

非常用の照明装置には，次の基準があります。

- 照明器具（照明カバーその他照明器具に付属するものを含む）のうち主要な部分は，**難燃材料**で造り，または覆う
- 常用の電源および予備電源の**開閉器**には，非常用の照明装置用である旨の表示をする

- 予備電源は，充電を行うことなく30分間継続して非常用の照明装置を点灯させることができること
- 予備電源と照明器具との電気配線に用いる電線は，600V二種ビニル絶縁電線（HIV線）その他これと同等以上の耐熱性を有すること
- 白熱灯を用いる場合は，常温下で床面において水平面照度で1lx以上を確保する
- 蛍光灯およびLEDを用いる場合は，常温下で床面において水平面照度で2lx以上を確保する
- 地下街の各構えの接する地下道の床面において10lx以上の照度を確保する

※31
赤色灯
非常用の進入口またはその近くに設けるものです。

※32
居室
執務，娯楽等で継続的に使用する室をいいます。

※33
特別な場合
避難階が1階にない，決められた面積の窓がない等の場合です。

チャレンジ問題！

問1 難 中 易

自動火災報知設備の差動式スポット型感知器に関する記述として，「消防法」上，誤っているものはどれか。

(1) 感知器は，30度傾斜させて設けることができる。
(2) 感知器は，取付け面の高さが4mの高さに設けることができる。
(3) 感知器の下端は，取付け面の下方0.6mの位置に設けることができる。
(4) 感知器は，換気口等の空気吹出し口から1.5m離れた位置に設けることができる。

解説

差動式スポット型感知器は，取付け面の下方30cm以内です。

解答（3）

通信設備等

1 情報通信ネットワーク

①OSI基本参照モデル

国際標準化機構ISO[※34]は，通信プロトコル[※35]を標準化することにより，異機種間のデータ通信を実現することができるOSI基本参照モデル[※36]を策定しました。

これは，コンピュータなどの通信機器の持つべき機能を次の7つの階層に分割したものです。

層	名称	主な役割
7層(L7)	アプリケーション層	アプリケーション間でのやり取り
6層(L6)	プレゼンテーション層	データの表現形式を定義
5層(L5)	セッション層	接続の手順
4層(L4)	トランスポート層	データ通信の制御
3層(L3)	ネットワーク層	インターネットでの通信
2層(L2)	データリンク層	同一ネットワークでの通信
1層(L1)	物理層	ケーブルや電気信号やコネクタなど

●第1層（物理層）

データ伝送に必要な，コネクタやケーブル種別，データの電気信号や符号化方式などを規定しています。

●第2層（データリンク層）

ネットワーク上で直結されている機器間での通信方式を規定しており，データの送受信の制御などがこの層で行われ，スイッチングハブはこの層の制御機能を持っています。

●第3層（ネットワーク層）

IPアドレスなど論理的なアドレスを扱い，経路選択などルーティング[※37]機能を提供します。

● 第4層（トランスポート層）

相手まで確実に効率よくデータを届けるためのデータ圧縮や誤り訂正，再送制御などを行います。

●第5層（セッション層）

通信プログラム同士がデータの送受信を行うための仮想的な経路の確立や開放を行います。

●第6層（プレゼンテーション層）

第5層から受け取ったデータをユーザがわかりやすい形式に変換したり，第7層から送られてくるデータを通信に適した形式に変換します。

●第7層（アプリケーション層）

データ通信を利用したさまざまなサービスを人間やほかのプログラムに提供します。

※第○層をL○，レイヤー○ともいいます。

②LAN[※38]

LANとは1つの企業内や事務所内で構築する通信ネットワークのことをいいます。

構成するネットワークトポロジー[※39]の形状には，スター型，バス型，リング型，ツリー型，メッシュ型などがあります。

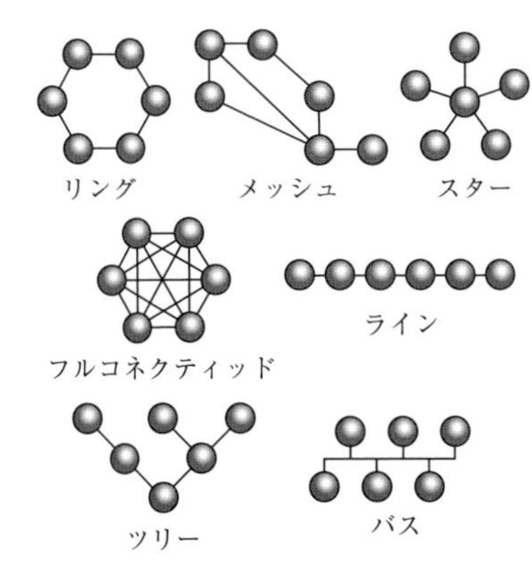

VLAN機能[※40]は，スイッチと端末の物理的な接続形

※34
ISO
International Organization for Standardizationの略です。

※35
通信プロトコル
通信規約（約束事）です。

※36
OSI基本参照モデル
OSIはOpen Systems Interconnectionの略です。

※37
ルーティング機能
ルータが該当します。

※38
LAN
Local Area Networkの略で構内情報通信網のことです。

※39
ネットワークトポロジー
コンピュータにおけるネットワーク配線で，端末や各種機器が接続されている形状を表す用語です。

※40
VLAN機能
VLANとはVirtual LAN（仮想LAN）の略です。

態によらず，論理的に複数の端末をグループ化するものです。同一グループに所属しているもの同士であれば通信ができ，異なるグループに所属しているもの同士であれば通信ができなくなるという機能です。

ファイアウォール[※41]は，不正なアクセスを遮断し内部のネットワークの安全を維持します。

2 テレビ共同受信設備

①系統図

次の図は，テレビ共同受信設備（CATV[※42]）の系統図です。

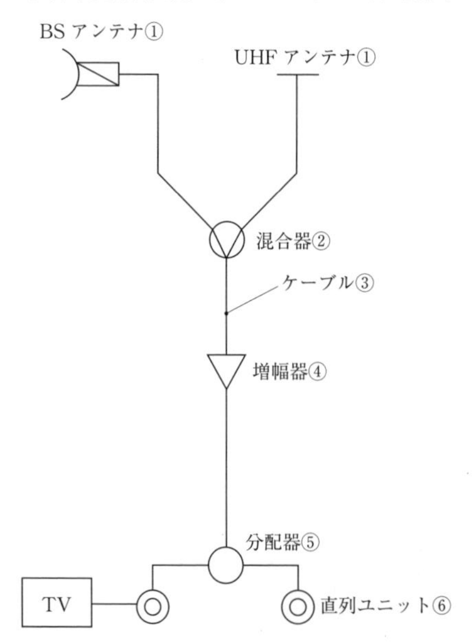

●アンテナ

同じ素子数の場合，受信帯域が広くなるほど利得[※43]は小さくなります。

●混合器

複数のアンテナで受信した信号を1本の伝送線にまとめる機器です。なお，分波器は混合器と逆の機器です。

●同軸ケーブル

50 Ω形と75 Ω形があり，一般に**75 Ω形**が使われます。周波数が高くなると減衰量は大きくなります。

● **増幅器（ブースタ）**

信号の強さを一定のレベルまで増幅する機器です。

● **分配器**

テレビ信号を均等に分配します。2分配器，4分配器などがあります。分配数が多くなると損失も大きくなります。

● **直列ユニット**

テレビ受信機に接続する端子を持つ分岐器です。

②損失計算

損失計算を例題で解説します。

例題

図に示すテレビ共同受信設備において，増幅器出口からテレビ端子Aの出力端子までの総合損失を求めなさい。

ただし，条件は，次のとおりとする。

増幅器出口からテレビ端子Aまでの同軸ケーブルの長さ：10m

同軸ケーブルの損失：0.5dB/m

2分岐器の挿入損失：5.0dB

2分岐器の結合損失：10.0dB

4分配器の分配損失：10.0dB

4分配器の端子間結合損失：15.0dB

テレビ端子の挿入損失：1.0dB

テレビ端子A

解説

①機器の損失＝5＋10＋1＝16dB

②ケーブルの損失＝0.5×10＝5dB

①＋②＝21dB

※41

ファイアウォール

Firewall。インターネットを介して侵入する不正なアクセスからLANを守る防火壁です。

※42

CATV

Community Antenna Television または Cable Televisionの略です。

※43

利得

アンテナが受信した電波の強さに対する，出力の割合です。単位はdBで，数値が大きいほど，アンテナの性能は優れます。

※44

端子間結合損失

出力から出力の間の損失のことをいいます。逆流してくる電波をどのくらい減らせるかの数値です。大きいほどよい数値です。

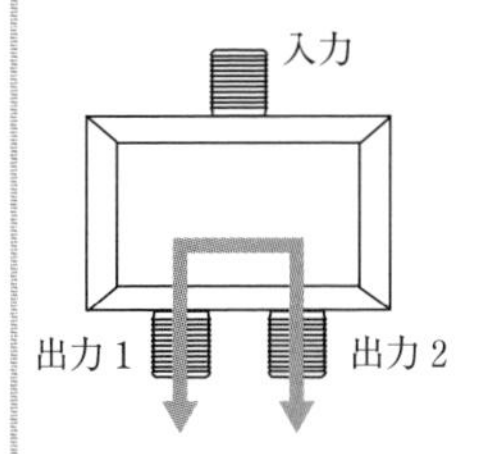

※当問題においては，分岐器の結合損失と分配器の端子間結合損失[※44]は関係ありません。

3 構内交換設備

構内交換設備における局線応答方式には，次のものがあります。

①ダイヤルイン方式

局線からの着信により直接内線電話機を呼び出します。

②ダイレクトインライン方式

局線から交換装置に着信し，あらかじめ指定された内線を直接呼び出します。

③ダイレクトインダイヤル方式

代表番号をダイヤルしたのち一次応答を受け，引き続き内線番号をダイヤルして直接電話機を呼び出します。

④局線中継台方式

局線からの着信をすべて中継台で受信し，専任の交換手が応答して内線電話に転送します。

⑤分散中継台方式

局線からの着信が局線表示盤等に表示され，局線受付に指定された電話機により応答します。

4 放送設備

①マイクロホン

マイクロホンの種類と特徴は，次のとおりです。

●ダイナミック形

温湿度の影響を受けにくいので屋外使用に適します。

●コンデンサ形のマイクロホン

周波数特性に優れており，ホール音響用等の高性能が要求される場合に適しています。

いずれにしても，指向性[※45]を考慮して選定する必要があります。

全指向性マイクロホンを残響の多い部屋で使用するのは不適当であり，対談の収録に使用するには，両指向性マイクロホンを選定します。

②スピーカ

全館放送のように配線が長く，スピーカの数も多いときは，ハイインピーダンス出力方式[※46]の増幅器を使用します。アッテネータは，スピーカの音量を調節するために使用されます。

●ホーン形

大出力を必要とする屋外に使用されることが多いです。

●コーン形

音質を重視する場合に適しており，屋内に使用されることが多いです。

5 中央監視制御

①中央監視システム

BEMS[※47]（ビル・エネルギー管理システム）は，ビルのエネルギー設備を統合的に監視し自動制御することにより，省エネルギー化や運用の最適化を行う管理のことです。監視システムを構築する各機器の製造者が異なる場合，装置間を接続するための上位層のプロトコル（通信規約）として，BACnet[※48]があります。

システムのローカル系には，Lon Works[※49]を採用しています。

②監視

●電力デマンド監視

使用電力が，電力会社との契約を超過しないよう監

※45
指向性
特定方向の音を拾うことをいいます。全指向性は全方向の音，両指向性は，反対2方向の音を集音する性能です。

※46
ハイインピーダンス出力方式
スピーカにトランスを接続して，インピーダンスを上げて接続する方式です。

※47
BEMS
Building and Energy Management System。日本語では「ベムス」と読まれます。

※48
BACnet
Building Automation Control Networking Protocol。異なるメーカで構築されたシステムを相互接続するための標準化されたオープンプロトコルです。

※49
Lon Works
アメリカのエシェロンで開発されたプロトコルです。

視し，デマンド[※50]設定値に近づいたら警報を発します。

図は，電力デマンド監視制御の例です。

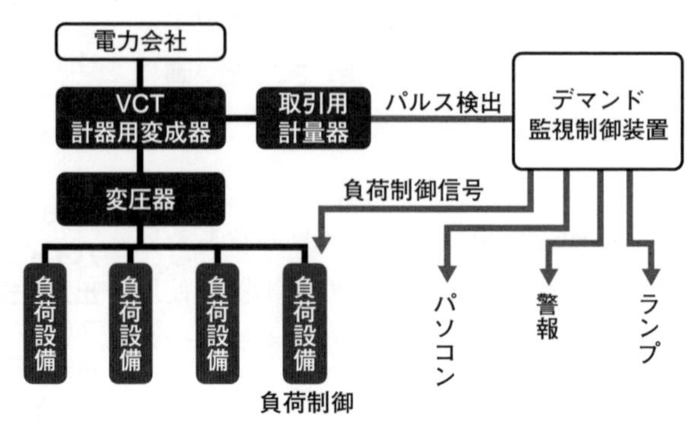

● **機器稼働履歴監視**

機器の運転時間や運転回数等を積算し，設定した値を超えた場合に警報を発します。

③**制御**

● **火災連動制御**

火災発生時に関連する空気調和機，給排気ファン等を一斉または個別に停止します。

● **無効電力制御**

力率を見ながら進相用コンデンサの投入や切離しを行う制御です。

● **スケジュール制御**

あらかじめ設定された日時，曜日等の条件により設備機器の自動発停制御を行います。

● **停電・復電制御**

停電時にあらかじめ定められた負荷の自動切離しを行い，復電時は，スケジュール状態に合わせた負荷の再投入を行うことをいいます。

● **発電装置負荷制御**

停電時等の発電装置立上げに伴い，設定された優先順位に従い負荷制御を行います。

④表示

●トレンド表示

現在までの計測データや，運転履歴などをグラフで表示します。

●状態監視表示

設備系統図や平面図を表示装置上に表示して，機器の状態や警報をそのシンボルの色変化や点滅で表示を行います。

⑤信号線

一般に信号線は，電源による電磁誘導を防止するためツイストペアケーブルを使用し，鉄製パイプで保護します。信号線は，電源による静電誘導を防止するためシールドされたケーブルを使用し，片端を接地します。両端接地すると誘導電流が流れて，ノイズ発生の原因となります。

※50

デマンド

デマンドとは，30分間の平均電力のことをいいます。デマンド監視では，デマンド時限終了時（30分ごと）でのデマンド値をリアルタイムに予測することができます。30分毎の平均電力値は，電気料金算定のもとになります。

6 光ファイバケーブル

①構造

光通信は，光が光ファイバと呼ばれる伝送路を通り信号を伝えます。光ファイバは，ガラスや透明なプラスチックなどを使用し，光の伝送路となるコア（core）と呼ばれる芯線の周りを，同じ素材で屈折率の異なるクラッド（clad）で囲み，これを被覆したものです。

光ファイバケーブルのコアに入射した光は，クラッドとの境界で屈折や全反射を繰り返して伝わります。コアは，クラッドより屈折率を大きくしています。

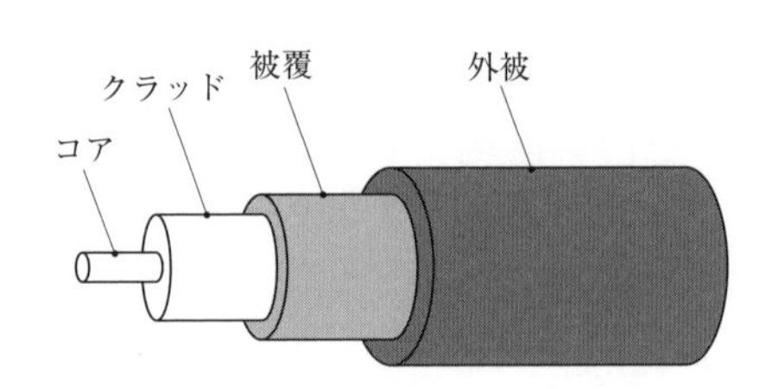

②伝送モード[※51]

光ファイバケーブルを伝送モードで分類すると，次のとおりです。

●シングルモードファイバ（SMF：Single Mode Fiber）

光が単一のモードで伝わります。コア径が細く，曲げには弱いですが，伝送損失は少なく，長距離伝送に適しています。

●マルチモードファイバ（MMF：MultiMode Fiber）

光が複数のモードに分散して伝わります。コア径が太く，曲げに強く安価ですが，伝送損失が大きく長距離には向きません。

マルチモードファイバは，屈折率分布によりステップ[※52]インデックス型（SI）とグレーデッドインデックス型（GI）に分類されます。

SMとMMの光の伝搬は表のとおり。

光ファイバの種類		構造	光りの伝搬
SM			小↔大 n_2 n_1 n_2
MM	SI型		小↔大 n_2 n_1 n_2
	GI型		小↔大 n_2 n_1 n_2

※SM：シングルモード　MM：マルチモード
　SI：ステップインデックス　GI：グレーデッドインデックス　n：屈折率

SMとMMの比較表は次のとおりです。

項目	SM	MM
曲げ	× 弱い	○ 強い
接続	× 高度技術	○ 容易
値段	× 高い	○ 安い
伝送帯域	○ 広い	× 狭い
伝送損失	○ 少ない	× 多い

伝送帯域が広く，伝送損失の少ないSM（シングルモード）が多用されています。

※51
伝送モード
光の通り道です。

※52
インデックス
屈折率のことです。

チャレンジ問題！

問1　難　中　易

ビルの中央監視制御設備に関する記述として，最も不適当なものはどれか。

(1) 信号線は，電源による静電誘導を防止するためシールドケーブルを使用し，両端を接地した。
(2) 信号線は，電源による電磁誘導を防止するためツイストペアケーブルを使用し，鋼製電線管で保護した。
(3) システムのローカル系には，Lon Worksを採用した。
(4) 異なる製造者の装置間を接続するため，上位層のプロトコルとして，BACnetを採用した。

解　説

シールドケーブルの片端を接地します。

解答（1）

第2章  電気設備

CASE 5 電車線・その他

まとめ & 丸暗記　この節の学習内容とまとめ

□ 電車線路標準構造図

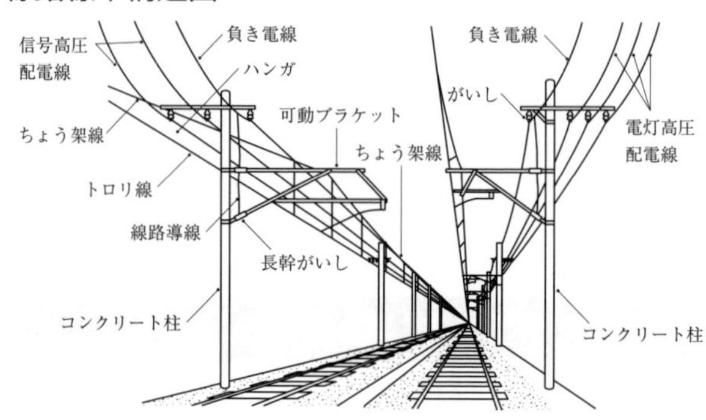

□ ちょう架方式
架空電車線の主なちょう架方式は表のとおりです

方式	概要	速度用途
剛体ちょう架式	アルミ架台	低速用
シンプル カテナリ式	支持点　ちょう架線　支持点　トロリ線　ハンガ	中速用
コンパウンド カテナリ式	ちょう架線　補助ちょう架線　ドロッパ　トロリ線　ハンガ	高速用

電気鉄道

1 電車線路標準構造図

次の図は，交流電化区間の電車線路標準構造図です。

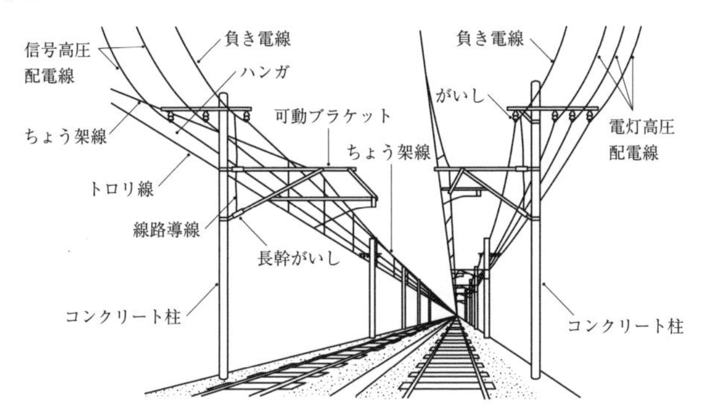

①トロリ線

トロリ線とは，鉄道車両等の移動体へパンタグラフ[※1]を通して給電する**接触電線**です。トロリ線は，勾配変化点，接触面が変形している箇所，張力不適正な箇所で摩耗が生じます。軽減策として，トロリ線に耐摩耗性のものを使用したり，金具の軽量化，張力を常に一定にする等があります。

②ちょう架線

鉄道などの架線で，トロリ線の上方に設けた鋼索です。

③き電線

電気鉄道の架線に電力を供給するための電力線です。

変電所から電車までの線を**正き電線**，レールから変電所までの帰り線を**負き電線**と呼びます。

※1
パンタグラフ
電車の屋根上に設置された，電気を受け入れる装置です。従来ひし形でしたが，くの字形も見られます。

2 ちょう架方式

架空電車線の主なちょう架方式は表のとおりです。

方式	概要	速度用途
剛体ちょう架式	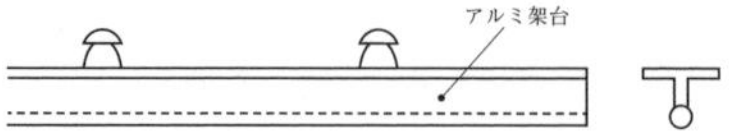 アルミ架台	低速用
シンプルカテナリ式	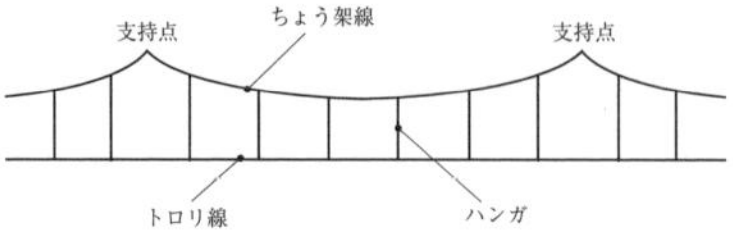 支持点 ちょう架線 支持点 トロリ線 ハンガ	中速用
コンパウンドカテナリ式	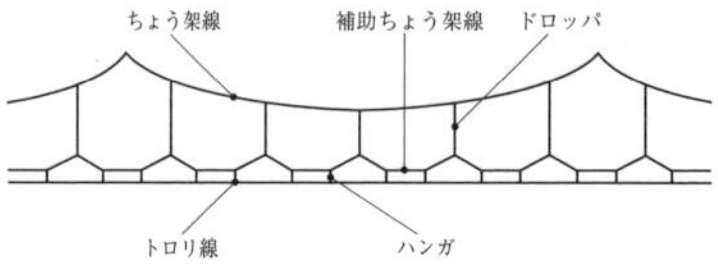 ちょう架線 補助ちょう架線 ドロッパ トロリ線 ハンガ	高速用

①剛体ちょう架式

がいしにより剛体の導体を支持する方式で，トンネルなどの天井に施設されます。

②シンプルカテナリ式

ちょう架線からトロリ線を吊るした構造の基本的な方式です。

③コンパウンドカテナリ式

ちょう架線とトロリ線の間に補助ちょう架線を入れた方式です。集電容量が大きく，高速，大容量の運転区間などに用いられます。

3 き電方式

①直流き電方式

三相交流を受電し，変圧器により降圧してから，整流器で直流に変換して電車線路にき電します。

直流電気鉄道のき電回路における，電圧降下の軽減対策として，次のものがあります。

- 変電所間に，新たな変電所を増設する

- き電線を太くしたり，条数を増設する
- 上下線一括き電方式を採用する

②交流き電方式

単相交流電力を電車線路にき電します。交流き電方式には，次の方式があります。

●ATき電方式

き電線と電車線の間に単巻変圧器[※2]を並列に挿入し，中性点はレールおよびAT保護線に接続される方式です。

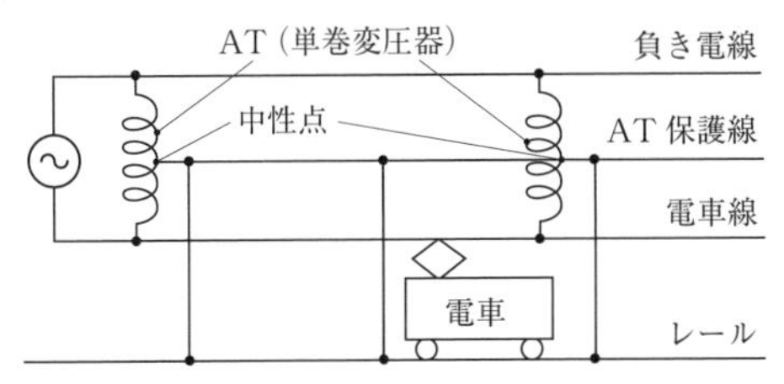

●BTき電方式

吸上変圧器[※3]を用いた方式で，電車線に電流区分装置（セクション[※4]）が必要となります。

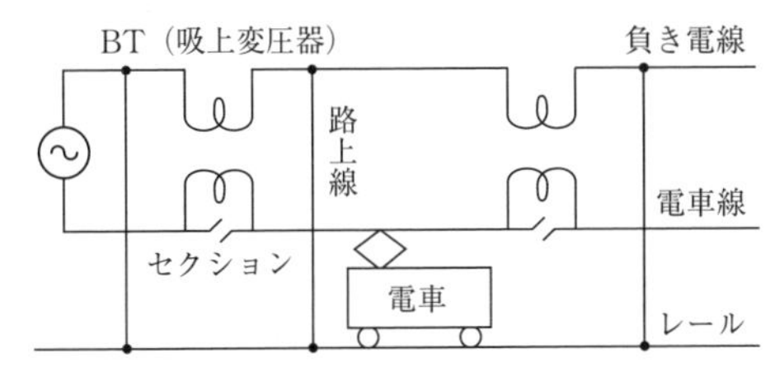

4 列車制御装置

列車制御装置には，次のものがあります。

①自動列車停止装置（ATS）

列車が停止信号に接近すると，列車を自動的に停止させる装置です。

②自動列車制御装置（ATC）

列車の速度を自動的に制限速度以下に制御する装置です。

※2
単巻変圧器
一次巻線と二次巻線の一部を共有している変圧器です。オートトランスとも呼ばれています。

※3
吸上変圧器
列車からレールに流れて変電所に向かっていた電流が，レールと負き電線の接続点でほとんど吸い上げられて負き電線側に流れます。

※4
セクション
ある区間ごとの電気的に絶縁する必要がある場合に架線に設置されます。

③自動列車運転装置（ATO）

列車の速度制御，停止などの運転操作を自動的に制御する装置です。

5 鉄道線路に関する用語

①建築限界

建造物の構築を制限した軌道上の限界です。

②車両限界

車両が直線および曲線の軌道上に停止しているとき，車両のどの部分も超えてはならない左右・上下の限界です。

③路盤

軌道を支えるための構造物です。

④道床

砕石あるいは砂利で構成され，荷重を路盤に分散させ衝撃を吸収し，枕木を保持し，レール座屈を防止します。道床厚さは，レール直下の枕木下面から表層路盤の上面までの距離です。

枕木は，車両の荷重を道床に伝え，レールの位置と角度を保つ機能があります。

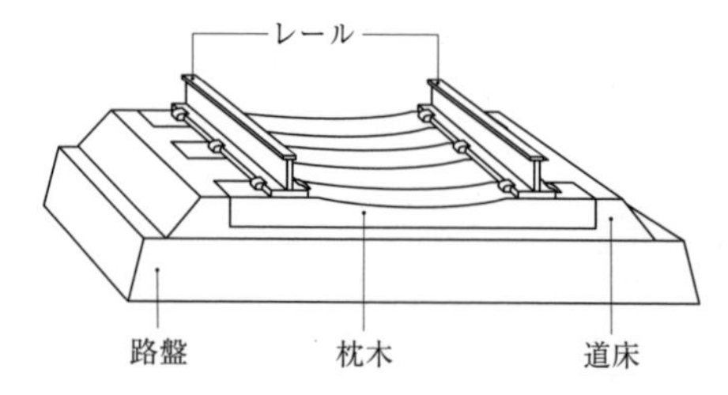

⑤軌間

軌道中心線が直線である区間におけるレール面上から下方の所定距離以内における左右レール頭部間の最短距離です。標準軌より狭い軌間を狭軌，広い軌間を広軌といいます。

⑥カント

曲線部における外側レールと内側レールの高低差です。

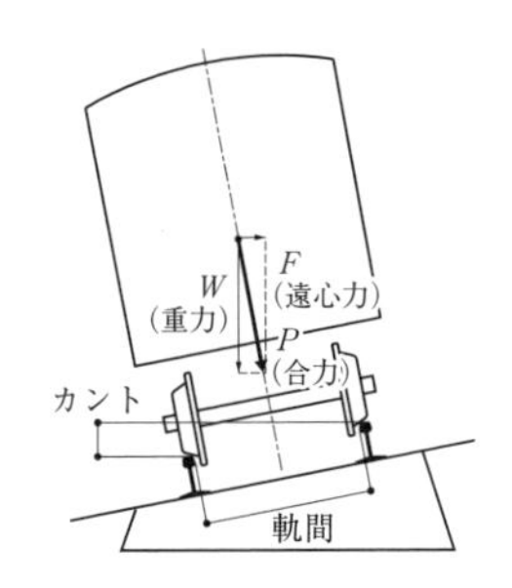

⑦スラック

曲線部において車輪を円滑に通過させるための軌間の拡幅をいいます。

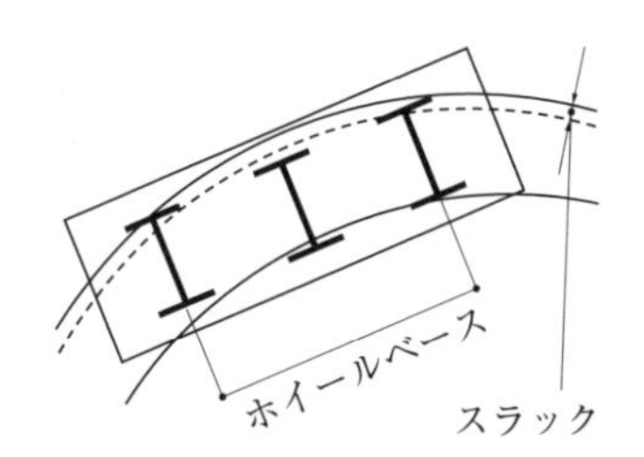

チャレンジ問題！

問1

難 | **中** | 易

直流電気鉄道のき電回路における，電圧降下の軽減対策に関する記述として，不適当なものはどれか。

(1) 変電所間に，新たな変電所を増設する。
(2) き電線を太くしたり，条数を増設する。
(3) 上下線一括き電方式を採用する。
(4) 静止形無効電力補償装置（SVC）を設置する。

解説

静止形無効電力補償装置（SVC）は，電圧降下の軽減対策になりません。

解答（4）

道路照明

1 用語

道路照明の用語は次のとおりです。

①平均路面輝度

運転者の視点から見た路面の平均輝度です。路面の舗装種類や乾湿の程度によって変化します。

②輝度均斉度

輝度分布の均一の程度をいい，路面上の対象物の見え方を左右する総合均斉度と，前方路面の明暗による不快の程度を左右する車線軸均斉度があります。

③誘導性

照明の効果により運転者に道路の線形を明示するものです。灯具を適切な高さや間隔で配置することでこの効果が得られます。

④外部条件

建物の照明や広告灯など，道路交通に影響を及ぼす光が道路沿道に存在する程度をいいます。

⑤グレア

- 不快グレアとは，心理的に不快感を覚えるまぶしさのことです。
- 減能グレアとは，光源の光が直接目に入り，対象物の見え方に悪影響を与える光のまぶしさです。
- 視機能低下グレアとは，視野内に高輝度の光源が存在することによって，対象物の見え方を低下させるものをいいます。

2 道路の照明方式

道路の照明方式には次のものがあります。

①ポール照明

道路の線形の変化に応じた灯具の配置が可能なので，誘導性が得やすくなります。

②構造物取付照明

構造物に灯具を取り付けるので，照明器具の選定や取付位置が制限されます。

③高欄照明

高欄とは，橋などの両側などに設けた欄干のことで，灯具の取付高さが低いので，グレアに十分な注意が必要です。

④ハイマスト照明

光源が高所にあるので，路面上の輝度均斉度がよくなります。

⑤カテナリ照明※5

道路上にカテナリ線を張り，照明器具を吊り下げるので，風の影響を受けやすくなります。

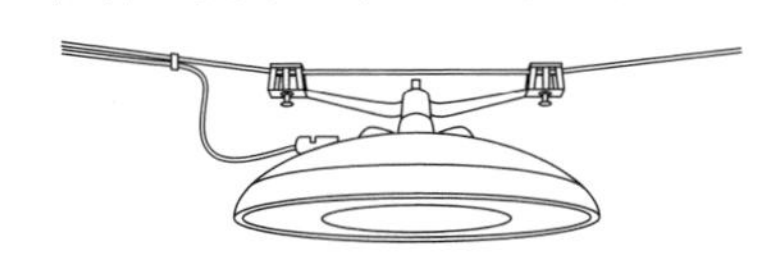

※5
カテナリ
電線の両端を固定して吊り下げたときに描く曲線をカテナリ曲線といいます。

3 トンネル照明

①基本照明

基本照明は，トンネルを走行する運転者が，前方の障害物を安全な距離から視認するために必要な明るさを確保するための照明です。トンネル全長にわたり，灯具を原則として一定間隔に配置します。

平均路面輝度は，設計速度が速いほど高い値とし，交通量が少ない場合には，低減することができます。

②入口・出口照明

トンネルの入口部照明は，昼間，運転者の眼の順応現象に対して視認性を確保するための照明です。**路面輝度**は，境界部を最も高くし，移行部，緩和部の順に低くしますが，野外輝度が低い場合には，それに応じて低減することができます。

出口部照明は，昼間，出口付近の野外輝度が著しく高い場合に，出口の手前付近にある障害物や先行車の見え方を改善するための照明です。

トンネル内の路面輝度は図のようになります。

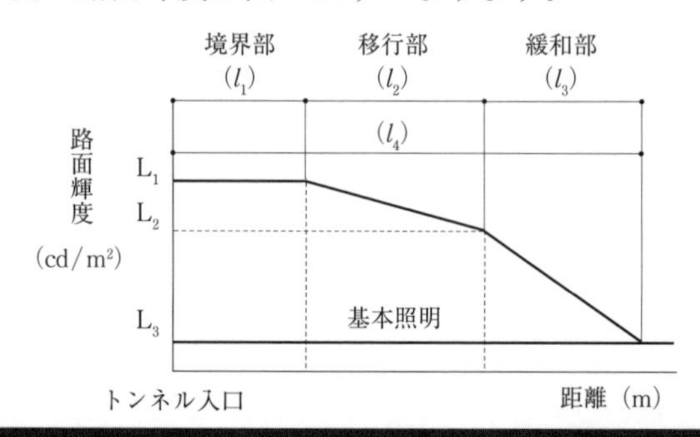

チャレンジ問題！

問1　難　中　易

道路の照明方式に関する記述として，最も不適当なものはどれか。

(1) ポール照明方式は，道路の線形の変化に応じた灯具の配置が可能なので，誘導性が得やすい。

(2) 構造物取付照明方式は，構造物に灯具を取り付けるので，照明器具の選定や取付位置が制限される。

(3) 高欄照明方式は，灯具の取付高さが低いので，グレアの抑制に効果がある。

(4) ハイマスト照明方式は，光源が高所にあるので，路面上の輝度均斉度が得やすい。

解説

高欄照明方式は，灯具の取付高さが低いので，グレアに注意が必要です。

解答 (3)

第一次検定

第３章

関連分野

1 管 …………………………… 166
2 土木・鉄塔 ………………… 176
3 建築 ………………………… 186
4 設計・契約 ………………… 194

第3章 関連分野

CASE 1 管

まとめ & 丸暗記　この節の学習内容とまとめ

□ 空気調和設備

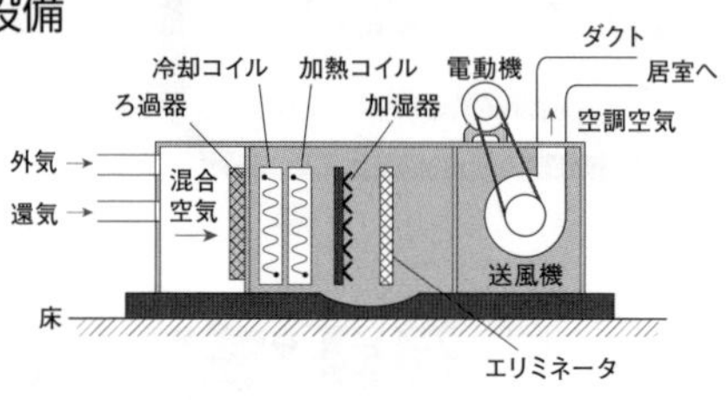

□ 空調方式

①定風量単一ダクト方式（CAV）
②変風量単一ダクト方式（VAV）
③ダクト併用ファンコイルユニット方式
④ヒートポンプ方式

□ 給水方式

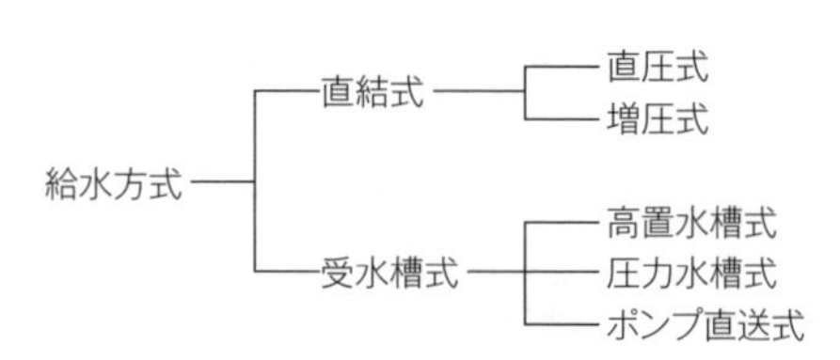

□ ポンプの特性曲線

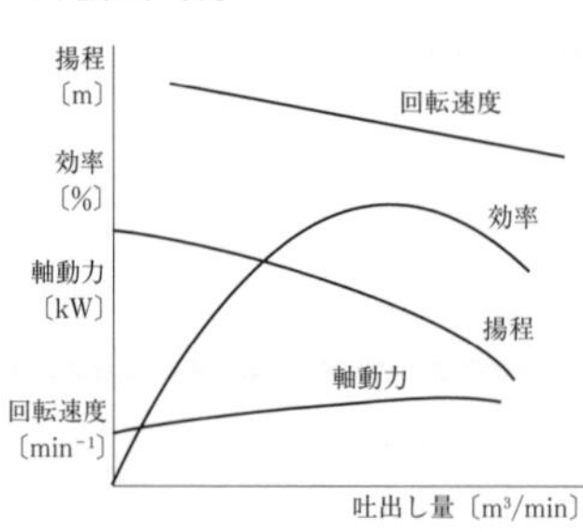

空気調和設備

1 空調設備の構成

①空気調和

空気調和（空調）は，快適な住空間を演出するため，温度，湿度，気流，清浄度を調整することです。その空調空気を作り出す装置が，**空気調和設備**です。構造は下図のとおりです。

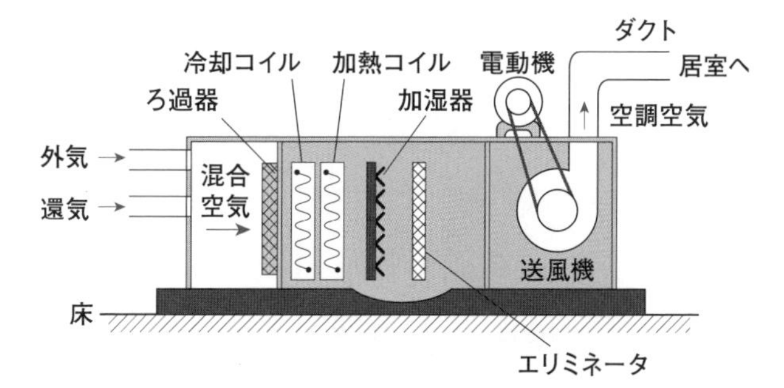

外気と還気を混合した空気が，ろ過装置，冷却コイル[※1]（夏季）または加熱コイル（冬季）を通過します。その後，**加湿器**を通り，空調された空気が送風機によってダクトを通り各室の吹出し口から送風されます。

②空調設備の構成

空調設備は機能により次のように分けられます。

●熱源設備

冷凍機，ボイラなどの冷熱，温熱を発生させる機器です。

●空調機設備

空調機本体のことです。

●搬送設備

送風機，ダクト，ポンプなど，熱を運ぶ機器です。

※1

コイル

コイル状に巻かれた水管です。冷却コイルは冷凍機で作った冷水を通します。

加熱コイルはボイラでつくった温水を通します。冷水コイルと温水コイルを一本にしたものを冷温水コイルといい，夏期と冬期で切り替えて使用します。

冬期であれば，加熱コイルを通過した空気は乾燥しているため，加湿器で湿気を加えます。

エリミネータは水滴を除去するもので，居室に吹き出す空気の相対湿度は40～70%です。

● 自動制御設備

温度（サーモスタット），湿度（ヒューミディスタット）など，自動でコントロールする機器です。

2 空気調和の方式

①定風量単一ダクト方式（CAV[※2]）

機械室の空調機から出た，1本の主ダクトと分岐したダクトにより，常に一定風量で各室の空調を行います。換気量を定常的に確保できますが，熱負荷の異なる室が混在していると，各室間の温度や湿度にアンバランスが生じます。

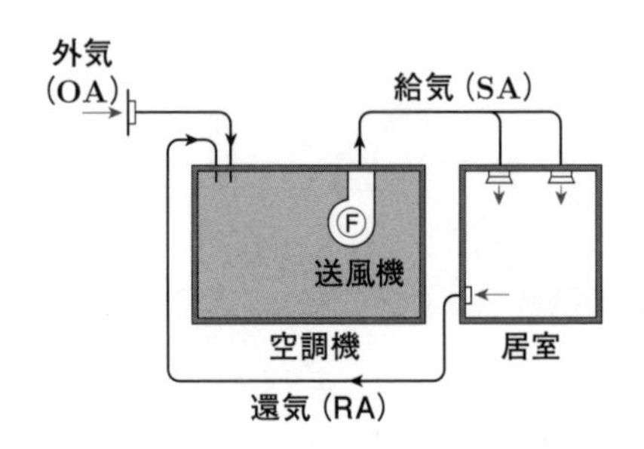

②変風量単一ダクト方式（VAV[※3]）

単一ダクトである点はCAV方式と同じですが，熱負荷の異なる室が混在しても，各室ごとに送風量を制御できます。間仕切り変更にも対応しやすい方式です。

③ダクト併用ファンコイルユニット方式

ダクトとファンコイルユニットを併用して空調を行います。

熱源設備（冷凍機，ボイラなど）からの冷水，温水をファンコイルユニットに送り，ユニット内の送風機で冷風，温風を吹き出します。

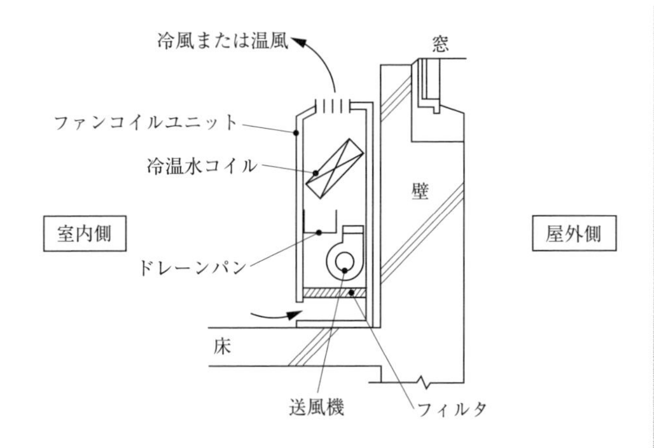

一般に，ファンコイルユニットでペリメータ負荷[※4]を処理し，ダクトでインテリア負荷[※5]を処理します。

ダクトは細くなるため，外気冷房[※6]は行いにくくなります。

④ヒートポンプ方式

ヒートポンプは，圧縮機で冷媒[※7]を圧縮し，冷房，暖房を行う機器です。

ヒートポンプは，採熱方法の違いにより，空気熱源式や水熱源式などに区分されますが，一般的に使用される空気熱源ヒートポンプパッケージ方式は，冷媒配管が長く，高低差が大きいほど能力は低下します。また，外気温度が低いと暖房能力は下がります。

ガスヒートポンプは，圧縮機の駆動機としてガスエンジンを使用するもので，エンジン排熱を暖房などに利用できます。

⑤パッケージ方式

熱源機器，送風機，制御機器などをパッケージに格納したものです。マルチパッケージ形は，1台の屋外機に対して複数の屋内機を接続して冷・暖房できます。

※2
CAV
Constant Air Volumeの略。

※3
VAV
Variable Air Volumeの略。

※4
ペリメータ負荷
ペリメータとは外皮という意味で，一般に窓側に近いエリアを指します。その負荷は，たとえば太陽熱です。

※5
インテリア負荷
ペリメータ以外です。

※6
外気冷房
外気を取り込み，冷房することです。

※7
冷媒
熱の移動を媒介する物質を冷媒といいます。

3 制御方式

空気調和設備の制御方式には次のものがあります。

①給気温度制御

還気ダクトや室内に設置したサーモスタットの指令により冷温水コイルに流れる冷温水量を制御する方式です。

②外気冷房制御

室内と外気の温度差を基準に外気ダンパ※8の開度を制御する方式です。

③ウォーミングアップ制御

外気ダンパを全閉，還気ダンパを全開にして外気負荷削減を行うために制御する方式です。

④ CO_2 濃度制御

還気ダクトや室内に設置した CO_2 濃度センサにより外気ダンパの開度を制御し，外気導入量を制御する方式です。

4 冷凍機

冷凍機は，熱源設備の1つですが，大別すると，**圧縮式冷凍機と吸収式冷凍機**に分類されます。

圧縮式冷凍機には，遠心冷凍機（大規模建物に適する），往復動冷凍機などがあります。これらの冷凍機は，吸収式冷凍機に比べ，稼働時の振動や騒音が大きくなります。**吸収式冷凍機の冷媒は水で**，吸収剤として臭化（しゅうか）リチウム水溶液が用いられています。

5 省エネルギー

空気調和設備の省エネルギー対策として，次のものがあります。

- 空気調和機から吹出し口や吸込み口までのダクトルートを短くする
- 外気冷房を採用する
- 空調予冷・予熱運転時に外気の導入量を増やさないようにする

- 変風量（VAV）方式を採用する
- 冷温水・冷却水の往き・還りの温度差を大きくとる
- 空気調和機にインバータを導入する

※8
ダンパ
風量調節を目的として，ダクト内に設けられる装置です。

6 熱負荷

冷房時に負荷となるものを**冷房負荷**といい，太陽の日射，人体の熱，照明器具からの発熱などがあります。一方，暖房時に負荷となるものを**暖房負荷**といい，すき間風や地中壁（冷気が侵入する）などがあります。

チャレンジ問題！

問1 難 中 **易**

空気調和設備の省エネルギー対策に関する記述として，最も不適当なものはどれか。

(1) 空気調和機の予冷・予熱運転時に，外気の導入量を増やす。
(2) 空気調和機から吹出し口や吸込み口までのダクトルートを短くする。
(3) 計測した室内の二酸化炭素濃度に応じて，外気の導入量を制御する方式とする。
(4) 熱負荷に応じて空気調和機の送風量を制御する変風量方式とする。

解 説

空気調和機の予冷・予熱運転時に外気の導入量を増やすと，所定の温度に達するまで時間がかかり，よりエネルギーを消費します。

解答（1）

給排水設備

1 給水

①給水方式

給水方式の種類は，大別して，直結式と受水槽式があります。直結式とは，末端の[※9]給水用具までが水道事業者の配水管（水道管）に直結している給水設備で，受水槽式は受水槽にいったん水を溜めて，そこから給水用具まで飲料水を送る方式です。

受水槽式は，直結式に比べて水質汚染の可能性が高くなります。

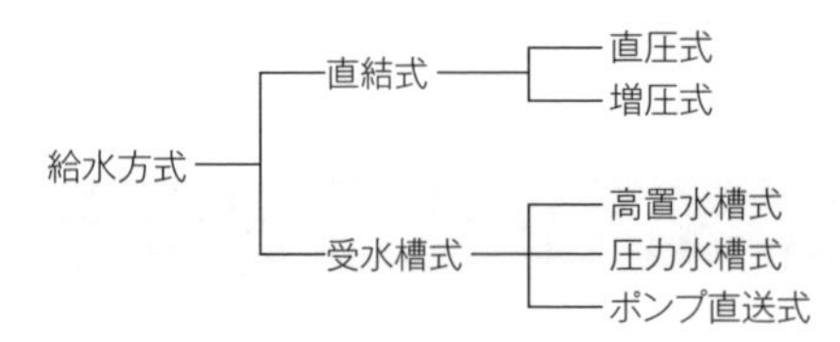

●水道直結直圧方式

工事費が安く，最も衛生的な方式です。給水圧力は，水道本管の圧力に応じて変化します。

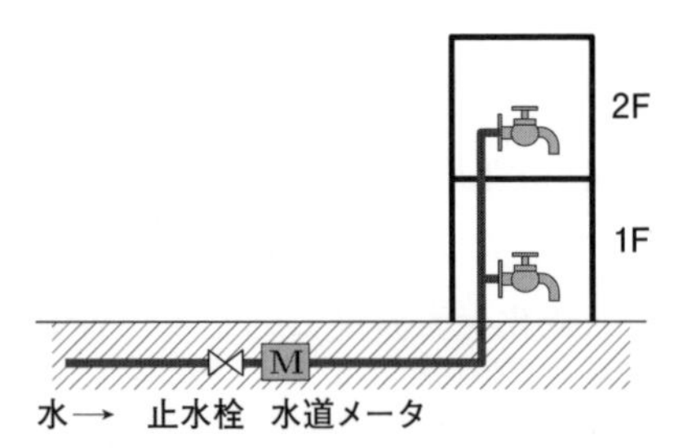

●水道直結増圧方式

途中に増圧[※10]ポンプユニットを設けて給水します。停電時にはポンプが停止するので，給水ができません。

逆流事故により水道本管に汚染が広がる危険性があります。

●高置水槽方式

屋上などに設置した高置水槽から重力によって建物内の必要箇所に給水

します。高置水槽は，最も高い位置にある給水用具の必要圧力が確保できる高さに設置します。

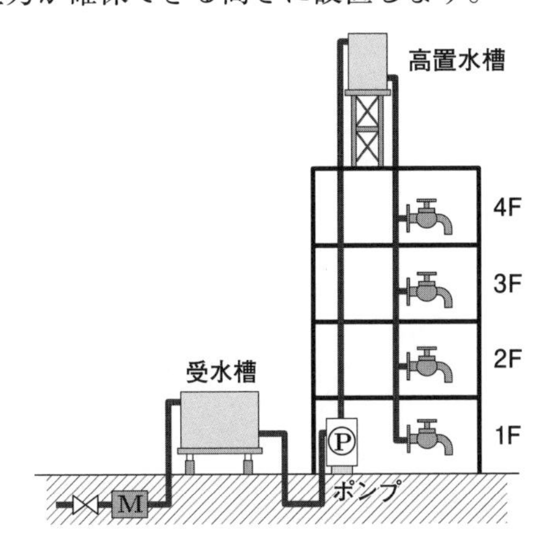

②飲料用受水槽

受水槽は，保守点検のために床面，壁面に60cm以上，天井からは1m以上のスペースを設けます。

水槽内の給水流入口端とオーバーフロー管下端との間に，吐水口空間[※11]を設けます。水槽のオーバーフロー管および通気管の末端には，耐食性の防虫網を取り付けます。

2 ポンプ

①特性曲線

遠心ポンプの特性曲線は下図のとおりです。

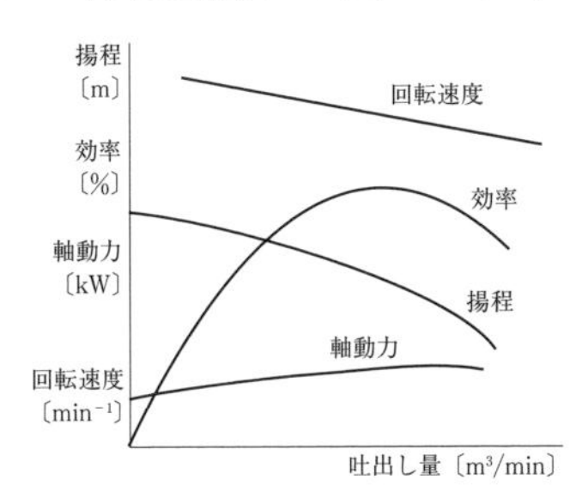

※9
給水用具
給水栓（蛇口）などをいいます。

※10
ポンプユニット
増圧ポンプその他の機器がパッケージ化されています。

※11
吐水口空間
吐水口の先端が，吐き出した水に接触しないように設ける空間です。

②直列運転・並列運転

同一特性のポンプを2台運転した場合の揚程曲線[※12]は次のとおりです。

●直列運転

破線は1台のときの特性曲線，実線は2台のときの特性曲線を示します。

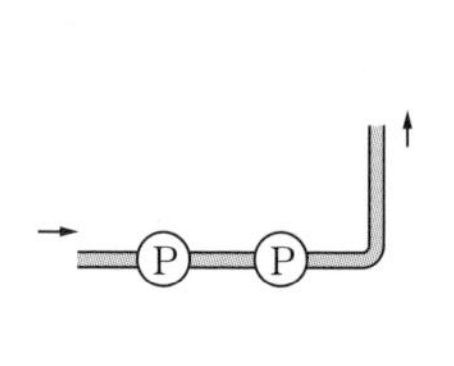

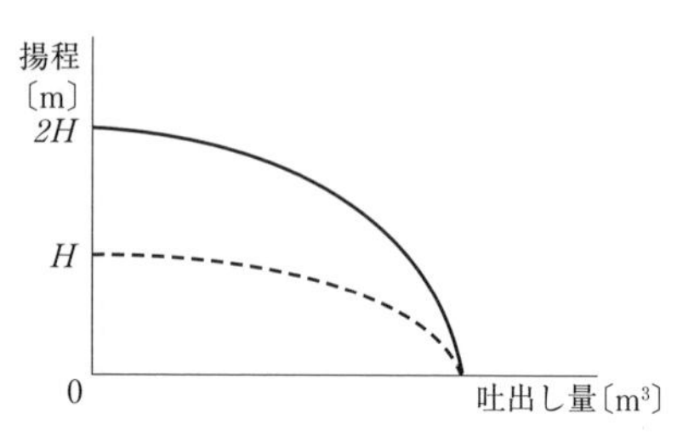

●並列運転

破線は1台のときの特性曲線，実線は2台のときの特性曲線を示します。

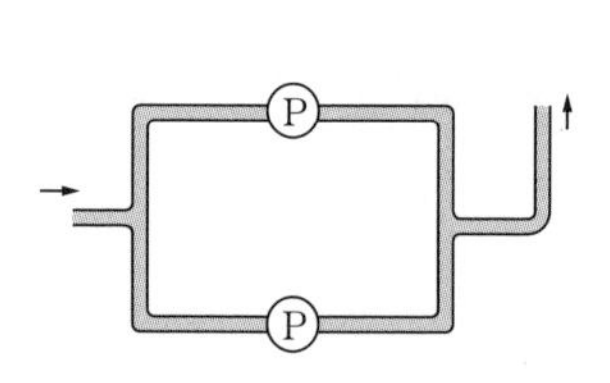

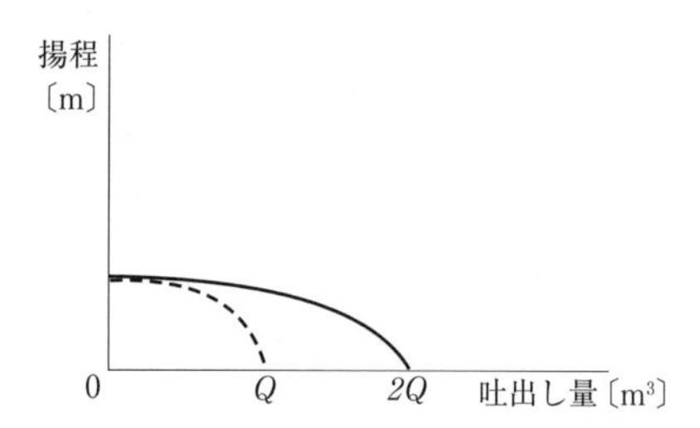

3 排水設備

①排水口空間

冷水器や給水タンクのオーバーフロー管は，排水管と直接連結せず，間接配管とし排水口空間を設けます。

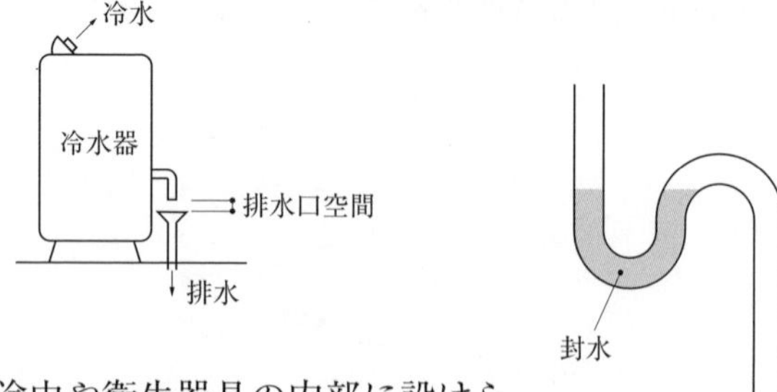

②トラップ[※13]

トラップは，排水管の途中や衛生器具の内部に設けられたもので，封水とよばれる一定の水が溜まる構造になっています。臭気やねずみ，害虫が侵入するのを防ぎます。

1つの排水管にトラップを2か所設置すると流れが阻害されるので，二重に設置することは禁止されています。

また，雨水排水管の立て管は，汚水排水管に連結できません。

※12
揚程曲線
ポンプの吐出量と揚程（水を揚げられる高さ）との関係曲線です。

※13
トラップ
封水を溜めておく構造です。あえて曲がり部分をつくります。

③通気管

排水管に接続する通気管は，次の目的で設置します。

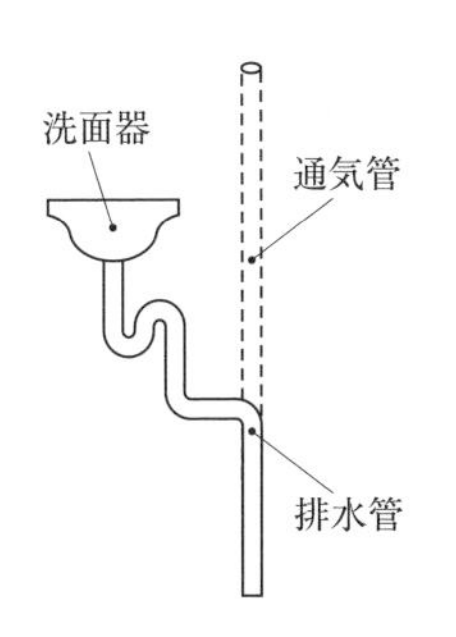

- 排水管内の圧力変動を緩和させ，排水の流れを円滑にする
- 排水管内の臭いを換気し，清潔にする
- トラップの封水を保つ

チャレンジ問題！

問1 難 **中** 易

排水設備に関する記述として，最も不適当なものはどれか。

(1) 排水管には，トラップを二重に設置してはならない。
(2) 排水の通気管は，直接外気に開放してはならない。
(3) 雨水排水管の立て管は，汚水排水管に連結してはならない。
(4) 給水タンクのオーバーフロー管は，排水管に直接連結してはならない。

解説

排水の通気管は，直接外気に開放します。

解答（2）

第3章  関連分野

CASE 2 土木・鉄塔

まとめ & 丸暗記　この節の学習内容とまとめ

□ 掘削工事

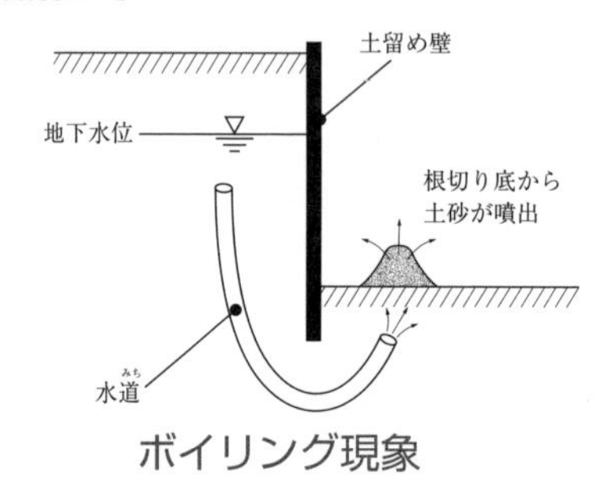

ボイリング現象

土留め壁
土圧
滑り面
根切り底が
盛り上がる

ヒービング現象

□ 土留め壁

①親杭横矢板
②鋼矢板
③ソイルセメント柱列土留め壁
④場所打ちRC土留め壁

□ 鉄塔基礎

基礎の種類	地盤の状況
逆T字型基礎	支持層の浅い良質な地盤
ロックアンカー基礎	良質な岩盤が分布している地盤
深礎基礎	勾配の急な山岳地の岩塊等を含む地盤
杭基礎	比較的軟弱で支持層が深い地盤
井筒基礎	支持層が深い軟弱地盤
べた基礎(マット基礎)	広く浅い基礎

□ 測量

①平板測量　　三脚，アリダード，巻尺などを用いる
②水準測量　　標尺，レベル（水準儀）などを用いる

土工事

1 土質・地盤

①土質調査

土質調査における試験の名称と試験結果から求められるものの組合わせは，次のとおりです。

試験の名称	試験結果から求められるもの
標準貫入試験	N値
粒度試験	均等係数
せん断試験	粘着力
圧密試験	透水係数

②地盤改良

軟弱地盤の改良工法として次のものがあります。

- サンドドレーン工法
- バイブロフローテーション工法
- サンドコンパクションパイル工法

③土量の計算

盛土工事を行うために地山を掘削したとき，土量の変化率L（ほぐし率）およびC（締固め率）は次の式で与えられます。

L＝ほぐした土量／地山の土量

C＝締め固めた土量／地山の土量

例題

$200m^3$の砂質土の地山を掘削し，締め固める場合に，その土のほぐした土量または締め固めた土量を求めなさい。

ただし，ほぐし率$\boldsymbol{L}=1.25$，締固め率$\boldsymbol{C}=0.9$とする。

解説

地山の土量＝$200m^3$

$\boldsymbol{L}$＝ほぐした土量／地山の土量＝1.25

→ほぐした土量＝$200\times1.25=250m^3$

$\boldsymbol{C}$＝締め固めた土量／地山の土量＝0.9

→締め固めた土量＝$200\times0.9=180m^3$

2 掘削工事

①ボイリング現象[※1]

地下水位が高い**砂質地盤**において，矢板などの土留め壁を設置した後に，土留め壁の下を地下水が迂回(うかい)して，根切り面の表面に水と砂がわき出すように吹き上げられる現象です。

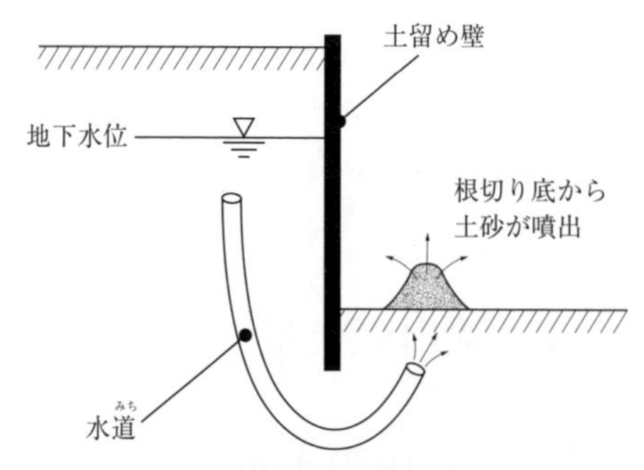

ボイリングの発生を防止する方法は下記のとおりです。

- 土留め壁の根入れを深くする
- 土留め壁背面の地下水位を低下させる
- 薬液注入などで，掘削底面の止水をする（地盤改良）

②ヒービング現象[※2]

軟弱な粘土質地盤で掘削を行うとき，矢板背面の鉛直土圧によって掘削底面が盛り上がる現象です。

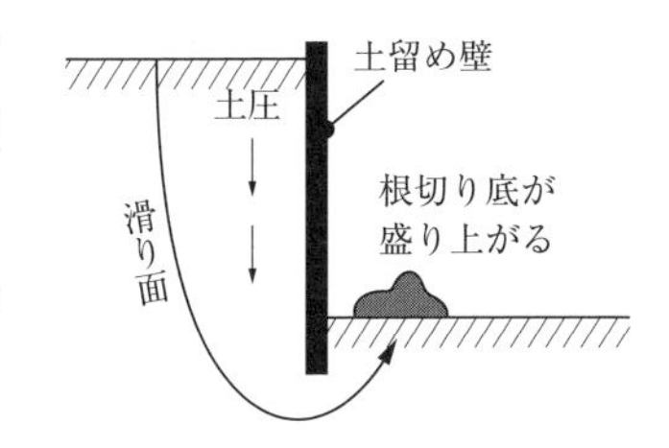

③クイックサンド現象

地下水などの上向きに浸透する水の圧力により，砂質地盤がわき上がり液体に似た状態となる現象です。

④パイピング現象

砂質地盤内で脆弱な部分に浸透水が集中し，パイプ状の水の通り道ができると，土中の浸透性が高まります。そして，水とともに流動化した土砂が地盤外へ一気に移動することで，地盤や構造物を破壊する現象です。

⑤土留め壁

掘削側面の崩落を防止する土留め[※3]は，主に次の4つです。

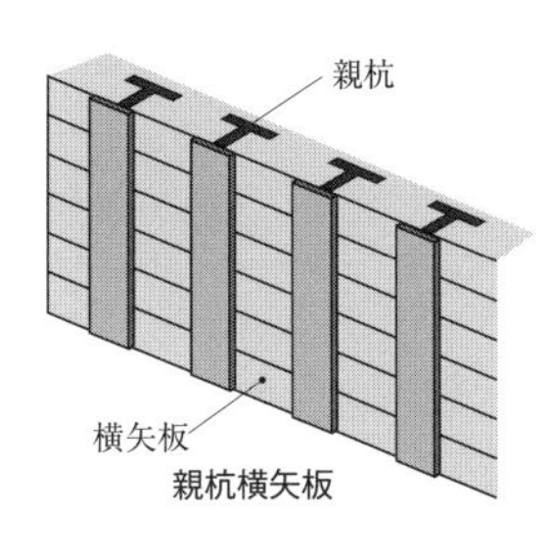

親杭横矢板

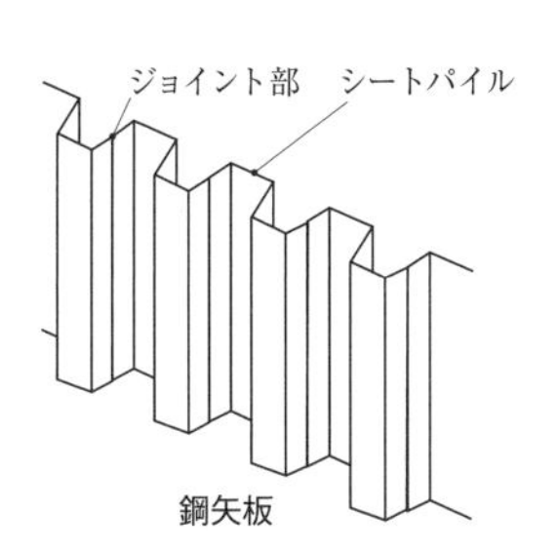

鋼矢板

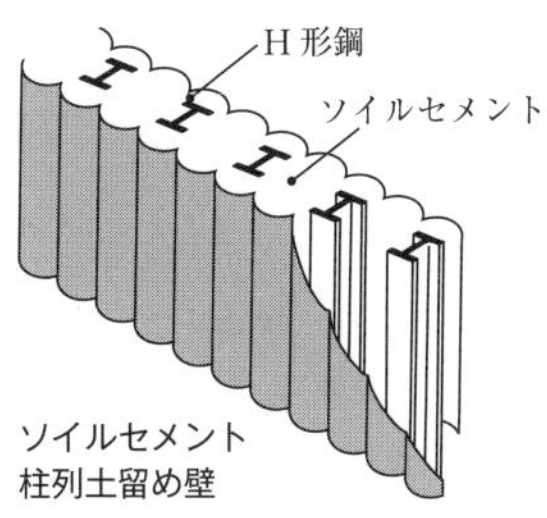

ソイルセメント
柱列土留め壁

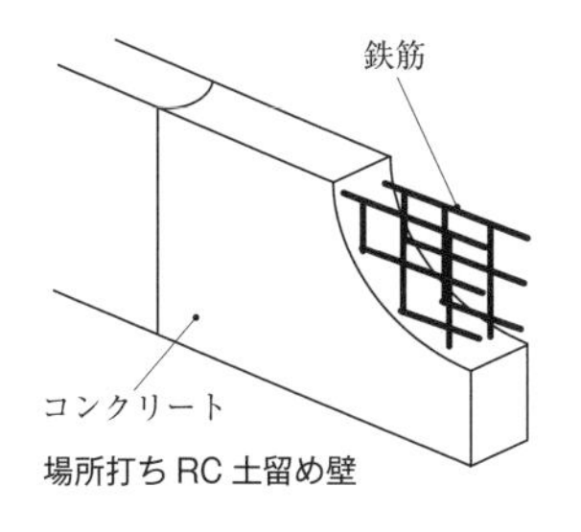

場所打ち RC 土留め壁

※1
ボイリング現象
ボイル（沸騰）するようなイメージで，土砂が吹き上がる現象です。

※2
ヒービング
ヒーブは，地盤を押し上げるという意味です。

※3
土留め
掘削した部分が崩れないようにする工事です。山止め，土止めと表記することもあります。

親杭横矢板は，良質地盤に広く用いられますが，遮水性がよくないことや，掘削底面以下の根入れ部分の連続性が保たれないことなどから，地下水位の高い地盤や軟弱な地盤などには適しません。

鋼矢板※4は，親杭横矢板に比べると遮水性が高く，地下水位の高い軟弱地盤にも適します。

ソイルセメント柱列土留め壁は，遮水性がよく，原地盤の土砂を材料として用い，H形鋼などを芯材に利用した土留め壁です。

場所打ちRC土留め壁は，剛性，遮水性とも極めて高いです。

⑥土留め工法

●水平切梁工法

土留め壁を，腹起し，水平切梁で支える工法です。

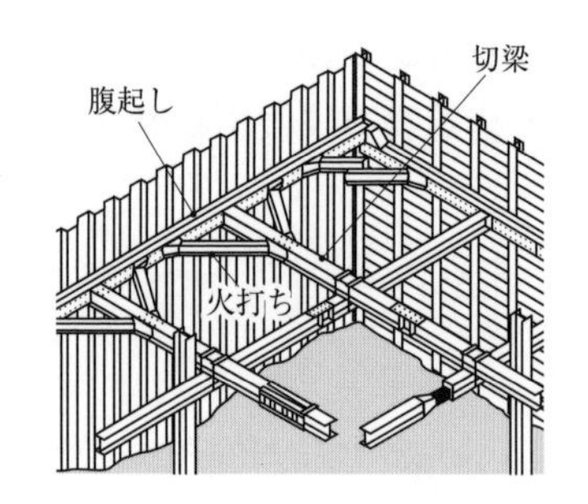

●アイランド工法

中間支持柱が不要であり，切梁も少ない工法です。

アイランド工法の施工手順は下図のとおりです。

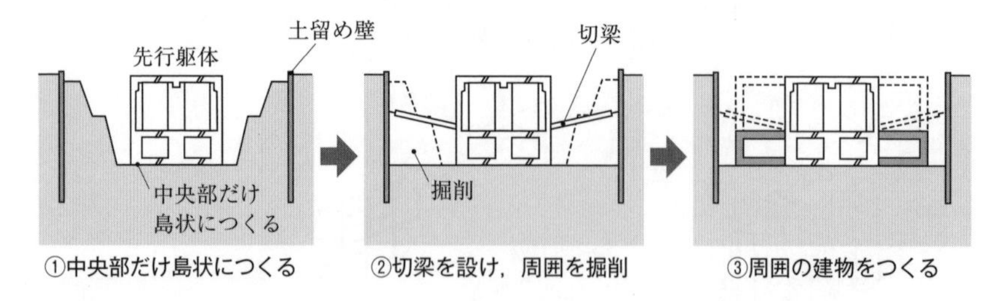

①中央部だけ島状につくる　②切梁を設け，周囲を掘削　③周囲の建物をつくる

●トレンチカット工法※5

外周部に地下躯体を構築後，内部の掘削を行う工法です。

構造物の外周部にトレンチを掘削して構造物を先に構築し，その後，内部を建設する掘削工法です。

構造物の土留め工事を行わず，構築した構造物を土留めの代わりにして，内部の掘削工事を行います。

●地盤アンカー工法[※6]

土留め壁にかかる側圧を，切梁ではなく地盤アンカーで支えながら掘削する工法で，切梁の掛けられない傾斜地や変形地などに採用されます。切梁の代わりに地盤アンカーを用いるため，広い作業スペースを確保したり，地盤アンカーが敷地外に出る場合は，隣地の地主の了解が必要になったりなど，敷地条件によっては施工が制限されます。

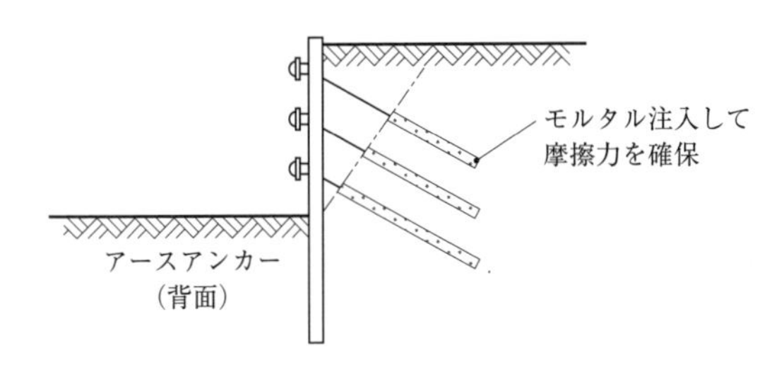

●逆打ち工法

土留め壁の支保工として地下構造体を用いる工法です。

3 締固め機械

①ロードローラ

平滑車輪により締固めを行うもので，路床の仕上げ転圧に適しています。

②タイヤローラ

空気入りタイヤの特性を利用して締固めを行うもので，土やアスファルト混合物などの締固めに適してい

※4
鋼矢板
シートパイルともいいます。

※5
トレンチ
溝のことです。

※6
地盤アンカー
アースアンカーともいいます。

ます。

③タンピングローラ

ローラの表面に突起を付けたもので，土塊や岩塊などの締固めに適しています。

④振動ローラ

ローラに起振機を組み合わせ，振動によって締固めを行うもので，砂質土の締固めに適しています。

⑤振動コンパクタ

起振機を平板の上に直接装備したもので，ローラが走行できない法面や溝内の締固めに適しています。

4 鉄塔の基礎

鉄塔の基礎には，次のものがあります。

①逆T字型基礎

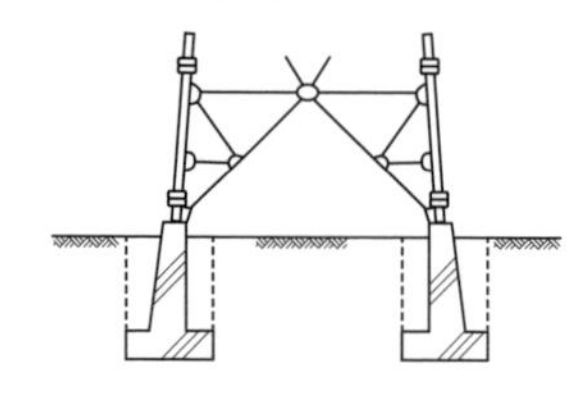

基礎が逆T字の形状をしており，支持層の浅い良質な地盤に用いられる。

②ロックアンカー基礎

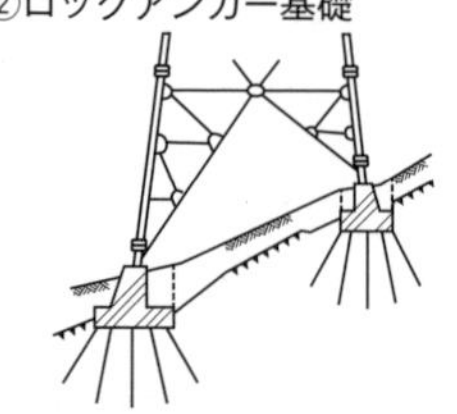

岩盤に細長い穴を多数あけ，鋼棒を入れてモルタルで固定する。

③深礎基礎

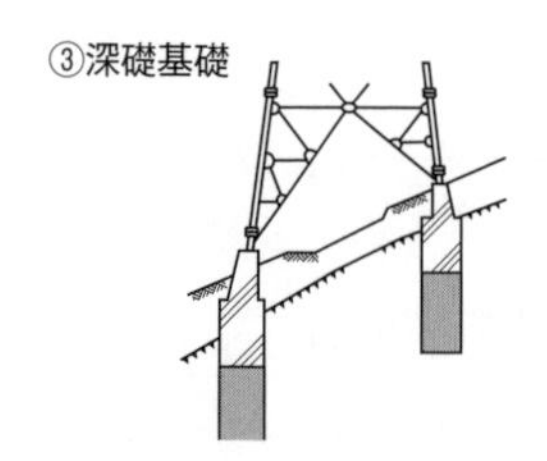

勾配の急な地盤に円筒形の深い穴を掘り，基礎とする。

④杭基礎

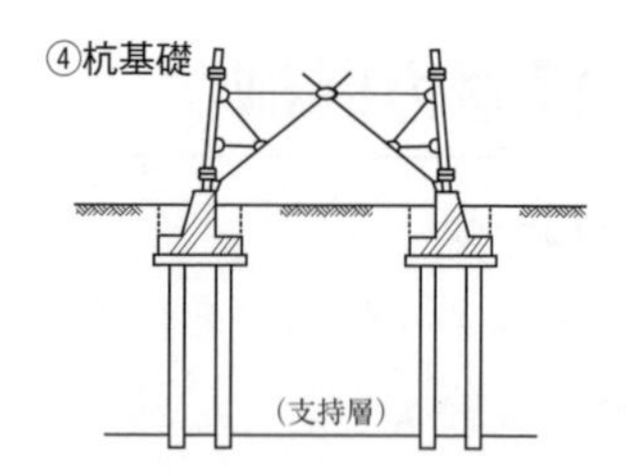

杭とよばれる円筒形の柱を支持層に到達させて，鉄塔を支える。やや軟弱な地盤で用いられる。

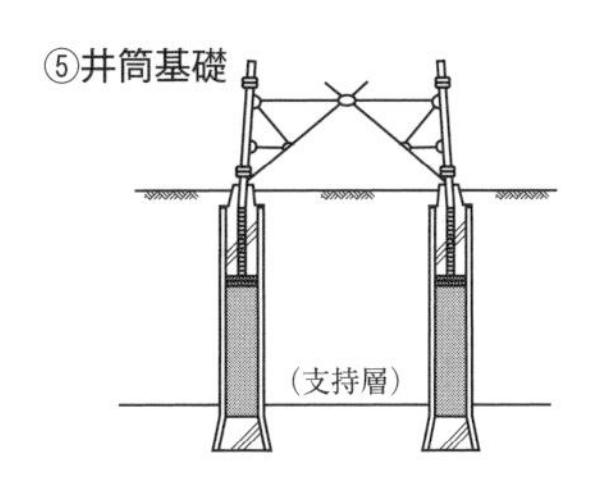

筒形の構造物を沈下させ，内部にコンクリートや砂利を詰めた基礎である。支持層の深い軟弱地盤に用いられる。

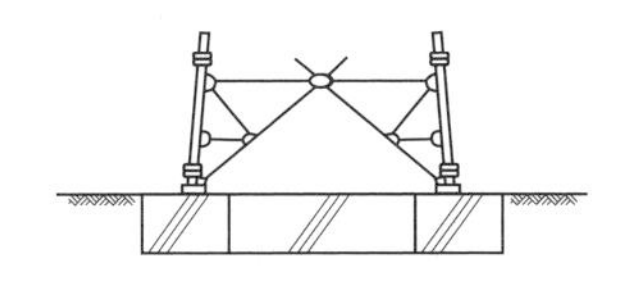

広く浅い基礎で，鉄塔の荷重を面全体で受ける。

チャレンジ問題！

問1

難	中	易

土留め壁を設けて行う掘削工事に関する次の記述に該当する現象として，適当なものはどれか。

「軟弱な粘土質地盤で掘削を行うとき，矢板背面の鉛直土圧によって掘削底面が盛り上がる現象」

(1) スカラップ
(2) ヒービング
(3) ボイリング
(4) パイピング

解　説

粘土質地盤とあるので，ヒービングです。なお，スカラップは，鉄骨の溶接における切欠きのことで，地盤との関連はありません。

解答（2）

測量

1 平板測量・水準測量

①平板測量

三脚の台に平板をのせ，アリダードや巻尺などを用いて，測量結果をその場で作図していく測量方法です。

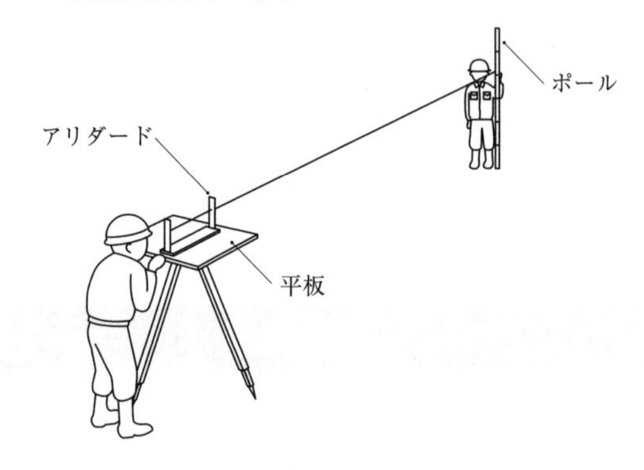

②水準測量

任意の2地点に標尺を垂直に立て，その中間にレベル（水準儀）を置いて目盛を読み，その差から高さを求める測量方法です。

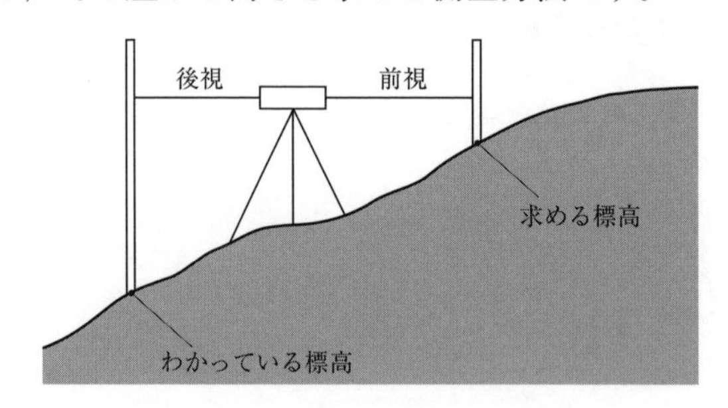

2 用語

水準測量の用語については次のとおりです。

①水準点[※7]

水準測量の基準となる点です。

②後視

標高が既知である点に立てた標尺の読みをいいます。

③前視

未知の点の読みをいいます。標尺が前後に傾いていると，標尺の読みは正しい値より大きくなります。また，レベルの視準線誤差は，後視と前視の視準距離を等しくすれば消去できます。

④器械高

基準点からレベルの基準線までの高さです。測定器の三脚の高さではありません。

※7
水準点
ベンチマークともいい，簡単に動くことのないものを選びます。

チャレンジ問題！

問1　難　中　易

水準測量に関する記述として，不適当なものはどれか。

(1) 器械高とは，器械を水平に据え付けたときの三脚の高さをいう。
(2) 水準点（ベンチマーク）は，水準測量の基準として用いられる。
(3) 標尺が前後に傾いていると，標尺の読みは正しい値より大きくなる。
(4) 前視とは，レベルを据えて，標高の不明点を視準すること，またはその読みをいう。

解　説

器械高とは，器械を水平に据え付けたときの三脚の高さではなく，基準点からレベルの基準線までの高さです。

解答（1）

第3章

関連分野

CASE 3 建築

まとめ & 丸暗記　この節の学習内容とまとめ

□ モルタル・コンクリートの組成

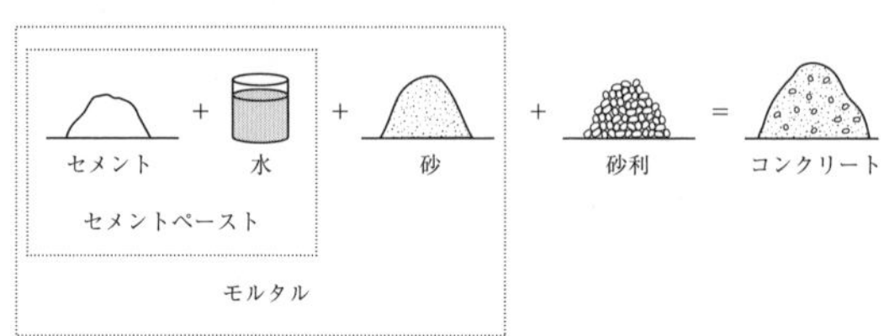

□ 水セメント比

水セメント比＝水の重さ÷セメントの重さ×100〔%〕

水セメント比が大きいと，コンクリートの強度は小さくなる

□ スランプ値

生コンクリートの軟らかさを表す数値で，大きいほど軟らかい

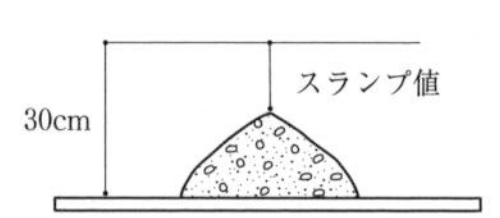

□ 梁貫通

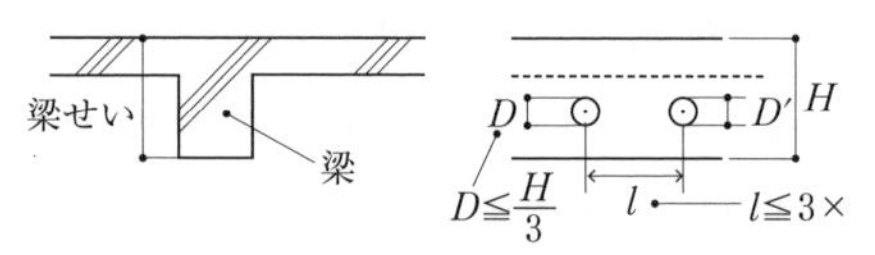

□ 鉄骨記号

記号	名称
SS	一般構造用圧延鋼材
SM	溶接構造用圧延鋼材
SN	建築構造用圧延鋼材

鉄筋コンクリート造

1 コンクリート

セメントに水を加えるとセメントペーストになり，細骨材（砂）を混ぜるとモルタルになります。モルタルに粗骨材（砂利）を混ぜたものがコンクリートです。

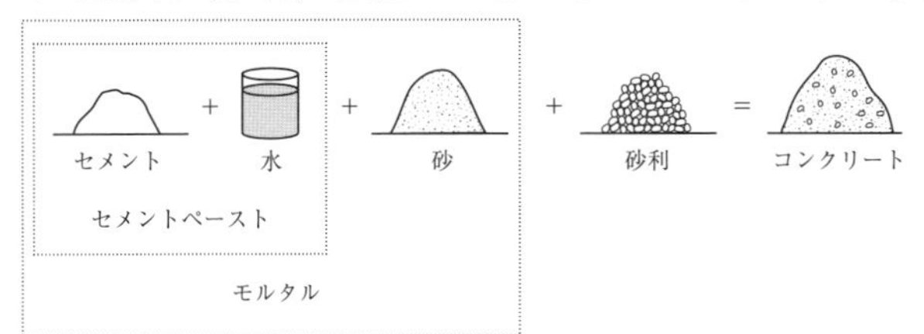

コンクリートに用いる骨材[※1]の粒形は，丸みのある球形に近いものがよいとされています。

固まったコンクリートは圧縮に対して強いですが，引張りに対しては弱く，圧縮強度の約1/10です。

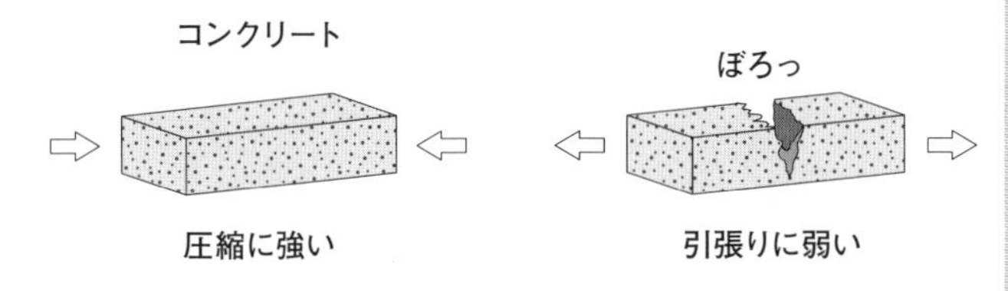

2 鉄筋

鉄筋は，その形状により次のものがあります。

①丸鋼

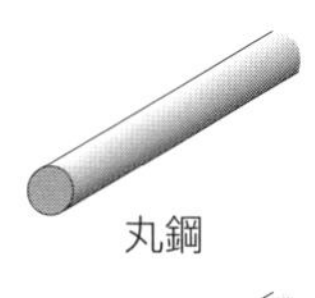
丸鋼

②異形鉄筋

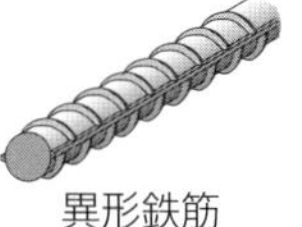
異形鉄筋

異形鉄筋とは，丸鋼の表面にリブや節などの突起を付けた鉄筋で，コンク

※1
骨材
粗骨材（砂利）と細骨材（砂）です。

リートとの付着強度が高く，定着性がよいので多く用いられています。

3 柱と梁

①柱

柱の主筋は主に曲げモーメント（P190参照）による引張力を負担します。帯筋は主筋の周囲を水平に巻いた鉄筋でせん断力[※2]に耐え，柱を補強します。

スパイラル状に巻いた帯筋をスパイラル筋といい，コンクリートのはらみを押さえます。

②梁

梁の主筋の周囲を垂直に巻いた鉄筋をあばら筋といいます。帯筋と同様に，せん断力に耐え，梁を補強します。

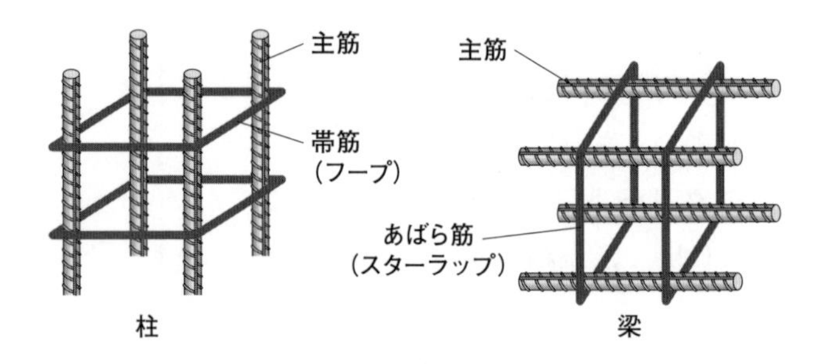

4 鉄筋コンクリート

圧縮力に強いコンクリートと引張力に強い鉄筋の特性を組み合わせた強固な構造です。RC[※3]ともいいます。

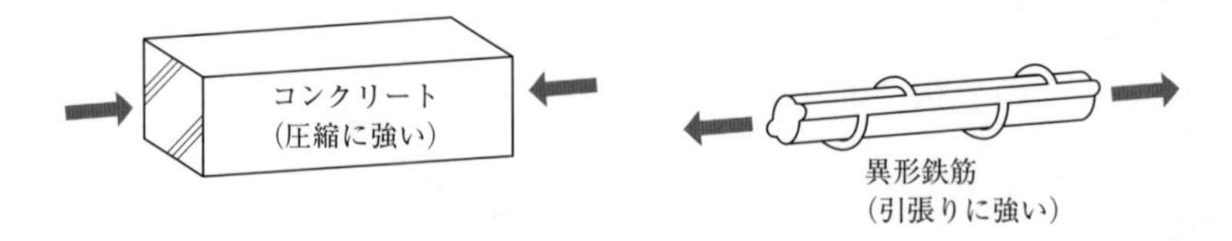

コンクリートと鉄筋の熱膨張率[※4]はほぼ等しく，クラックができにくい構造です。さらに，コンクリートは強アルカリ性で，内部にある鉄筋の防錆作用があります。しかし，空気中の二酸化炭素[※5]により，コンクリートは表

面から次第に中性化し，内部の鉄筋が錆びます。

5 打設と養生

コンクリートを打設[※6]する際，打継ぎ部は部材のせん断応力の小さい位置に設けます。その後締め固めます。振動締固め[※7]は，突固めより空隙の少ない緻密なコンクリートを作ることができます。

打込み後のコンクリートの露出面は，風雨や直射日光から保護します。硬化初期の期間中は，セメントの水和反応[※8]に必要な湿潤状態を保ちます。

養生期間中は，外力を加えないようにします。

6 用語

①水セメント比

$$水セメント比 = \frac{水の重さ}{セメントの重さ} \times 100〔\%〕$$ です。

水セメント比が大きくなるほど，コンクリートの圧縮強度は小さくなります。

②スランプ値

生コンクリートの軟らかさを表す数値で，大きいほど軟らかく，ワーカビリティ[※9]がよくなります。

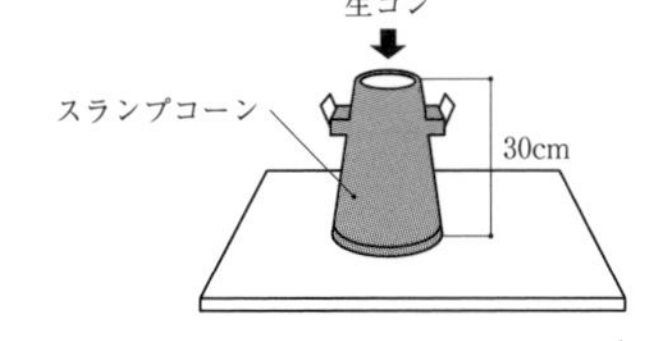

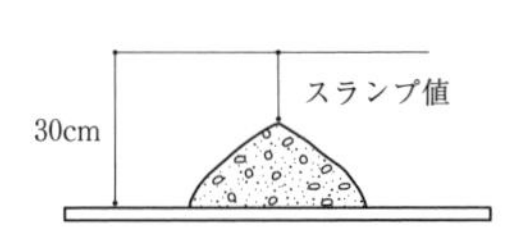

③かぶり厚さ

鉄筋のかぶり厚さとは，鉄筋の表面からコンクリート外面までの距離をいいます。

※2
せん断力
紙をハサミで切るときに働く力です。

※3
RC
Reinforced Concreteの略。

※4
熱膨張率
線膨張率です。

※5
二酸化炭素
雨に濡れると酸性を呈します。

※6
打設
コンクリートの打込みです。

※7
振動締固め
電動の棒形振動機などによる締固めです。

※8
水和反応
水とセメントが混ざったとき，熱を生じます。

※9
ワーカビリティ
作業性のことです。

かぶり厚さが大きいと，**耐久性および耐火性**が増します。

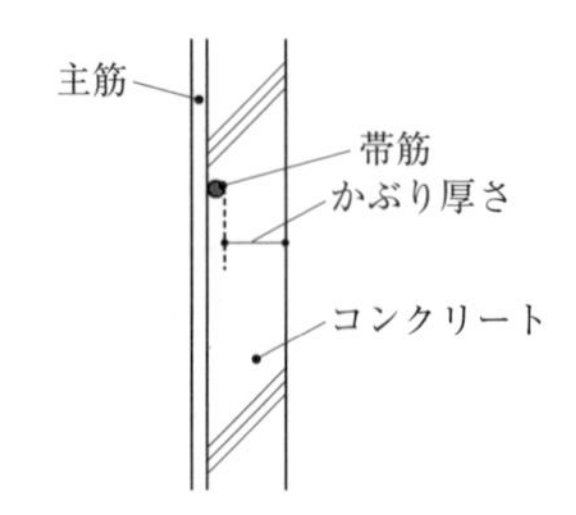

7 応力

物体に外部から力を加えると，物体内部には外力に応じた力が生じます。これを応力といいます。

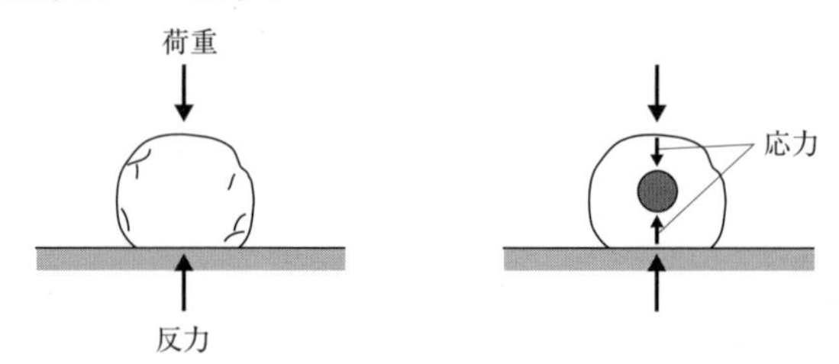

応力には3つの種類があります。

①軸方向力

引張力と圧縮力があります。

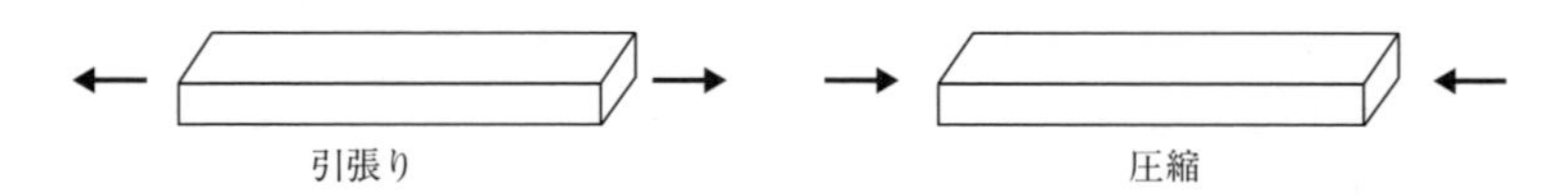

②せん断力

物体に，同じ大きさで反対方向の力が同時に作用したときに生じます。

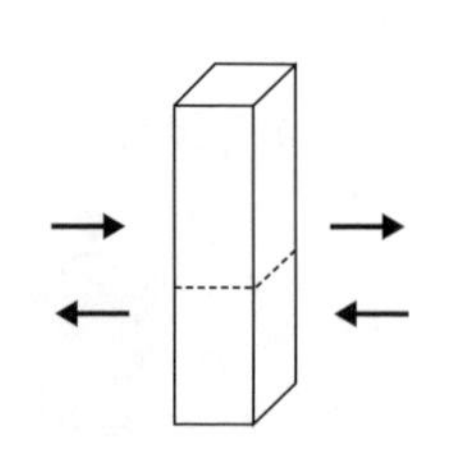

③曲げモーメント

曲げようとする力です。

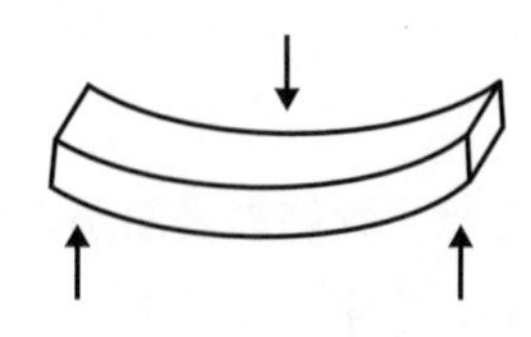

8 梁貫通

梁を打設する前に，スリーブ[※10]を入れて梁貫通する場合は，次の基準を適用します。

- 貫通孔の上下方向の位置は，梁せいの中心付近とします
- 貫通孔の径は，梁せいの1/3以下とします
- 貫通孔が並列する場合の中心間隔は，孔径平均値の3倍以上とします
- 貫通孔の横方向の位置は，柱面から梁せいの1.5倍以上離します

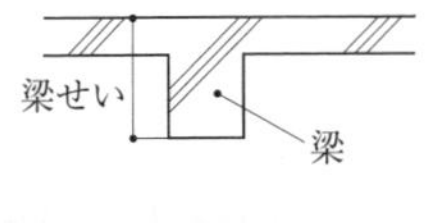

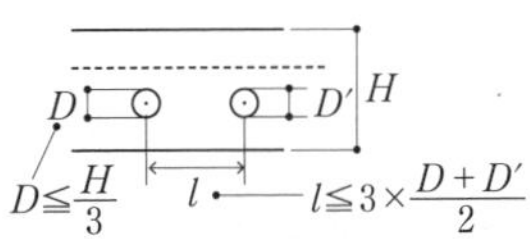

※10
スリーブ
鉄筋コンクリート造の梁等の部分に，電気設備などの配管貫通孔を確保するため，先に埋め込んでおく円筒状の管のことです。

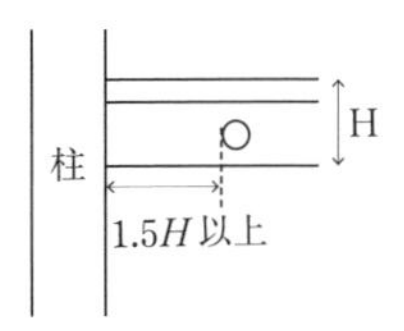

チャレンジ問題！

問1 難 **中** 易

コンクリートの施工に関する記述として，最も不適当なものはどれか。

(1) コンクリートを型枠の隅々まで充てんする作業が締固めである。
(2) 打込み後のコンクリートの露出面は，風雨や直射日光から保護する。
(3) 硬化初期の期間中は，セメントの水和反応のため，乾燥した状態を保つようにする。
(4) 打継ぎ部は，部材のせん断応力の小さい位置に設ける。

解説

硬化初期の期間中は乾燥した状態ではなく，湿潤養生を行います。

解答（3）

鉄骨構造

1 構造

①トラス構造

三角形を1つの単位として部材を組み立てた構造です。小さい断面の部材で大スパンを支えることができます。**軸方向力のみ働きます。**

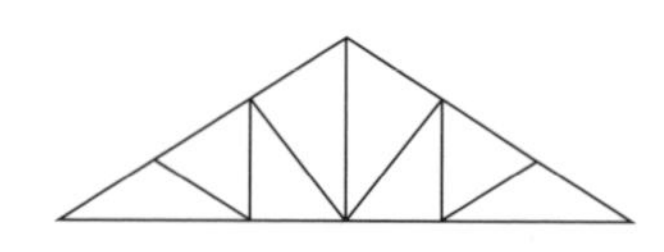

②ラーメン構造

部材と部材を剛接合した構造です。トラス構造に比べて部材の断面は大きくなります。

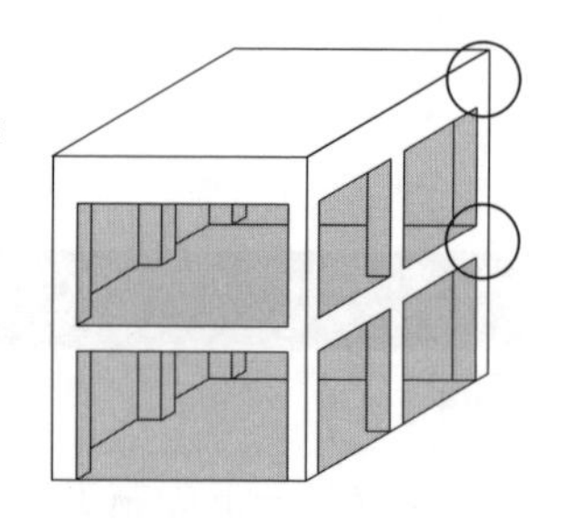

2 特徴

鋼材を用いた建物を鉄骨造（S造）※11 といいます。

鋼材の特徴は次のとおりです。

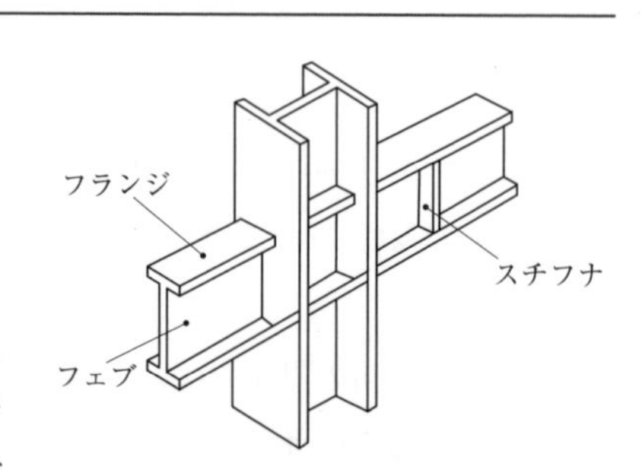

- 部材は工場で加工されるので，木造，RC造に比べて**工期は短い**
- 骨組みの部材断面が自由に製作でき，任意に接合できるので，さまざまなデザインに対応しやすい
- 火災時は，耐力が大きく損なわれ，変形，倒壊の危険があり，鉄骨をコンクリートなどで**耐火被覆する必要がある**
- 鋼材の密度（kg/m^3）はコンクリートより大きいですが，鋼材は強度があり部材を細くできるので全体として軽くなる

3 鋼材・鋼管

※11
S造
Steelの構造です。

日本産業規格（JIS）による記号と名称の組合わせは表のとおりです。

記号	名称
SS	一般構造用圧延鋼材
SM	溶接構造用圧延鋼材
SN	建築構造用圧延鋼材
SGP	配管用炭素鋼鋼管
STKN	建築構造用炭素鋼鋼管

チャレンジ問題！

問1　難　**中**　易

鉄骨構造の特徴に関する記述として，最も不適当なものはどれか。

(1) 鋼材は，熱に弱く，火災により柱・梁がある温度以上になると構造材料としての強度を失う。
(2) 鋼材は，低温になると粘りを失いもろくなり，破壊しやすくなる性質を有する。
(3) 鉄筋コンクリート構造と比べて，工場加工の比率が高いので，現場作業が少ない。
(4) 鋼材は強度が大きいため，鉄筋コンクリート構造と比べて，部材断面を小さくできるが，構造体は重くなる。

解説

鋼材は強度が大きいため，鉄筋コンクリート構造と比べて，部材断面を小さくでき，構造体は軽くなります。

解答（4）

第3章  関連分野

CASE 4 設計・契約

まとめ & 丸暗記　この節の学習内容とまとめ

□ 日本電機工業会規格（JEM）

PGS	柱上ガス開閉器	GCB	ガス遮断器
OCR	過電流継電器	DGR	地絡方向継電器
RPR	逆電力継電器	VCT	電力需給用計器用変成器
VCS	真空電磁接触器	UVR	不足電圧継電器
ZCT	零相変流器		

□ 設計図書

公共工事標準請負契約約款において，設計図書とは次のもの
①現場説明に対する質問回答書　②現場説明書
③特記仕様書　④図面　⑤標準仕様書
①～⑤の順に優先度が高い

□ 契約解除

①受注者が正当な理由なく，工事に着手すべき期日を過ぎても工事に着手しないとき
②発注者が契約に違反し，その違反によって契約の履行が不可能となったとき
③請負代金額が3分の2以上減少したとき

□ 現場代理人

①現場代理人および主任技術者等の氏名その他必要な事項を発注者に通知
②現場代理人は，原則として工事現場に常駐し，運営，取締りを行う
③請負代金額の変更，請負代金の請求および受領に係る権限は行使できない
④現場代理人，主任技術者（監理技術者）等を兼務できる

図記号・器具番号

1 図記号

電気工事の設計で使用される，日本産業規格（JIS）の図記号[※1]には次のようなものがあります。

●警報，呼出，表示，ナースコール，通信設備

図記号	名称	図記号	名称
	押しボタン		端子盤
	ベル	MDF	本配線盤
	ブザー	PBX	交換機
	表示器	DSU	デジタル回線終端装置
	警報盤	ATT	局線中継台

2 器具番号

日本電機工業会規格（JEM）の主な基本器具番号と器具名称です（試験の出題頻度の高いもの）。

番号	名称
27	交流不足電圧継電器
51	交流過電流継電器または地絡過電流継電器
52	交流遮断器または接触器
67	交流電力方向継電器または地絡方向継電器
80	直流不足電圧継電器

※1
図記号
自動火災報知設備の図記号として，次のものも出題されています。

図記号	名称
	受信機
	副受信機
	差動式スポット型感知器
	定温式スポット型感知器
	回路試験器
S	煙感知器
	炎感知器
	中継器
R	移報器
P	発信機

3 文字記号と用語

次の表は日本電機工業会規格（JEM）の主な文字記号と用語です。

文字記号	用語	文字記号	用語
PGS	柱上ガス開閉器	GCB	ガス遮断器
OCR	過電流継電器	DGR	地絡方向継電器
RPR	逆電力継電器	VCT	電力需給用計器用変成器
VCS	真空電磁接触器	UVR	不足電圧継電器
ZCT	零相変流器	VCS	真空電磁接触器

チャレンジ問題！

問1　難　中　易

電気設備の制御装置の器具名称に対応する基本器具番号として，「日本電機工業会規格（JEM）」上，誤っているものはどれか。

	器具名称	基本器具番号
(1)	交流過電流継電器	51
(2)	交流遮断器	52
(3)	地絡方向継電器	67
(4)	交流不足電圧継電器	80

解説

交流不足電圧継電器は27です。

解答（4）

請負契約約款

1 公共工事標準請負契約約款

①設計図書

公共工事[※2]標準請負契約約款において，設計図書とは次のものをいいます。

- 現場説明に対する質問回答書
- 現場説明書
- 特記仕様書
- 図面
- 標準仕様書

たとえば，設計図書の内容についてB社から質問があった場合，B社だけでなく全社に質問の回答をします。

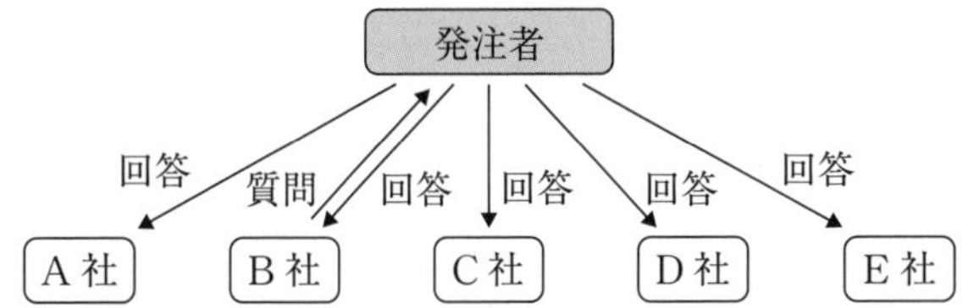

②優先順位

設計図書の優先順[※3]は，次のとおりです。

- 質問回答書
- 現場説明書
- 特記仕様書
- 図面
- 標準仕様書

③契約解除

発注者は，受注者が正当な理由なく，工事に着手すべき期日を過ぎても工事に着手しないときは契約を解除できます。

※2
公共工事
国，都道府県，市町村等の発注する工事です。公共工事標準請負契約約款では，請負者でなく受注者という用語を用います。

※3
優先順
作成の遅い順に優先順位が高くなります。

一方，受注者は，発注者が契約に違反し，その違反によって契約の履行が不可能となったときは，契約を解除できます。また，受注者は，設計図書の変更により請負代金額が**3分の2以上減少**[※4]したときは，契約を解除できます。

④現場代理人

現場代理人および主任技術者等の氏名その他必要な事項を発注者に**通知**します。一方，発注者が監督員を置いたときも，同様に受注者に通知します。

現場代理人は，原則として工事現場に**常駐**[※5]し，運営，取締りを行うほか，多くの権限を有しますが，請負代金額の変更，請負代金の請求および受領に係る権限は行使できません。

現場代理人，主任技術者（監理技術者）および**専門技術者**[※6]は，これを**兼務**[※7]できます。

⑤検査

発注者は，工事を完成した旨の通知を受けたときは，**通知を受けた日から14日以内**に完成を確認するための検査を完了しなければなりません。

完成の通知を受けた日から14日以内であって，工期から14日以内ではありません。

⑥支払い

支払いについては，次のように定められています。

- 発注者は，前払い金の支払いの請求があったときは，請求を受けた日から**14日以内**に前払い金を支払います。
- 発注者は，部分払い金の請求があったときは，請求を受けた日から**14日以内**に部分払い金を支払います。
- 発注者は，完成検査に合格し，請負代金の支払いの請求があったときは，請求を受けた日から**40日以内**に請負代金を支払います。

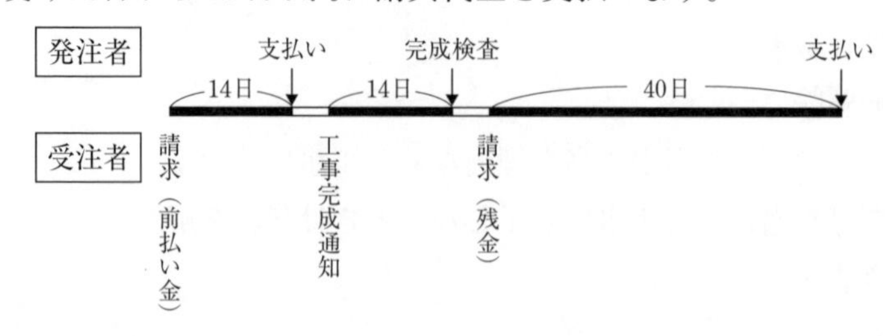

⑦その他

- 受注者は，監督員がその職務の遂行につき著しく不適当と認められるときは，発注者に対して，その理由を明示した書面により，必要な措置をとるべきことを請求することができます。
- 受注者は，契約により生ずる権利または義務を，発注者の承諾なしに第三者に譲渡はできません。
- 受注者は，工事の施工にあたり，設計図書の表示が明確でないことを発見したときは，直ちに監督員に通知し，その確認を請求しなければなりません。
- 受注者は，工事現場内に搬入した工事材料を監督員の承諾を受けないで工事現場外に搬出することはできません。
- 監督員は，設計図書で定めるところにより，受注者が作成した詳細図等の承諾の権限を有します。
- 設計図書に品質の明示がない場合，中等の品質とします。

2 建設工事標準下請契約約款

①契約

元請負人は，下請負人が正当な理由がないのに，工事に着手すべき時期を過ぎても工事に着手しないときは，契約を解除することができます。

下請負人は，元請負人が契約に違反し，その違反によって工事を完成することが困難となったときは，契約を解除することができます。

②請負

元請負人は，元請工事を円滑に完成するため，施工上関連のある工事との調整をはかり，必要がある場合

※4
3分の2以上減少
たとえば，当初3,000万円の契約が1,000万円に減額された場合が該当します。

※5
常駐
現場運営に支障がなく，発注者の了解があれば常駐しなくてよいことになっています。

※6
専門技術者
附帯工事に関する有資格者です。
たとえば，主たる工事が電気工事で，附帯する工事が管工事である場合，2級管工事施工管理技士の資格を有していれば，その管工事の責任者を専門技術者といいます。

※7
兼務
現場代理人が，それぞれの資格要件を満たしていることが前提です。

は，下請負人に対して指示を行います。

民間工事の場合，下請負人は，あらかじめ発注者および元請負人の書面による承諾を得た場合は，一括してこの工事を第三者に請け負わせることができます。

ただし，共同住宅の新築工事は，発注者および元請負人の書面による承諾を得た場合でも，一括してこの工事を第三者に請け負わせることができません。

チャレンジ問題！

問1　難　**中**　易

請負契約に関する記述として，「公共工事標準請負契約約款」上，誤っているものはどれか。

(1) 発注者は，工事が完成の検査に合格し，請負代金の支払いの請求があったときは，請求を受けた日から40日以内に請負代金を支払わなければならない。

(2) 現場代理人は，契約の履行に関し，請負代金額の変更に係る権限を行使することができる。

(3) 受注者は，監督員がその職務の遂行につき著しく不適当と認められるときは，発注者に対してその理由を明示した書面により，必要な措置をとるべきことを請求することができる。

(4) 受注者は，工事の施工にあたり，設計図書の表示が明確でないことを発見したときは，その旨を直ちに監督員に通知し，その確認を請求しなければならない。

解説

現場代理人は，契約の履行に関し，請負代金額の変更に係る権限を行使することはできません。

解答（2）

第一次検定

第４章

施工管理

1 施工計画 …………………… 202
2 工程管理 …………………… 210
3 品質管理 …………………… 222
4 安全管理 …………………… 232
5 工事施工 …………………… 242

第4章

施工管理

CASE 1

施工計画

まとめ & 丸暗記　この節の学習内容とまとめ

□ 施工計画書

①総合施工計画書　②工種別施工計画書

□ 仮設計画の留意点

①電線等

電圧100Vの仮設配線は，使用期間が1年以内なら，ビニルケーブル（VVF）をコンクリート内に直接埋設することが可能

②ディーゼル発電機

出力10kW以上の可搬型ディーゼル発電機を使用する場合，電気主任技術者の選任と保安規程を作成する

□ 届出書類と提出先

届出および報告書類等	提出先
道路使用許可申請書	所轄警察署長
道路占用許可申請書	道路管理者
航空障害灯(60m以上)	地方航空局長
労働者死傷病報告	労働基準監督署長
適用事業報告	労働基準監督署長
建築確認申請書	建築主事または指定確認検査機関
自家用電気工作物使用開始届・保安規程	経済産業大臣または産業保安監督部長
工事整備対象設備等着工届	消防長または消防署長
消防用設備等設置届	消防長または消防署長
危険物貯蔵所設置許可申請書	市町村長，都道府県知事，総務大臣

施工計画書

1 現地調査

工事を受注したら，まずはどのように施工するかの計画を立てます。

建設予定地に行き，隣地の状況，近隣の道路と交通状況，工事用車両の進入・退出経路等を調べます。

仮囲い，現場事務所，警備員詰所等の予定位置，作業員詰所，屋外キュービクル等の予定位置を検討します。

また，現場周辺の既存配電線，通信線，給排水管等の状況および仮設事務所等への引込予定位置なども調査します。

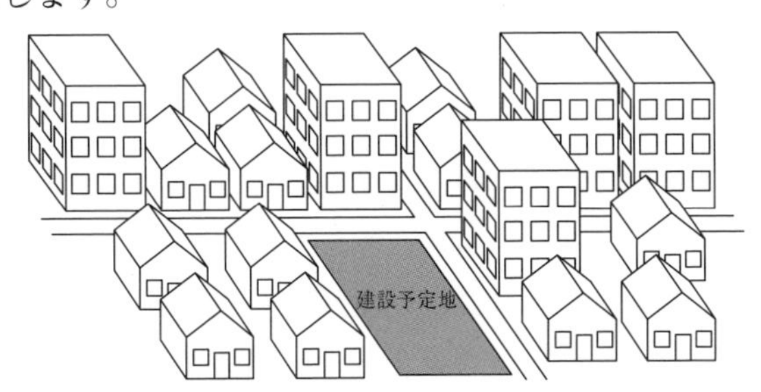

密集している現場に即した施工計画書を作る必要がある

2 施工計画書

①種類

施工計画[※1]とは，適正な品質管理，安全管理等を行い，工事を工期内に完成させるための計画です。

施工計画書は，工事目的物を完成させるために必要な手順や工法等について記載したものです。

施工計画書は発注者に提出し，承諾を得ます。変更した場合も同様です。

※1

施工計画
その現場に即した施工計画書を作成します。施工計画書や施工要領書は，着工前に作成して工事監理者（発注者）の承諾を受けます。途中で計画変更するような場合も同様です。

●**総合施工計画書**

工事の着手に先立ち，工事全体の計画をまとめたものです。総合工程表や現場施工体制表などを盛り込みます。

仮設工事から，検査，引渡し，火災予防計画，安全管理など工事にかかわる全般を記載します。他業種との詳細取合いの記載は要しません。

●**工種別施工計画書**

工事の工種ごとに詳しく記載したもので，すべての工種について記載する必要はありません。

②総合施工計画の検討

総合施工計画は次の手順で立てます。

a. 施工計画書作成前に，**設計図書**に目を通し，工事内容を理解します。公共工事では，現場説明書や質問回答書の確認が重要です。工事範囲や工事区分を確認しておきます。

b. 現地調査を行います。塩害などの**環境条件**も確認します。

c. その現場に即した仮設計画，資機材の搬入計画，施工方法，安全管理，養生等を検討します。

d. **新工法**，新技術，特殊な工法などを調査します。

施工計画書は，施工体制，仮設計画および安全衛生管理計画を含めて作成し，現場担当者だけで検討することなく，**会社内の組織を活用**して作成するとよいでしょう。また，1つの計画だけでなく，**いくつかの案**を作り長所・短所を比較検討することも重要です。

具体的な記載事項として，現場施工体制表，総合仮設計画，計画工程表，施工管理計画，官公庁届出書類の一覧表，主要資材などです。

なお，原価管理を行うために作成する**実行予算書**は，会社の内部資料のため施工計画書には記載しません（発注書に提示はしません）。

③工種別施工計画書の検討

総合施工計画書を作成してから工種別施工計画書を作成します。

検討する事項は，使用機材の性能や品質を確保するために施工上必要な

事項や，設計図書に明示されていない施工上必要な事項，設計図書と異なる施工を行う場合の施工方法に関する事項等です。

3 施工要領書

施工要領書[※2]は，作業員に施工方針や施工技術を周知するために作成します。発注者の承諾を得ます。

※2
施工要領書
他現場で共通的に利用するような一般的事項を記入するのではなく，設計図書に明示のない部分を図表などを入れ，わかりやすく作成したものです。

チャレンジ問題！

問1　難　**中**　易

施工計画の作成に関する記述として，最も不適当なものはどれか。

(1) 新工法や新技術は実績が少ないため採用を控え，過去の技術や実績に基づき作成する。
(2) 現場担当者のみに頼ることなく，会社内の組織を活用して作成する。
(3) 発注者の要求品質を確保するとともに，安全を最優先にした施工を基本とした計画とする。
(4) 計画は1つのみでなく，複数の案を考えて比較検討し，最良の計画を採用する。
(5) 図面，現場説明書および質問回答書を確認し工事範囲や工事区分を明確にする。

解説

施工計画は，過去の技術や実績だけに基づいて作成するのではなく，新工法や新技術についても採用の適否を含めて検討します。

解答（1）

仮設計画

1 仮設計画

仮設計画は，契約書および設計図書に特別の定めがある場合を除き，請負者がその責任において定めます。

仮説計画では，**火災予防**や**盗難防止**等のほか，近隣住民に対する**騒音対策**も考慮して作成します。

具体的には，仮囲い，現場小屋，資材置場等の**仮設物の配置**[※3]と大きさ，資材加工，機材搬入スペース等についてです。

仮設工事は，設置，維持，撤去，後片付けまで含みます。仮設物は，構造計算を行い，労働安全衛生法に基づき設置します。

2 仮設計画の留意点

①電線等

工事用電気設備の建物内幹線は，工事の進捗に伴う移設や切回し等の支障の少ない場所で立ち上げる計画とします。

仮設の低圧ケーブル配線が通路床上を横断する場合は，車両等の通過により絶縁被覆が損傷しないように防護装置を設けて使用します。電圧100Vの仮設配線は，使用期間が**1年以内**なら，ビニルケーブル（VVF）をコンクリート内に直接埋設することが可能です。

仮設の配線に接続する吊下げ電灯は，高さによらず**ガード**を取り付けます。

②ディーゼル発電機

工事用として出力10kW以上の可搬型ディーゼル発電機を使用する場合，**電気主任技術者**の選任と**保安規程**を作成する必要があります。

③その他

●仮囲いのゲート付近において通行人・交通量が多いときは**交通誘導警備**

員を配置するのが望ましい

- 高さ10m以上の単管足場の計画の作成に，足場に係る工事の有資格者を参画させる
- 屋内に設ける仮設通路については，通路面から1.8m以内に障害物がないようにする

※3
仮設物の配置
仮設物は，工事の進捗に伴う移設の多い場所には配置しないようにします。

チャレンジ問題！

問1 難 **中** 易

仮設計画に関する記述として，最も不適当なものはどれか。

(1) 電圧100Vの仮設配線は，使用期間が1年6か月なので，ビニルケーブル（VVF）をコンクリート内に直接埋設する計画とした。
(2) 工事用電気設備の建物内幹線は，工事の進捗に伴う移設や切回し等の支障の少ない場所で立ち上げる計画とした。
(3) 工事用として出力10kWの可搬型ディーゼル発電機を使用するので，電気主任技術者を選任する計画とした。
(4) 仮囲いのゲート付近は，通行人・交通量が多いため交通誘導警備員を配置する計画とした。
(5) 仮設の低圧ケーブル配線が通路床上を横断するので，防護装置を設ける計画とした。

解 説

ビニルケーブル（VVF）の仮設配線は，使用期間が1年以内ならコンクリート内に直接埋設して使用することができます。

解答（1）

提出書類

1 届出書類と提出先

主な届出書類，報告書類等の提出先は表のとおりです。

届出および報告書類等	提出先
道路使用許可申請書	所轄警察署長
道路占用許可申請書	道路管理者
航空障害灯（高さ60m以上）	地方航空局長
労働者死傷病報告	労働基準監督署長
適用事業報告	労働基準監督署長
建築確認申請書	建築主事または指定確認検査機関
自家用電気工作物使用開始届・保安規程	経済産業大臣または産業保安監督部長
工事整備対象設備等着工届 ※	消防長または消防署長
消防用設備等設置届	消防長または消防署長
危険物貯蔵所設置許可申請書	市町村長，都道府県知事，総務大臣

※消防設備士だけが設置できる消防用設備等の着工届のことです。誘導灯，漏電火災警報器，消火器，防火水槽などは消防設備士でなくても設置でき，この届出は不要です。

【例】

- 重量物搬入のためラフタークレーンが道路上に駐車して作業する→**警察署長の道路使用許可**
- 街路灯設置のため，地中配管およびケーブルを敷設する→**道路管理者**（市道であれば市長）**の道路占用許可**

2 消防用設備等の着工届

①届出の要・不要

自動火災報知設備，ガス漏れ火災警報設備は，所轄の消防長または消防

署長に工事着手の届出が必要です。

なお，漏電火災警報器，非常警報設備，無線通信補助設備，非常コンセント設備については，着手の届出は不要です。

②着工届・設置届

着工届は，工事に着手しようとする日の**10日前**までに**甲種消防設備士**[※4]が，消防長または消防署長に届け出ます。

設置届は，工事が完了した日から**4日以内**に所有者，管理者または占有者が，消防長または消防署長に届け出ます。

※4
甲種消防設備士
消防用設備等の工事を行うことができる資格です。

チャレンジ問題！

問1 難 中 **易**

工事着手の届出が必要な消防用設備として，「消防法」上，定められているものはどれか。

(1) 誘導灯
(2) 漏電火災警報器
(3) 非常警報設備の放送設備
(4) ガス漏れ火災警報設備

解説

ガス漏れ火災警報設備は工事着手の届出が必要です。

解答（4）

第4章 施工管理

CASE 2 工程管理

まとめ & 丸暗記 この節の学習内容とまとめ

□ 工程表の種類
- ・曲線式工程表
- ・バーチャート工程表
- ・ガントチャート工程表
- ・ネットワーク工程表
- ・タクト工程表

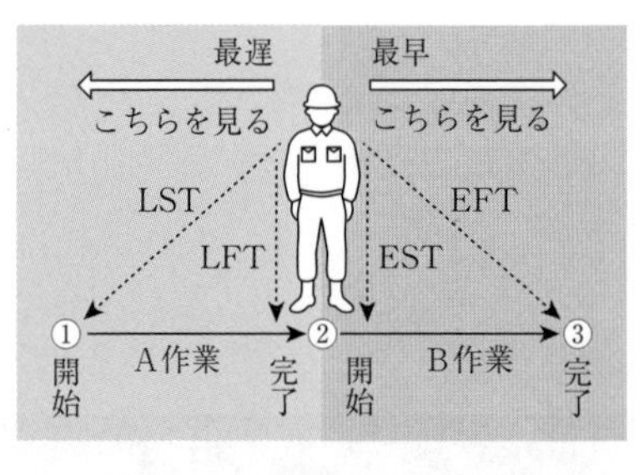

□ アローネットワークの時刻
- ・最早開始時刻（EST）
- ・**最早完了時刻（EFT）**
- ・最遅完了時刻（LFT）
- ・**最遅開始時刻（LST）**

□ フロート
- ①フリーフロート
- ②ディペンデントフロート
- ③トータルフロート＝①＋②

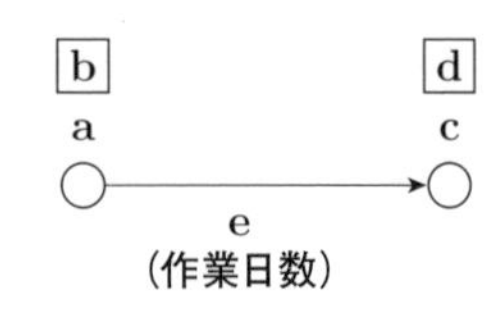

□ フリーフロート＝c－e－a

□ ディペンデントフロート＝d－c

□ トータルフロート＝d－e－a

□ 経済速度

総工事費が最小となる最も経済的な施工速度のこと

総工事費＝直接費＋間接費

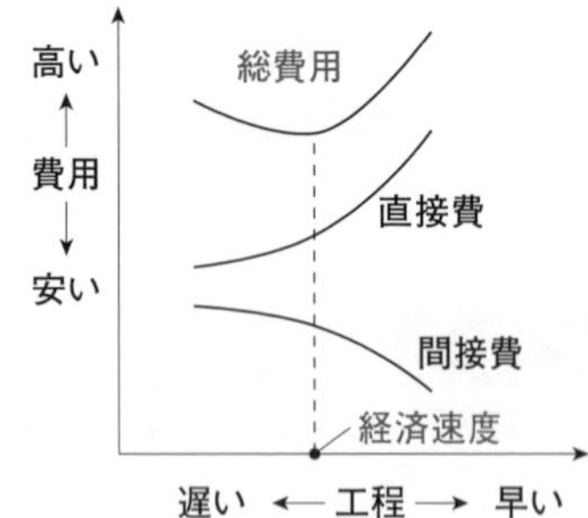

工程表

1 工程表の種類

工程表は，工事を順調に進め，工期を厳守するためのもので，次の種類があります。

①曲線式工程表

曲線式工程表は，横軸に工期，縦軸に出来高をとると，作業の進捗はおよそ図のような曲線になります。この進度管理の曲線を，**S字曲線**[※1]とよんでいます。

この曲線が，当初予定した**上方許容限界曲線**と**下方許容限界曲線**の中に入るように，工程管理する必要があります。この上方，下方の2つの曲線をその形から，**バナナ曲線**といいます。

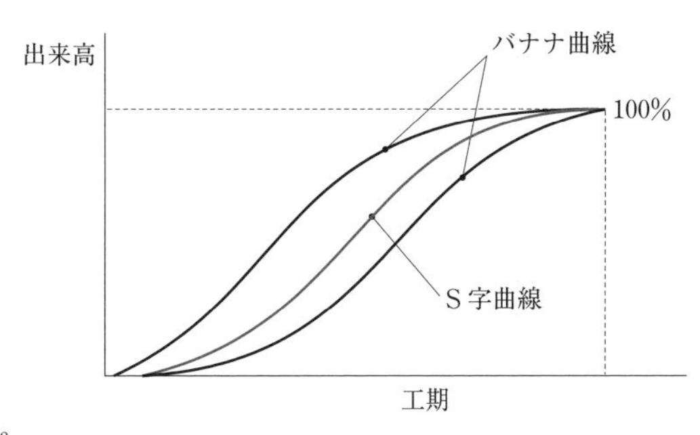

②バーチャート工程表[※2]

バーチャート工程表は，縦に**各作業名**を列記し，横軸に**暦日**などをとり，各作業の着手日と終了日の間を横線で結んだものです。

各作業の所要日数と施工日程はわかりやすく，作成が容易なため，現場でよく使われていますが，各作業の工期に対する影響の度合いはわかりにくいのが欠点です。

※1
S字曲線
アルファベットのSの形になるので，こうよばれています。Sカーブともいわれます。工期始めと最後の進捗率（出来高）が上がらないのは，それぞれ，仮設工事，試験調整のためです。

※2
バーチャート工程表
バー（棒）を用いて表現したチャート（図）で，横線式工程表のひとつです。
バーチャート上に，進度曲線（S字曲線）を書き足して用いれば，精密な工程管理が行えます。

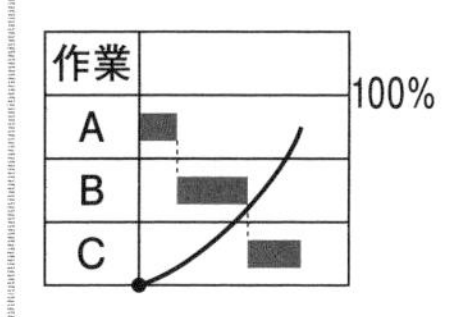

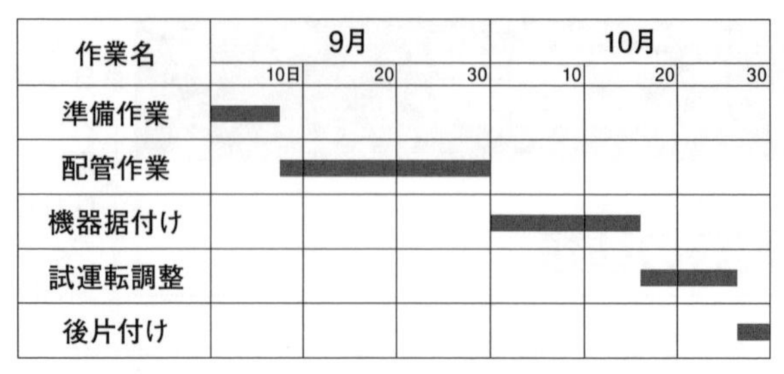

③ガントチャート工程表[※3]

ガントチャート工程表は，縦に各作業名を列記し，横軸に各作業の達成度（進捗率）をとったもので，作業ごとの進捗状況は把握できますが，工事全体の進捗度は把握できません。

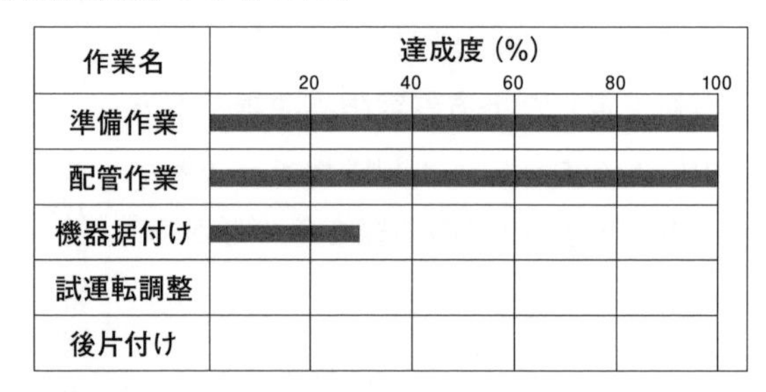

④ネットワーク工程表

ネットワーク工程表は，矢印に作業名と所要日数を記載し，一連の作業を表したものです。作業の順序関係が明確であり，前作業が遅れた場合に後続作業に及ぼす影響の把握などにも速やかに対処できます。

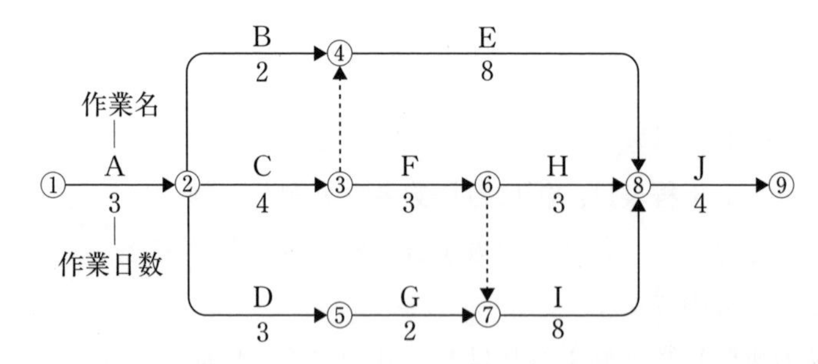

⑤タクト工程表

高層建物で，同一作業を1フロアなどの工区ごとに繰り返す場合に，繰返し作業を効率よく行うタクト工程表などもあります。

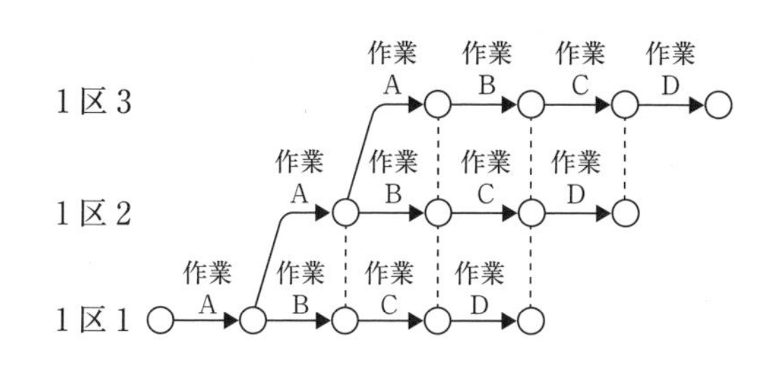

※3
ガントチャート工程表
ヘンリー・ガントが考案したチャートです。

チャレンジ問題！

問1

難　中　易

図に示すバーチャート工程表および進度曲線に関する記述として，最も不適当なものはどれか。

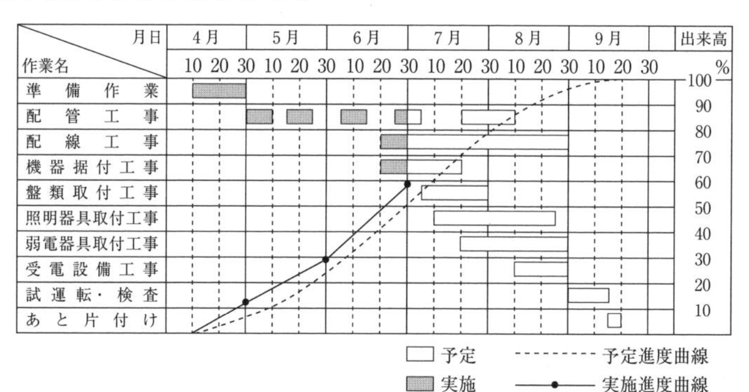

(1) 6月末における全体の実施出来高は，約60％である。

(2) 6月末の時点では，予定出来高に対して実施出来高が上回っている。

(3) 7月は，盤類取付工事の施工期間が，他の作業よりも長くなる予定である。

(4) 7月末での配線工事の施工期間は，50％を超える予定である。

(5) 受電設備工事は，盤類取付工事の後に予定している。

解説

7月は，盤類取付工事の施工期間がおよそ25日ありますが，配線工事は1か月かかります。

解答（3）

アローネットワーク

1 用語

ネットワーク工程表では，矢印（アロー）を用いた，アロー形ネットワーク工程表が代表的なものです。

①作業[※4]（アクティビティ）

各作業を実線の矢印で表します。矢印の向きは作業が進む方向を示します。

一般に作業名は矢印の上に表示し，作業日数[※5]は矢印の下に表示します。

作業名
→
日数

②ダミー

点線の矢印で表します。実際に作業はなく（作業日数も0です），作業の順序だけを意味します。

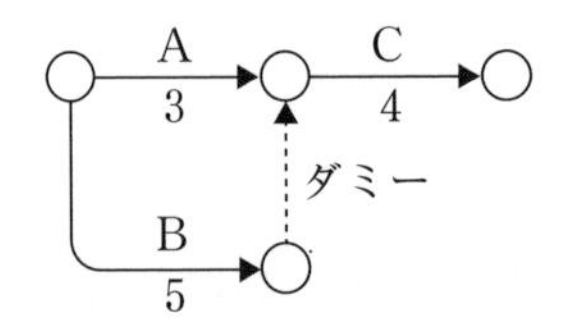

A作業はもとより，B作業が終わらないとC作業が開始できません。

③結合点（イベント）

作業の始まりや，終わりを表します。1つの節目と考えることができます。○で表記しその中に番号を入れます。その番号をイベント番号といいます。

隣り合う結合点間には，2つ以上の作業を表示できません。

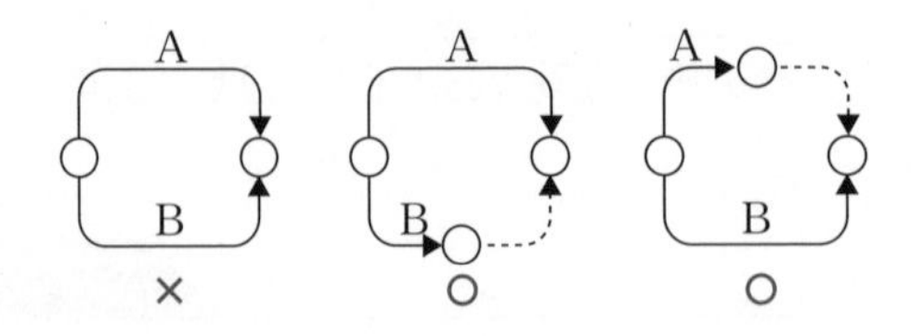

④時刻[※6]

時刻には，次の4つがあります。

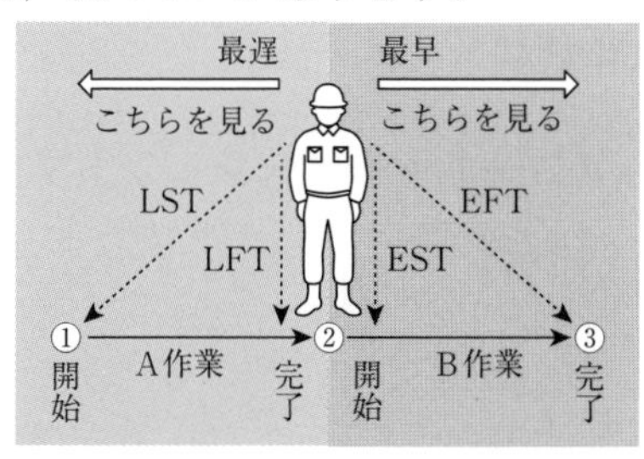

●最早開始時刻（EST）[※7]

次の作業が，最も早く開始できる時刻をいいます。

●最早完了時刻（EFT）

最も早く完了できる時刻です。EST＋Bの所要時間です。

●最遅完了時刻（LFT）[※8]

前の作業が，遅くとも完了していなくてはならない時刻です。

●最遅開始時刻（LST）

遅くとも開始しなければならない時刻です。LFT－Aの所要時間です。

⑤フロート

結合点に2つ以上の作業が集まる場合，最も遅く完了するもの以外には，時間的に余裕があります。その余裕時間をフロートといいます。

フロートには，次の3種類があります。

●フリーフロート

ある作業で使用しても，後続する作業の最早開始時刻に影響しません。つまり，最早で開始できるフロートです。

●ディペンデントフロート[※9]

使用すると，後続作業が最早で開始できなくなりま

※4
作業（アクティビティ）
試験問題では，作業名をアルファベットで表示する場合もあります。

※5
作業日数
作業日数のことをデュレイションといいます。

※6
時刻
4つのうち，最早開始時刻と最遅完了時刻が重要です。

※7
最早開始時刻(EST)
Earliest Start Time。
最も早く開始できる日です（翌日から次の作業が開始できます）。

※8
最遅完了時刻(LFT)
Latest Finish Time。
前作業が，遅くとも完了していなければならない時刻です。

※9
ディペンデントフロート
ディペンデント＝従属している，という意味です。

す。ただ，最遅では開始できます。

● **トータルフロート**

フリーとディペンデントの合計です。

トータルフロート＝フリーフロート＋ディペンデントフロート

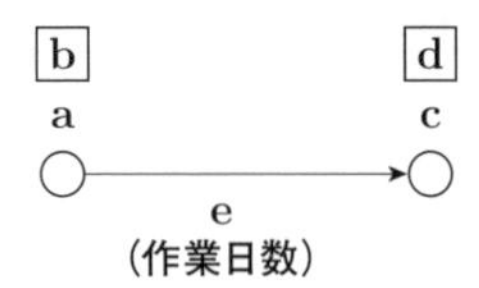

ディペンデントフロート＝d－c

フリーフロート＝c－e－a

トータルフロート＝d－e－a　で計算します。(a～dは後述)

● **クリティカルパス**※10

工事完了に至る工程のうち，**最も日数を要するもの**をいいます。工期厳守には，**クリティカルパスを重点管理すること**が重要となります。

● **クリティカルイベント**※11

最早開始時刻と最遅完了時刻が同じになるイベントをいいます。

● **フォローアップ**

工程の途中で，見直しをする必要が生じたとき，その時点を起点としてネットワーク工程を組み直すことをいいます。

2 最早開始時刻（EST）の求め方

図のようなネットワークの場合，**最早開始時刻（EST）**はイベント番号の上に記入します。

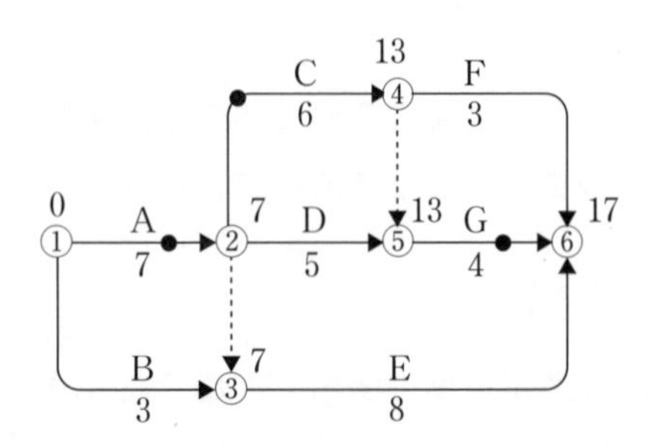

●手順

a. イベント番号①がスタート[※12]で，⑥がゴールになります。まず，①の上方に0を記入します。

b. イベント番号②への矢印は1本のみで，②に7と記入します。これは，A作業が完了した7日目の夕刻を意味します。

c. ③に入る矢印は2本あります（ダミーの矢印も含める）。この場合は，2系統の比較をします。
つまり，①→②┈→③は7日で，①→③は3日です。B作業は3日で完了しますが，A作業が7日なので，A作業の終了を待たなければ次のE作業は開始できません。したがって，③に7と記入します。

d. ④は1本なので，②の上の数字7日と6日を足して，④に13を記入します。

e. ⑤は④┈→⑤が13日，②→⑤が12日なので，大きいほうの数字13を⑤に記入します。

f. ⑥には3本の矢印があります。④→⑥が16日，⑤→⑥が17日，③→⑥が15日なので，⑥に17を記入します。
以上で，ESTをすべて求めたことになります。
これにより，次のことがわかります。

● 所要日数[※13]は17日

● クリティカルパスの表記はA→C→Gまたは，①→②→④┈→⑤→⑥となります。

ESTを求めるときに，クリティカルパスのルートに印を付けておくと，便利です。

③に至るには，②からのルートのほうが日数がかかるので，①→②の「→」に黒丸を付けておきます。以下同様です。

※10
クリティカルパス
クリティカルは，「特別な」，「危険な」という意味で，パスは「道」です。その工程の作業のどれか1つでも遅延すると，工期が超過してしまう，特別な，危険な道です。必ず1本はあり，複数本のこともあります。

※11
クリティカルイベント
クリティカルパスは，必ずクリティカルイベントを通りますが，クリティカルイベントだからといって，クリティカルパスがそこを通るとは限りません。

※12
スタート
これから工事が始まる朝なので，0と記入します。記入は，イベント番号の上方で，空いているスペースを見つけて行います。

※13
所要日数
所要工期と表現することもあります。

3 最遅完了時刻（LFT）の求め方

次に，最遅完了時刻（LFT）[※14]を求めます。これは，最早開始時刻の計算とはすべてが逆に考えます。イベント番号⑥から①に向かいます。

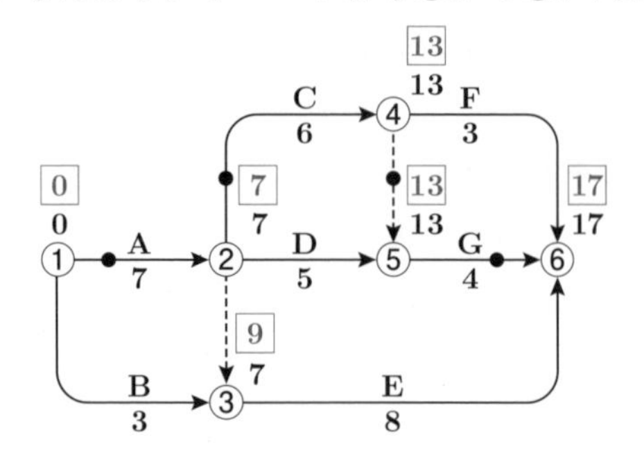

●手順

a. ⑥の上に17と書いてありますが，その上に同じ17を書きます。そして，ESTと区別するため，□で囲み表示します。[17]です。

b. ⑥から⑤に戻ります。⑤から出る矢印は1本で，[17]－4＝13日であり，⑤の上に[13]と記入します。

c. ④は，ここから出ていく矢印が2本あるため，2系統を考えます。まず，④←⑥では，[17]－3＝14日で，前作業のCは遅くとも14日までに完了していればよいのですが，④←…⑤では，[13]－0＝13日までです。したがって，小さいほうの数字[13]を④に記入します。

d. ③については，出る矢印が1本なので簡単です。[17]－8＝9日で，③に[9]を記入します。

e. ②は，矢印が3本なので，3系統の比較です。②←④は[13]－6＝7日で，②←⑤は，[13]－5＝8日，②←…③は，[9]－0＝9日です。一番小さいのは7日なので，②に[7]を記入します。

f. 最後は①に[0]を記入します。

以上で，LFTをすべて求めたことになります。

これにより，次のすべてのフロートがわかります。

・フリーフロート

・ディペンデントフロート

・トータルフロート

たとえば,

B作業について，各フロートは次のとおりです。

・フリーフロート：7－3－0＝4日

・ディペンデントフロート：[9]－7＝2日

・トータルフロート：[9]－3－0＝6日

※14

LFTの求め方

引き算していきます。その際，LFTの数字から作業日数を引きます。明確にするため，[17]のように四角を付けたまま表記しています。

チャレンジ問題！

問1 難 中 易

図に示すネットワーク工程の所要工期（クリティカルパス）として，正しいものはどれか。

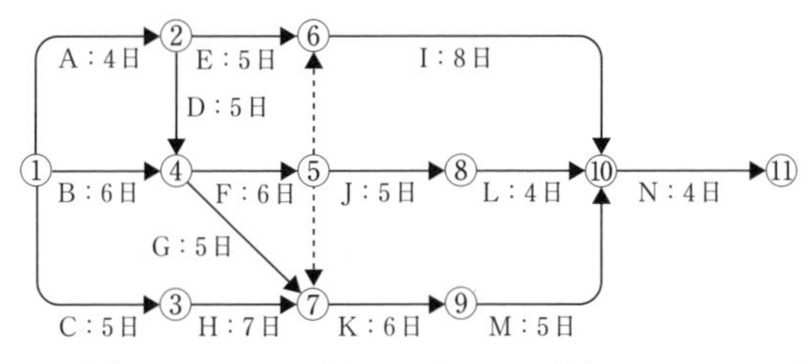

(1) 21日　(2) 24日　(3) 26日　(4) 28日　(5) 30日

解説

結合点の上に最早開始時刻（EST）を書き入れると，図のようになります。これより，所要日数は30日です。

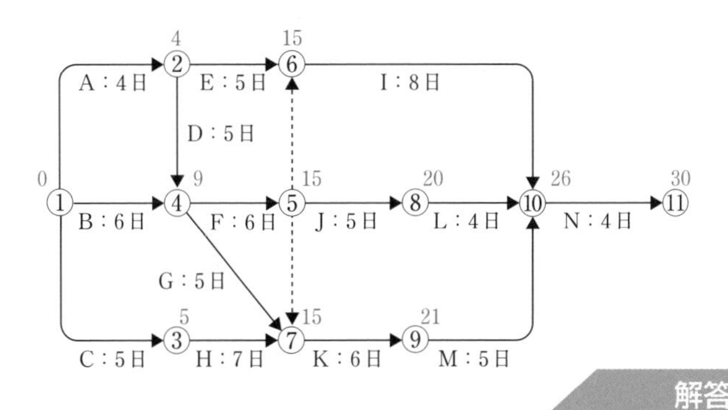

解答（5）

経済速度・採算速度

1 経済速度

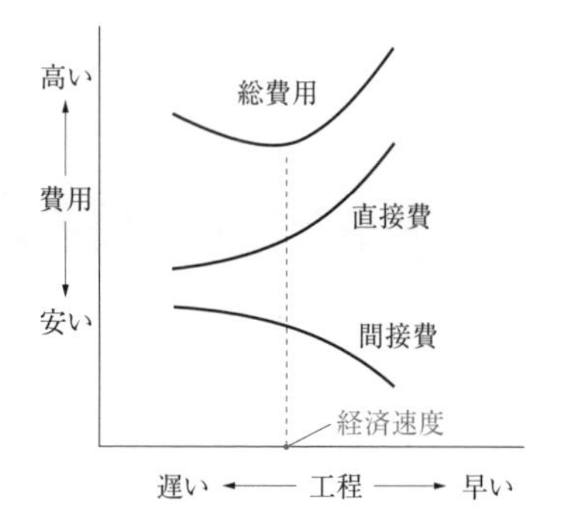

経済速度とは，工程管理において，直接費（機械器具費，材料費，労務費など）と間接費（共通仮設費，営業経費など）を合わせた総費用が最小となる最も経済的な施工速度のことです。また，このときの工期を最適工期ともいいます。

図から，施工速度を上げると直接費は増加し，逆に間接費は減少します。総費用は，経済速度までは減少しますが，それよりスピードアップすると増加していきます。

適切な速度で工程管理を行うことで，工事費を安くすることができます。工程速度を上げると出来高が増え，原価は安くなりますが，あるところから原価は逆に高くなります。これは，突貫工事[※15]の状態となるためです。

2 採算速度

工事総原価は，次の式で計算されます。

工事総原価（y）＝固定原価＋変動原価

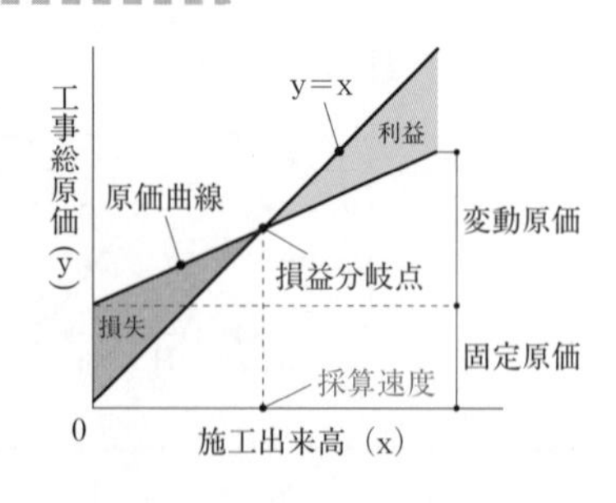

固定原価は，現場事務所経費，現場代理人の給与など，施工量の増減に関係なく必要な原価をいいます。

変動原価は，材料費，労務費などのように施工量にほぼ比例して増減する原価です。

原価曲線が$y=x$の直線と交わる点が損益分岐点で，それより下部が損失で上部は利益となります。

※15
突貫工事
工期の遅れを防止するため，やむなく行うものですが，極力避けなければなりません。

チャレンジ問題！

問1 難 中 易

図に示す利益図表において，ア〜ウに当てはまる語句の組合せとして，適当なものはどれか。

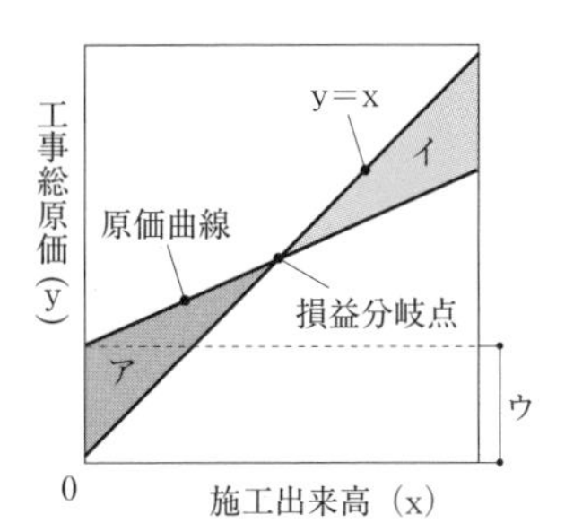

	アの領域	イの領域	ウ
(1)	利益	損失	固定原価
(2)	利益	損失	変動原価
(3)	損失	利益	固定原価
(4)	損失	利益	変動原価

解説

原価曲線が$y=x$の直線と交わる点が損益分岐点で，それより下部が損失で上部は利益となります。

解答（3）

第4章 施工管理

CASE 3 品質管理

まとめ & 丸暗記 この節の学習内容とまとめ

□ 管理図

データの折れ線と管理限界線を表示した図

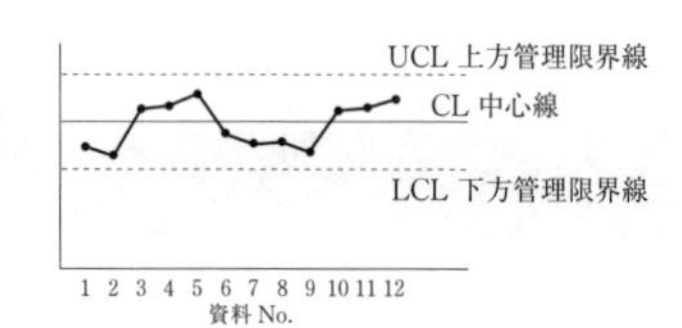

□ ヒストグラム

データの全体分布

30
n＝100
度数
20
10
（規格の下限）
（規格の上限）
16 17 18 19 20
15.5
20.5
スランプ〔cm〕

□ 特性要因図

特性（結果）と要因（原因）の関係

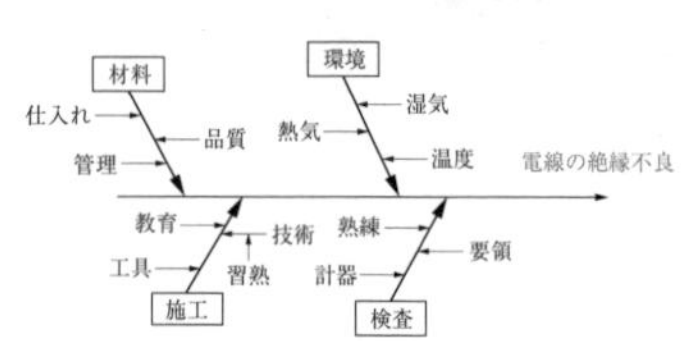

□ パレート図

棒グラフと累計の折れ線グラフ

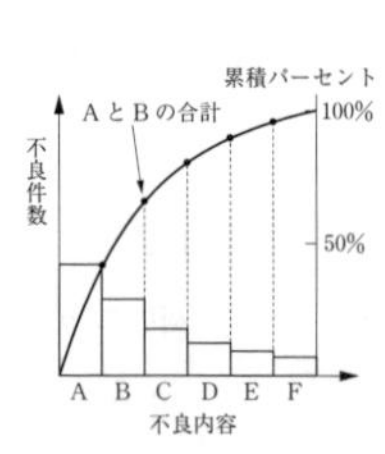

□ 高圧ケーブルの耐圧試験

①交流試験電圧は，6,900×1.5＝10,350〔V〕

②直流試験電圧は，交流試験電圧の2倍（20,700V）

③所定の交流または直流の試験電圧を，電路と大地間に連続して10分間印加

品質管理の基本

1 品質管理

品質管理[※1]とは，買い手の要求に合った品物やサービスを，経済的に作り出すための手段の体系をいいます。要求する品質と品質をつくり出すために必要な原価とのバランスが重要です。

品質管理は，施工図の検討，機器の工場検査，装置の試運転調整をはじめ，施工の各段階でチェックリストなどを作成し，計画的に管理します。品質管理を行うことにより，品質の向上，品質の均一化，手直しの減少，工事原価の低減などの効果があります。

2 品質管理の要点

品質管理を行うときは，作業標準を定め，その作業標準通り行われているかをチェックします。

また，問題発生後の検出に頼るより，問題発生の予防に力点を置くことが望ましく，異常を発見したときは，原因を探し，その原因を除去する処置をとります。

品質管理は，設計図書で要求された品質に基づく品質計画におけるすべての目標について，同じレベルで行うのではなく，それぞれの水準に合わせた管理が必要になります。

3 デミングサイクル

デミングサイクル[※2]は一般に，品質管理を行う場合，

※1
品質管理
QC（Quality Control）ともいいます。

※2
デミングサイクル
ウィリアム・エドワーズ・デミングが考案したものです。英単語の頭文字をとって表記します。P→D→C→Aの順番と，これを繰り返すということが大切です。AからPに戻るとき，Pはさらにグレードアップさせることです。スパイラルアップといいます。

次の手順に従います。
①計画をたてる。(Plan〈計画〉)
②実施する。(Do〈実施〉)
③検討する。(Check〈検討〉)
④処置する。(Action〈処置〉)

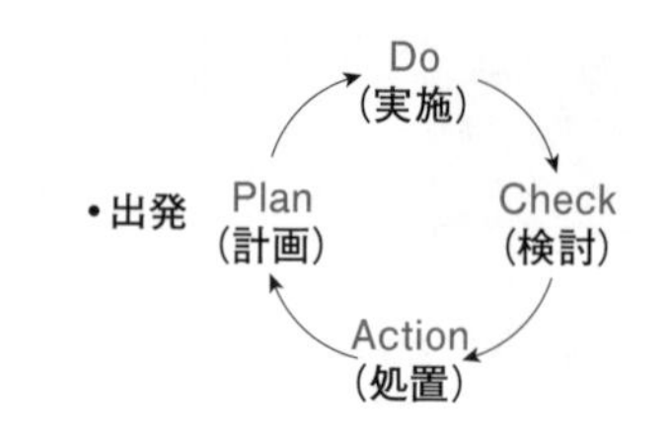

P → D → C → Aで再度Pに戻ります。この繰返しをデミングサイクルとよびます。このサイクルを回していくことが品質管理の基本となり，よりよい製品を生み出します。

4 品質管理の用語

ISO 9000[※3]の品質マネジメントシステムに関して，日本産業規格（JIS Q 9000）に定められた主な用語は次のとおりです。

①レビュー

設定された目標を達成するための検討対象の適切性，妥当性および有効性を判定するために行われる活動です。

②プロセス

インプットを使用して意図した結果を生み出す，相互に関連または作用する一連の活動です。

③継続的改善

パフォーマンスを向上するために繰り返し行われる活動です。

④トレーサビリティ

考慮の対象となっているものの履歴，適用または所在を追跡できることをいいます。

⑤是正措置

不適合の原因を除去し，再発を防止するための処置です。

⑥予防処置

これから起こりうるであろう状況の原因を，除去するための処置です。

⑦手直し

要求事項に適合させるための，不適合製品にとる処置です。

⑧再格付け

当初の要求事項とは異なる要求事項に適合するように，不適合となった製品またはサービスの等級を変更することをいいます。

⑨特別採用

本来ならば合格品ではないものを，責任者や顧客の判断によって合格とすることです。

※3
ISO
ISOは国際標準化機構のことです。
JISは日本産業規格で，JIS Q 9000とISO 9000が品質管理に関するものです。
JIS Q 9000（ISO 9000）のように，併記されることがあります。

チャレンジ問題！

問1 難 中 易

品質管理に関する記述として，最も不適当なものはどれか。

(1) 品質管理は，設計図書で要求された品質に基づく品質計画におけるすべての目標について，同じレベルで行う。
(2) 品質管理は，問題発生後の検出に頼るより，問題発生の予防に力点を置くことが望ましい。
(3) 作業標準を定め，その作業標準通り行われているかどうかをチェックする。
(4) 異常を発見したときは，原因を探し，その原因を除去する処置をとる。
(5) P→D→C→Aや管理のサイクルを回していくことが，品質管理の基本となる。

解説

同じレベルでの管理ではなく，それぞれの水準に合わせた管理をします。

解答（1）

QCの道具

1 管理図

管理図は，データをプロット[※4]して結んだ折れ線と，管理限界線を表示した図であり，データの時間的変化，異常なばらつきがわかります。

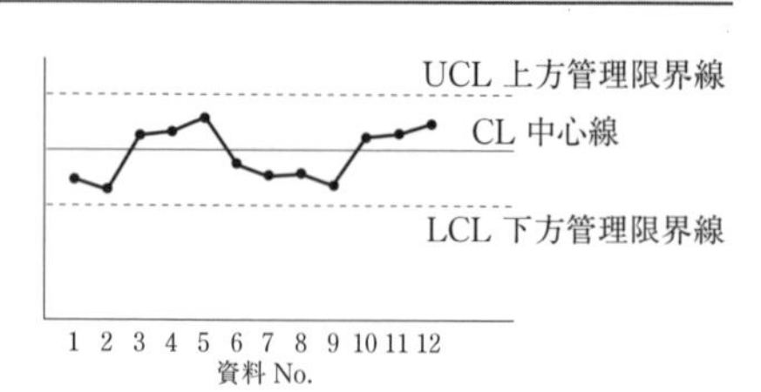

2 ヒストグラム

ヒストグラム[※5]は，「柱状図」ともよばれるもので，データの全体分布や，概略の平均値，規格の上限，下限から外れている度合いがわかります。

全データは許容誤差内におさまるようにします。さらに**正規分布曲線**に近い形になるのが理想です。

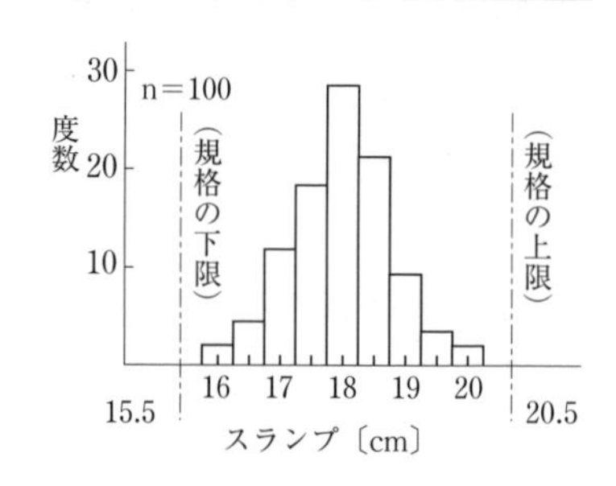

3 特性要因図

特性要因図は，特性（結果）と要因（原因）の関係を図にしたものです。

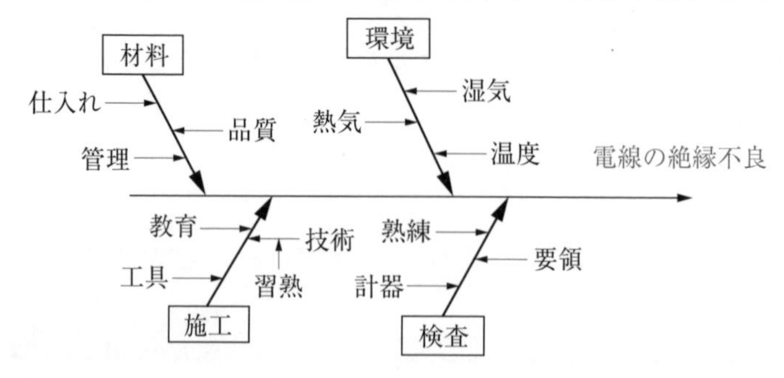

「魚の骨」とも呼ばれるもので，不良とその原因が体系的にわかります。ブレーンストーミング[※6]のかたちで原因を調べます。

4 パレート図

パレート図は，製品に生じた不良項目を種類ごとにまとめ，件数の多い順に並べて棒グラフを作り，さらに，累計の折れ線グラフを表示したものです。

累積パーセント
AとBの合計
100%
50%
不良件数
A B C D E F
不良内容

パレート図を用いると，全体の不良をある率まで減らす対策の対象となる重点不良項目がわかります。

※4
プロット
点をグラフ(図)に落とし込んでいくことです。

※5
ヒストグラム
棒グラフは5～10本程度になるように範囲を設定します。

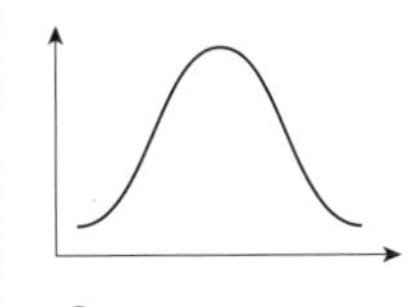

※6
ブレーンストーミング
集団発想法。なぜそういう結果になったのかを，各人がいろいろな視点から考えて原因を追究します。

チャレンジ問題！

問1 　難　**中**　易

品質管理に用いられる図表に関する次の記述に該当する名称として，適当なものはどれか。

「データの範囲をいくつかの区間に分け，区間ごとのデータの数を柱状にして並べた図で，データのばらつきの状態が一目でわかる。」

(1) 管理図　(2) パレート図　(3) ヒストグラム　(4) チェックシート

解説

区間ごとのデータの数を柱状にした図なので，ヒストグラムです。

解答 (3)

試験・検査

1 全数検査

全数検査とは，すべての製品について検査を実施することです。

全数検査が適用されるのは次の場合です。

- 不良品の混入が許されない製品であるとき
- 製品がロット[※7]として処理できないとき

具体的には，防災機器や特注製品，大型機器などや，直ちに取替えがきかない機器などです。

2 抜取り検査

抜取り検査は，次の場合に適用します。

- 品物を破壊しなければ検査の目的を達し得ないもの
  ※破壊試験をしたら商品価値がなくなってしまう。
- 試料の抜取りがランダム[※8]にできる
- ロットにある程度の不良品が混入している可能性がある
  ※ある程度の不良品の混入は許される。

3 工場立会検査

照明器具などのメーカ標準品については，工場立会検査の対象としなくてもよいが，**特注品**については工場立会検査を実施します。

現場代理人が検査に必ず立ち会わなければならないものではなく，立ち会わない場合は，現場代理人が**検査員**[※9]**を指名**します。

工事に立ち会う**検査員**は，検査の実施に先立ち関係者と協議し，検査項目，検査方法および判定基準を決定します。

工場立会検査に使用する**測定機器**は，校正成績書等によりトレーサビリ[※10]

ティがとれたものとします。また，メーカが事前に行った社内検査の試験成績書は，工場立会検査の検査資料として使用できます。

検査員は，検査結果などを検査記録に記載します。検査結果がすべて合格の場合には，検査記録に「指摘事項なし」などと記録します。

4 高圧ケーブルの試験

①交流試験電圧

公称電圧[※11]6,600Vの高圧ケーブルに所定の電圧を印加して，絶縁破壊しないことを確認します。

交流の試験装置を用いる場合，下記によります。

- 交流試験電圧は，6,900V×1.5＝10,350V
- 所定の交流試験電圧を，電路と大地間に連続して10分間印加する

②直流試験電圧

直流の試験装置を用いる場合，下記によります。

- 直流試験電圧は，交流試験電圧の2倍（20,700V）とする（結果として，最大使用電圧の３倍）
- 所定の直流試験電圧を，電路と大地間に連続して10分間印加する

5 絶縁耐力試験

ケーブル以外の高圧受変電設備についても，同様の試験電圧をかけて，絶縁破壊しないことを確認します。

- 試験実施の前に，計器用変成器の二次側に接地されていることを確認する

※7
ロット
同一の生産工場，生産工程で生産された製品をいいます。

※8
ランダム
規則性を持たずでたらめに，無作為にという意味です。

※9
検査員を指名
その工事内容を熟知しており，工場検査に精通している人が望まれます。

※10
トレーサビリティ
トレース（Trace：追跡）とアビリティ（Ability：能力）を組み合わせた造語で，追跡可能なものという意味です。

※11
公称電圧6,600V
この場合の最大使用電圧は6,900Vになり，これが基準になります。

- 試験実施の前後に絶縁抵抗測定を行い，絶縁抵抗値が規定値以上であることを確認する
- 試験電圧の半分ぐらいまでは徐々[※12]に昇圧し，検電器で機器に電圧が印加されていることを確認したのち，試験電圧まで昇圧する
- 試験終了後，電圧を零に降圧して電源を切り，検電して無電圧であることを確認してから接地し，残留電荷を放電する

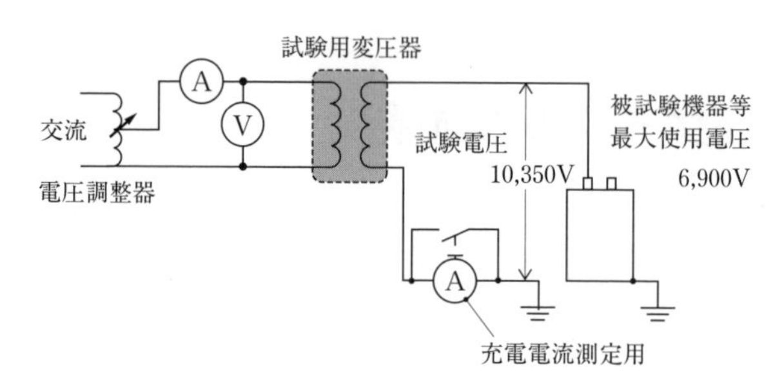

6 照度測定

①測定器

照度測定器の種類は表のとおりです。

一般形精密級照度計	精密測光，光学実験などの研究室レベルで要求される高精度の照度測定に用いる
一般形AA級照度計	適合性評価などにおける，照度値の信頼性が要求される照明の場での照度測定に用いる
一般形A級照度計	実用的な照度測定に用いる
特殊形**照度測定器**	特定システムの一部であるような照度測定器，LEDなどの特殊光源を測定する照度測定器など特定の性能項目に特化した測定に用いる

※特殊形は，一般形とは区別される照度測定器です。

②照度測定方法

事務室における照度測定方法に関する記述として，日本産業規格（JIS）の定めは次のとおりです。

- 放電灯は30分間点灯させた後，照度測定を開始する

- 机等がなく，特に指定もない場合，床上80cmの位置を測定面とする

※12
徐々に昇圧
一気に上げるのではなく，メータの読みを確認しながら，ゆっくり上げます。

7 非常用照明設備の検査

- 照明器具に，日本照明工業会規格（JIL）適合マーク[※13]が貼付されていることを確認する
- 予備電源は，常用の電源が断たれた場合に自動的に切り替わることを確認する
- 白熱灯の場合は，常温下で床面の水平面照度が1lx以上，蛍光灯およびLEDの場合は，2lx以上で確保されていることを確認する
- 常時点灯方式の電池内蔵形器具への配線は，点滅器を設置した回路から分岐した場合，3線引きであることを確認する

※13
適合マーク

チャレンジ問題！

問1　難　中　易

公称電圧6,600Vの交流電路に使用する高圧ケーブルの絶縁性能の試験（絶縁耐力試験）に関する記述として，「電気設備の技術基準とその解釈」上，不適当なものはどれか。

(1) 交流試験電圧は，最大使用電圧の1.5倍とした。
(2) 直流試験電圧は，最大使用電圧の2.0倍とした。
(3) 所定の交流試験電圧を，連続して10分間印加した。
(4) 所定の直流試験電圧を，連続して10分間印加した。

解説

直流試験電圧は，最大使用電圧の３倍です。

解答（2）

CASE 4 安全管理

まとめ & 丸暗記　この節の学習内容とまとめ

□ 数値基準（原則は次のとおり）

項目	数値
手すり	85cm以上
昇降設備	1.5mを超える箇所に設置
通路の障害物	1.8m以内に置かない
照度	作業場所の高さが2m以上の箇所に必要な照度を確保
作業床	作業場所の高さが2m以上の箇所で設置
投下設備	3m以上から物体を投下
登りさん橋	8m以上の登りさん橋には，7m以内ごとに踊場を設置
架設通路	30度以下の勾配

□ 資格

種類	取得方法
免許	都道府県労働局長が行う試験に合格
技能講習	都道府県労働局長の登録を受けた者が行う講習を修了
特別の教育	事業所が行う教育

□ 作業主任者

①ガス溶接作業主任者，②酸素欠乏危険作業主任者，③石綿作業主任者，④足場の組立て等作業主任者（5m以上），⑤地山の掘削作業主任者（2m以上），⑥土止め支保工作業主任者，⑦鉄骨の組立て等作業主任者，⑧型枠支保工の組立て等作業主任者

建設現場の安全

1 電気安全

①停電作業

高圧受電設備の停電作業を行う場合，電路が無負荷であることを確認し，高圧の電路の断路器を開路します。開路した直後の電力コンデンサには残留電荷があり危険なので，放電させます。

開路した高圧の電路の停電を検電器具で確認した後，短絡接地を施します。

②高圧活線近接作業

高圧活線近接作業とは，高圧の充電電路に対して，頭上距離30cm以内，躯側距離※1または足下距離60cm以内に接近して行う作業のことです。

高圧の充電電路への接触による感電のおそれがない場合であっても，事業者から命じられたときは，絶縁用保護具※2を着用しなければなりません。

また，当該充電電路には，絶縁用防具※3を装着します。

③点検

絶縁用保護具は，その日の使用を開始する前に損傷の有無や乾燥状態を点検します。絶縁性能についての自主検査は6か月以内ごとに1回実施し，その記録は3年間保存します。

電気機械器具の充電部分に感電を防止するために設ける絶縁覆いは，毎月1回損傷の有無を点検します。

高圧電路の停電を確認するために使用する検電器具※4は，その日の使用を開始する前に検電性能を点検します。

※1
躯側距離
人体の側面，簡単にいえば腕を広げたとき肩から60cmの距離です。

※2
絶縁用保護具
人体に装着するものです。

※3
絶縁用防具
高圧電路に装着するものです。

※4
検電器具
低圧用と高圧用など，使用電圧に適したものを使用します。

常時使用する※5対地電圧が150Vを超える移動式の電動機械器具を使用する電路の感電防止用漏電しゃ断装置は，その日の使用を開始する前に点検し，異常を認めたら，直ちに補修または取替えを行います。

2 掘削作業

掘削作業時に，地中電線路を損壊するおそれがある場合は，掘削機械を使用せず手掘りで掘削します。また，ガス導管等が露出したときは，適切に※6つり防護を行います。

掘削において土止め支保工を設けたときは，7日をこえない期間ごとに点検を行い異常が認められたときは直ちに補修します。

砂からなる地山を手掘りで掘削する場合，掘削面の勾配を35度以下とします。

3 高所作業等

①数値基準

●作業床

作業場所の高さが※72m以上の場合は，作業床を設けます。幅40cm以上，すき間※83cm以下とします。

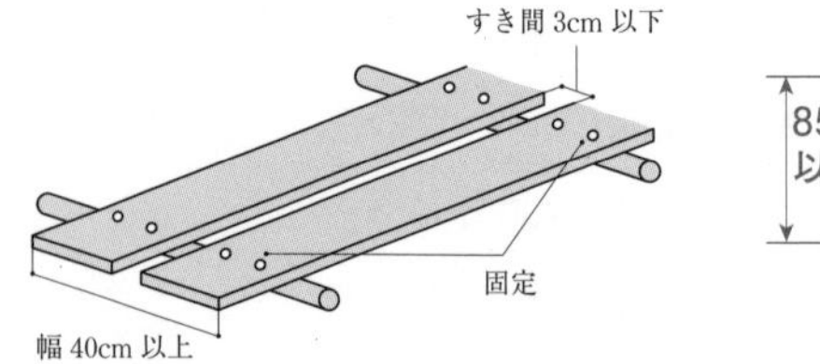

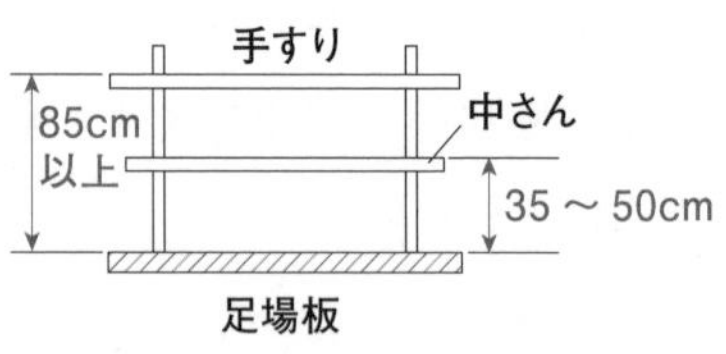

また，手すりの高さは85cm以上とします。また，中間部に35～50cmの高さの中さんを入れます。作業床に開口部がある場合，その周囲は，墜落防止のための囲いを設けます。作業を安全に行うために※9仮設照明を設け，作業に必要な照度を確保します。

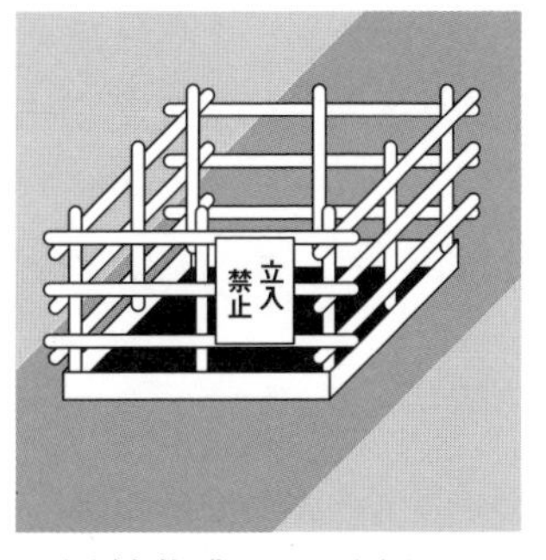

屋外作業で，強風による危険が予想される場合は，作業は中止[※10]します。

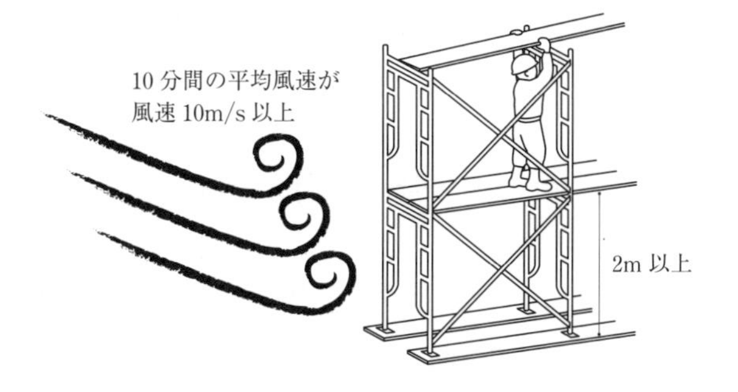

●脚立

脚と水平面との角度が75度以下のものを使用します。なお，脚立の天板に立って作業することはできません。

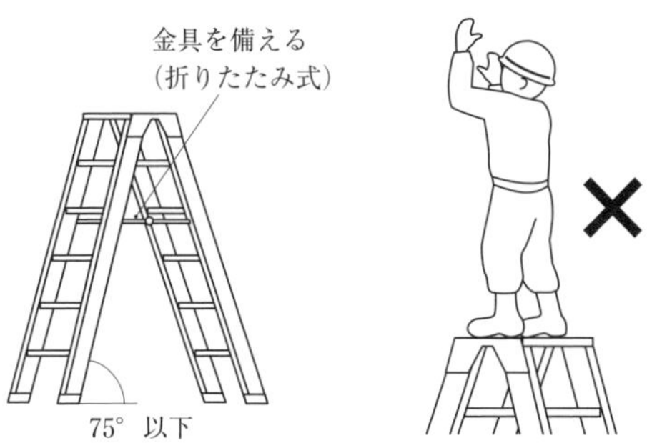

●移動はしご

幅が30cm以上のものを使用します。

※5

対地電圧

電源各線の地面に対する電圧です。住宅では，原則，対地電圧は150V以下と定められています。

※6

つり防護

必要に応じ，ガス会社等への掘削立ち会いを求め，適切な指示にて処置を行います。

※7

2m以上

作業する足元の高さです。

※8

3cm以下

吊り足場や一側足場は，すき間が無いようにします。

※9

仮設照明

高さ2m以上の作業床で作業を行う場合に必要です。

※10

作業は中止

墜落制止用器具を着用させて作業させることはできません。

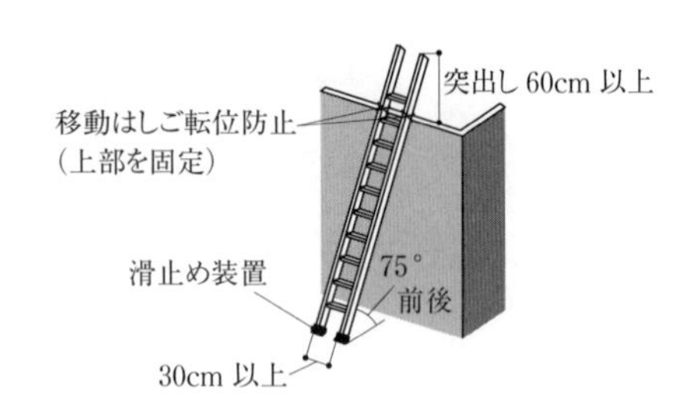

● **歩み板**

踏み抜きの危険のある屋根等には，幅30cm以上の歩み板を設けます。

● **通路**

屋内に設ける通路には，通路面から高さ1.8m以内に障害物がないようにします。

● **架設通路**

架設通路の勾配は，30度以下[※11]とします。また，勾配が15度を超えるものには，踏さんその他の滑止めを設けます。

● **踊場**

高さが8m以上の登りさん橋には，7m以内ごとに踊場を設けます。

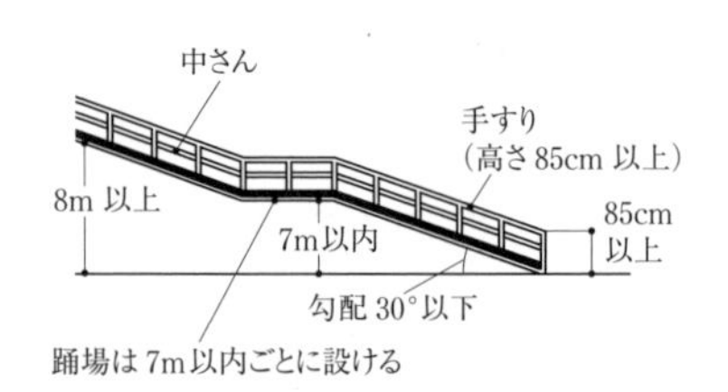

● **投下設備**

3m以上の高所から物体を投下するときは，投下設備[※12]を設け，監視人を配置します。

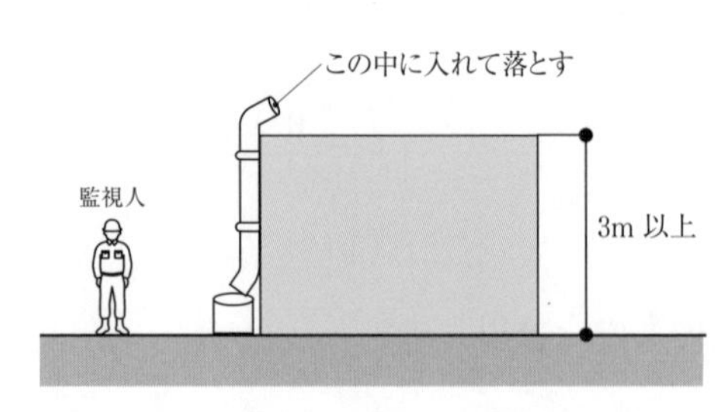

● **昇降設備**

高さまたは深さが1.5mを超える箇所で作業を行うときは，安全に昇降するための設備を設けます。

②高所作業車

事業者は，高所作業車を用いて作業するときは，作業の指揮者を定め，その者に作業の指揮を行わせます。また，高所作業車の作業床の高さが10m以上の運転の業務においては，技能講習を修了した者でなければ業務に就くことはできません。

1か月以内ごとに1回，定期的に高所作業車の安全装置の異常の有無等について，自主検査を行い，その検査の結果等を記録し，3年間保存します。

※11
30度以下
階段を設けたものや，高さが2m未満で丈夫な手掛けを設けたものはこの限りではありません。

※12
投下設備
投下した物体が散らばらないようにした，ダストシュートのような設備です。

チャレンジ問題！

問1　難　**中**　易

墜落等による危険を防止するために，事業者が講ずべき措置に関する記述として，「労働安全衛生法」上，誤っているものはどれか。

(1) 脚立は，脚と水平面との角度が75度のものを使用した。
(2) 昇降用の移動はしごは，幅が30cmのものを使用した。
(3) 踏み抜きの危険のある屋根上には，幅が20cmの歩み板を設けた。
(4) 作業場所の高さが2mなので，作業床を設けた。

解説

踏み抜きの危険のある屋根上には，幅が30cm以上の歩み板を設けます。

解答（3）

安全衛生教育

1 資格

作業員等が取得する資格として，次のものがあります。

①免許

都道府県労働局長[※13]が行う試験に合格して取得します。最も難易度の高い資格です。

②技能講習

都道府県労働局長の登録を受けた者が行う講習を修了して取得します。

③特別教育

事業所が行う教育です。最も取得しやすい資格です。

2 職長教育

事業者が，新たに職務に就くこととなった**職長**に対して行わなければならない**安全**または**衛生**のための**教育**として，定められているものは，次のとおりです。

- 作業方法の決定および労働者の配置に関すること
- 労働者に対する指導または監督の方法に関すること
- 作業行動その他業務に起因する危険性または有害性等の調査に関すること

3 特別教育

建設現場において，**特別教育**を修了した者が就業できる業務は，次のとおりです。ただし，道路上を走行させる運転を除きます。

- 高圧の充電電路やその支持物の敷設および点検
- アーク溶接[※14]機を用いて行う金属の溶接の業務

- エックス線装置を用いて行う透過写真の撮影の業務
- 研削といしの取替えと試運転
- ゴンドラの操作の業務
- 吊上げ荷重が1t未満の移動式クレーンの運転の業務
- 最大荷重が1t未満のフォークリフトの運転
- 作業床の高さが10m未満の高所作業車[※15]の運転

4 作業主任者

①種類

労働災害を防止するための管理を必要とする作業について，事業者が作業主任者を選任します。作業主任者を選任したときは，その者の氏名およびその者に行わせる事項を，作業場の見やすい箇所に掲示するなどして，関係労働者に周知します。

作業主任者は，免許取得者または技能講習修了者でなければなりません。

主な作業主任者は次のとおりです。

- ガス溶接作業[※16]主任者
- 酸素欠乏危険作業[※17]主任者
- 石綿作業主任者
- 足場の組立て等作業主任者（吊り足場，張出し足場，および高さ５m以上の足場）
- 地山の掘削作業主任者（高さ２m以上）
- 土止め支保工作業主任者
- 鉄骨の組立て等作業主任者
- 型枠支保工の組立て等[※18]作業主任者

上記のうち，ガス溶接作業主任者のみ免許，他は技能講習修了が必要です。特別教育だけでは，作業主任

※13
都道府県労働局長
都道府県労働局は国の出先機関で，局長はその最高責任者です。

※14
アーク溶接
可燃性ガスおよび酸素を用いて行う金属の溶接は技能講習であり，特別教育に該当しません。

※15
高所作業車
高所作業車は６か月以上継続して使用しているものとします。

※16
ガス溶接作業
アセチレン溶接装置を用いて行う金属の溶接の作業が該当します。

※17
酸素欠乏危険作業
酸素欠乏とは，空気中の酸素濃度が18%未満の状態のことで，そのようなおそれのある場所での作業をいいます。

※18
組立て等
型枠支保工の解体の作業も含まれます。

者になることはできません。

②職務

作業主任者の主な職務は，次のとおりです。

- 材料の欠点の有無を点検し，不良品を取り除く
- 器具，工具，要求性能墜落制止用器具，保護帽を点検し，不良品を取り除く
- 作業方法，労働者の配置を決め，作業の進行状況を監視する

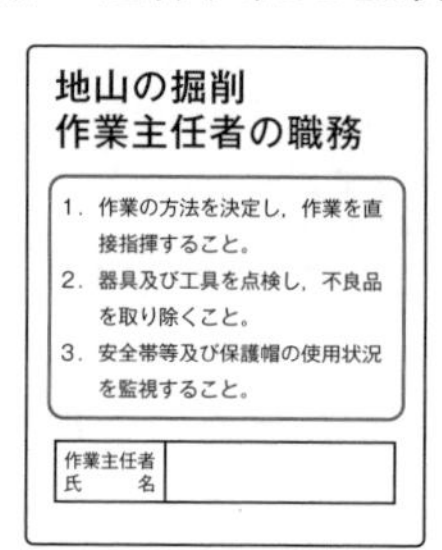

なお，酸素欠乏危険作業主任者の職務として，酸素濃度測定もあり，それぞれの作業主任者により細かい内容は異なります。

③酸素欠乏危険作業

酸素欠乏危険作業を行う場合，次のことに留意します。

- 事業者は，酸素欠乏危険作業主任者を選任する
- その日の作業を開始する前に空気中の酸素および硫化水素の濃度を測定する
- 酸素濃度が薄くなるおそれのある場所における作業では，空気中の酸素濃度を18%以上に換気する
- 従事させる労働者の入場および退場時に，人員を点検する

なお，第一種酸素欠乏危険作業とは，たとえば地下に敷設されたケーブルを収容するマンホール内部での作業や，地下ピット内での作業が該当します。

※19 第二種酸素欠乏危険場所とは，たとえば汚水槽内での作業が該当します。

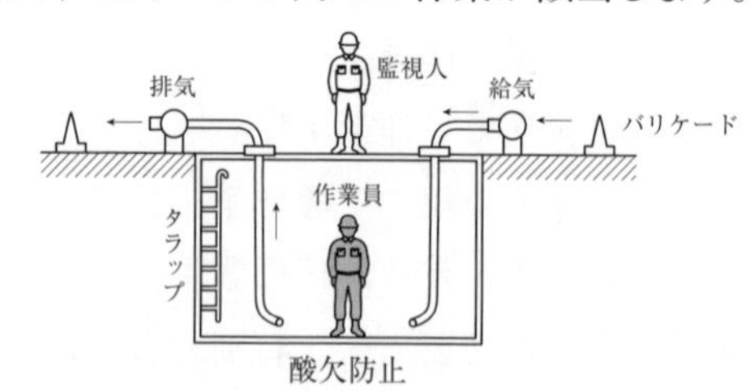

酸欠防止

5 移動式クレーン

移動式クレーンの運転に必要な資格です。

吊上げ荷重	資格
1t未満	特別教育
1t以上5t未満	技能講習
5t以上	免許

なお，玉掛け業務は1ｔ未満は特別教育，1t以上は技能講習が必要です。

※19
第二種酸素欠乏危険場所
酸素欠乏と硫化水素濃度が高い場所です。両方の測定が必要です。硫化水素濃度は，10ppm以下です。

チャレンジ問題！

問1　難 中 易

酸素欠乏危険作業に関する記述として，「労働安全衛生法」上，誤っているものはどれか。

(1) 酸素欠乏危険場所に労働者を入場および退場させるときに，人員の点検を行った。
(2) 第二種酸素欠乏危険場所において，その日の作業を開始する前に空気中の酸素および硫化水素の濃度を測定した。
(3) 地下に敷設されたケーブルを収容するマンホール内部での作業は，第一種酸素欠乏危険作業である。
(4) 作業を行うにあたり，当該現場で実施する特別の教育を修了した者のうちから，酸素欠乏危険作業主任者を選任した。

解説

どのような種類の作業主任者であれ，特別の教育を修了した者ではなることができません。酸素欠乏危険作業主任者は技能講習修了者から選任します。

解答（4）

CASE 5 工事施工

まとめ & 丸暗記　この節の学習内容とまとめ

□ 配電盤等の最小保有距離〔m〕

部位別／機器別	前面または操作面	背面または点検面	列相互間（点検を行う面）※1
高圧配電盤	1.0	0.6	1.2
低圧配電盤	1.0	0.6	1.2
変圧器など	0.6	0.6	1.2

〔備考〕※1は，機器類を2列以上設ける場合をいう

□ 低圧屋内配線の施設場所による工事の種類

施設場所の区分／工事の種類		展		点		点×	
		乾	湿	乾	湿	乾	湿
金属管工事		◎	◎	◎	◎	◎	◎
ケーブル工事		◎	◎	◎	◎	◎	◎
合成樹脂管工事	・硬質塩化ビニル電線管 ・合成樹脂製可とう電線管(PF管)	◎	◎	◎	◎	◎	◎
	CD管	□	□	□	□	□	□
金属可とう電線管工事	2種金属製	◎	◎	◎	◎	◎	◎
金属線ぴ工事		○		○			
金属ダクト工事		◎		◎			
バスダクト工事		◎	○	◎			

展…展開した場所　点…点検できる隠ぺい場所　点×…点検できない隠ぺい場所　乾…乾燥した場所　湿…湿気の多い場所，水気の多い場所

発電工事

1 汽力発電機の据付け

汽力発電設備工事の留意点は次のとおりです。

- 発電機は，工場で組み立てて試験運転を行ったのち，固定子と回転子および付属品に分けて現場に搬入する
- 固定子の据付け，回転子の挿入，発電機付属品の組立てと据付け，発電機本体および配管の漏れ検査の順で行う
- 固定子は，蒸気タービン側と共に心出しを行い，固定子脚部が基礎金物に確実に密着し，荷重が均等になるように据え付ける
- 回転子はクレーンで水平に吊るして1/3ほど挿入し，固定子側に滑車を付けてけん引用ワイヤ定位置まで押し込む
- 回転子を挿入したのち，エンドカバーベアリングや軸密封装置等の付属品を取り付ける
- 水素冷却タービン発電機およびその付属配管の漏れ検査には，不活性ガス[※1]を使用する

※1

不活性ガス

希ガスとも呼ばれ，他の物質と化学反応しないガスです。

ヘリウム，ネオン，アルゴンなどです。

2 水力発電

水力発電所の有水試験とは，使用水量を変えて試験運転を行い，想定通りの発電が行えるか試験するものです。

①通水検査

導水路，水槽，水圧鉄管，放水路に充水し，漏水な

どの異常がないことを確認します。

②**発電機特性試験**

発電機を定格速度で運転し，電圧調整試験を実施後，無負荷飽和特性，三相短絡特性など諸特性の測定を行います。

③**負荷遮断試験**

発電機の負荷を突然遮断したときに，水車発電機が異常なく無負荷運転に移行できることを確認します。

④**非常停止試験**

発電機の一定負荷運転時に，非常停止用保護継電器の1つを動作させ，所定の順序で水車が停止することを確認します。

3 自家発電設備の施工

ディーゼル機関を用いた自家発電設備（キュービクル式自家発電設備を除く）の施工は，次の点に留意します。

- 原動機と燃料給油管の接続部分に，金属製可とう管継手を用いる
- 原動機と燃料小出槽の離隔は2m以上離す
- 燃料小出槽の通気管の通気口と建築物の開口部の離隔は1m以上離す
- 発電機の操作盤の前面には，幅1mの操作スペースを確保する
- 発電機の点検面の周囲には，幅0.6mの点検スペースを確保する
- 主燃料タンクが燃料小出槽より高い場合，燃料給油管の途中に緊急遮断弁[※2]を設ける

4 自家発電設備の耐震対策

自家発電設備の耐震対策として，次のものがあります。

- 燃料小出槽の架台頂部に，振止め措置を施す
- 防振措置を施した機器には，移動または転倒防止のための耐震ストッパを設ける

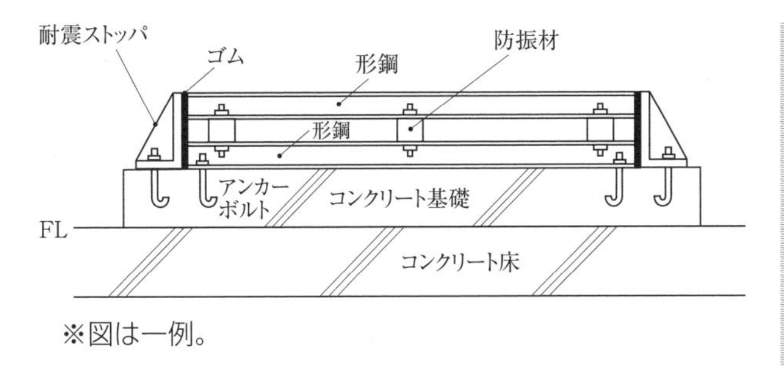

※図は一例。

●燃料管の曲がり部分には可とう管を用い，可とう管と接続する直管部は3方向の拘束支持[※3]とする

※2
緊急遮断弁
地震等で配管損傷しても緊急に閉まる本弁です。

※3
3方向の拘束支持
可とう管と接続する直管部の2方向支持では，揺れます。

チャレンジ問題！

問1 難 中 易

水力発電所の有水試験として，最も関係のないものはどれか。

(1) 通水検査として，導水路，水槽および水圧鉄管に充水し，漏水などの異常がないことを確認した。

(2) 水車関係機器の単体動作試験として，圧油装置の調整後，調速機によるガイドベーンの開閉の動作を確認した。

(3) 発電機特性試験として，発電機を定格速度で運転し，電圧調整試験を実施後，無負荷飽和特性，三相短絡特性など諸特性の測定を行った。

(4) 非常停止試験として，発電機の一定負荷運転時に，非常停止用保護継電器の1つを動作させ，所定の順序で水車が停止することを確認した。

解説

ガイドベーンの開閉の動作確認は，有水試験でなく無水試験で行います。無水試験とは，通水することなく行う試験です。

解答（2）

高圧電気工事

1 屋内の受電室（開放型）

高圧受電設備の受電室の施工に関して，高圧受電設備規程[※4]によれば，機器，配線等の離隔は図のようになっています。

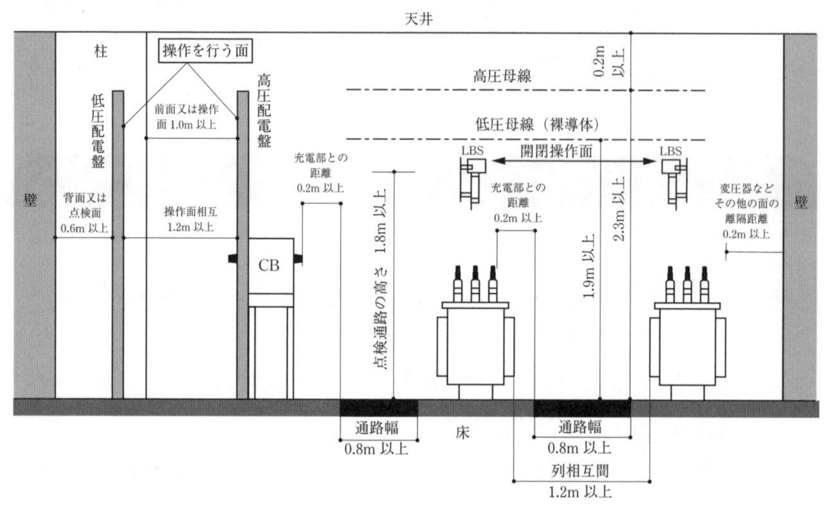

配電盤などとの最小保有距離は，次の表のように決められています。

部位別／機器別	前面または操作面〔m〕	背面または点検面〔m〕	列相互間（点検を行う面）※1〔m〕	その他の面※2〔m〕
高圧配電盤	1.0	0.6	1.2	—
低圧配電盤	1.0	0.6	1.2	—
変圧器など	0.6	0.6	1.2	0.2

〔備考〕※1は，機器類を2列以上設ける場合をいう。
※2は，操作面・点検面を除いた面をいう。

また，保安点検に必要な通路は，**幅0.8m以上**，**高さ1.8m以上**にします。

配電盤の計器面の照度は**300lx以上**とします。

一般に，高圧母線から変圧器に引き下げる絶縁電線に，高圧機器内配線用電線（KIP）を使用します。KIPの最小太さは**38mm²**（CB形），**14mm²**

(PF・S形）です。

なお，建物の鉄骨と大地との接地抵抗値が2Ω以下なら，A種，B種接地工事の接地極として使用できます。

2 高圧受電設備の施工(キュービクル)

屋外に設置するキュービクルは，隣接する建築物から3m以上離して設置し，小学校等のキュービクルは，児童が立ち入らないように柵を設けます。キュービクルへ至る保守点検のための通路は，幅0.8m以上を確保します。

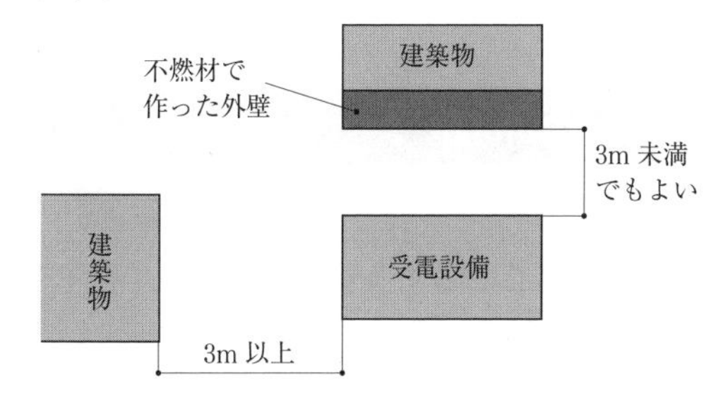

キュービクルの基礎は，十分な強度を有し，基礎内に雨水が入った場合，排水できる排水口を設けます。キュービクルの前面には足場スペースを設けるか，代替できる点検用の台等を設けていることが必要です。

また，キュービクルの開口部から内部に小動物が侵入しないよう，開口部に網を設けます。

3 高圧ケーブルのシールド接地

高圧ケーブルの断面図の銅テープにシールド接地を施します。

高圧ケーブルの地絡事故を検出するシールド接地工事を行う場合の正しい図は次のとおりです。

※4
高圧受電設備規程
日本電気協会が制定，改定する民間規格：電気技術規程
JEAC（Japan Electric Association Code）です。
キュービクルについては次のように定められています。
・高さ2m以上の開放された高所（屋上など）に設置する場合，周囲の保有距離が3mを超え，かつ安全上支障がない場合を除き，高さ1.1m以上のさくを設ける等墜落防止措置を施す。

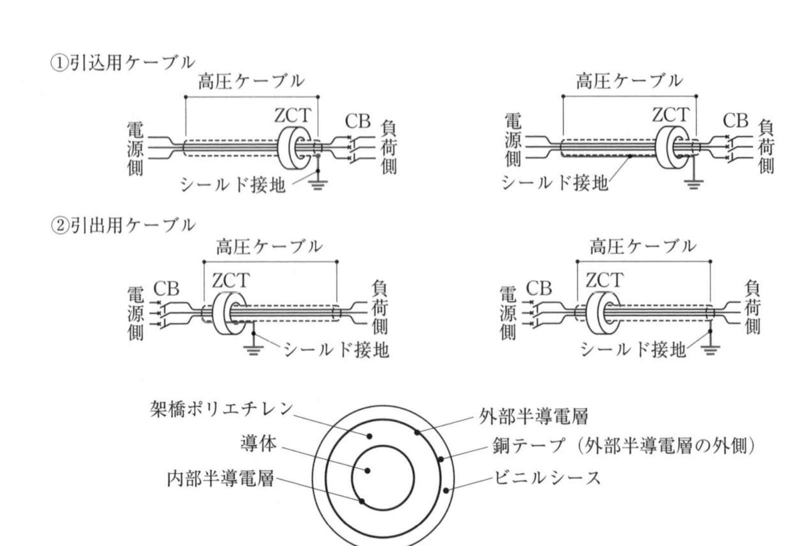

チャレンジ問題！

問1

難　中　易

受電室における高圧受電設備の施工に関する記述として，「高圧受電設備規程」上，不適当なものはどれか。

(1) A種接地工事の接地極として，大地との間の電気抵抗値が10 Ωの建物の鉄骨を使用した。

(2) 容量500 kV·Aの変圧器一次側の開閉装置に，高圧交流負荷開閉器（LBS）を使用した。

(3) 受電室には，取扱者が操作する受電室専用の分電盤を設置した。

(4) 受電室の室温が過昇するおそれがないので，換気装置または冷房装置を省略した。

解　説

大地との間の電気抵抗値が2Ω以下なら建物の鉄骨を使用することができます。

解答（1）

低圧電気工事

1 施設場所と電気工事の種類

低圧電気工事の施設場所と工事の種類を，次の記号を用いて示します。

展…展開した場所[※5]　点…点検できる隠ぺい場所[※6]　点×…点検できない隠ぺい場所　乾…乾燥した場所　湿…湿気の多い場所，水気の多い場所

低圧屋内配線の施設場所による工事の種類

工事の種類＼施設場所の区分		展		点		点×	
		乾	湿	乾	湿	乾	湿
金属管工事		◎	◎	◎	◎	◎	◎
ケーブル工事		◎	◎	◎	◎	◎	◎
合成樹脂管工事	・硬質塩化ビニル電線管 ・合成樹脂製可とう電線管(PF管)	◎	◎	◎	◎	◎	◎
	CD管	□	□	□	□	□	□
金属可とう電線管工事	1種金属製	△		△			
	2種金属製	◎	◎	◎	◎	◎	◎
金属線ぴ工事		○		○			
金属ダクト工事		◎		◎			
バスダクト工事		◎	○	◎			

(注) ◎：使用電圧に制限なし（600V以下）
○：使用電圧300V以下に限る
□：直接コンクリートに埋め込んで施設する場所を除き，専用の不燃性または自消性のある管などに収める
△：300Vを超える場合は，電動機に接続する短小な部分で，可とう性を必要とする部分の配線に限る

※5
展開した場所
電気配線などが露出していて，目に見える開けた場所です。

※6
隠ぺい場所
電気配線等が隠れた場所にあり，見ることができません。ただし，天井内の配線で，天井点検口が設置してあり，そこから覗くことができれば，点検できる隠ぺい場所に該当し，無ければ，点検できない隠ぺい場所になります。

2 金属管工事

一般に使用される電線は，ビニル絶縁電線（IV線）です。絶縁電線でもOW線[※7]は使用できません。電線管内で，電線を接続することもできません。

管相互およびボックスその他の付属品とは，ねじ接続で堅ろうに，かつ，電気的[※8]に接続します。管の曲げ半径（内側半径）は，管内径の6倍以上とし，直角またはこれに近い屈曲は，ボックス間で3箇所以内となるように配管します。

3 ケーブル工事

低圧のケーブル配線で，造営材の下面に沿って施設するケーブルの支持点間の距離は2m以下とします。接触防護措置を施した場所において垂直に施設する場合は，6m以下にできます。キャブタイヤケーブルは1m以下です。

メッセンジャワイヤ[※9]にケーブルをちょう架する場合のハンガの間隔は50cm以下です。

4 合成樹脂管工事

可とう性のないVE管と可とう性のあるCD管およびPF管に分類されます。CD管はコンクリート埋込部分に使用し，PF管は二重天井内の隠ぺい部分，露出部分，コンクリート埋込部分で使用できます。

PF管を露出配管するときの支持にはサドルを使用し，支持間隔を1.5m以下とします。

5 バスダクト工事

低圧屋内配線のバスダクト工事は，湿気の多い場所でもバスダクトを施設できます。しかし，乾燥した場所でも，点検できない隠ぺい場所にバスダクトを使用することはできません。

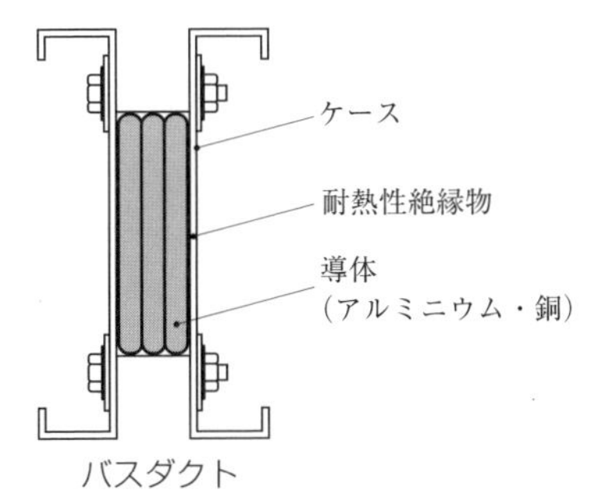

バスダクト

造営材にバスダクトを水平に取り付ける場合，支持点間の距離は3m以下とします。電気シャフト（EPS）内に垂直に取り付けるバスダクトの支持点間の距離は6m以下です。

6 金属ダクト工事

金属ダクト[※10]内でやむを得ず電線を分岐する場合，接続点を容易に点検できるようにします。金属ダクトの終端部は閉塞します。

金属ダクトを造営材に取り付ける場合，水平支持点間の距離を3m以下，垂直の場合は6m以下とします。

7 金属線ぴ工事

金属線ぴ[※11]配線は，内線規程[※12]により，次のように定められています。

1種金属製線ぴに収める電線本数は10本以下です。

2種金属製線ぴに収める電線の断面積の総和は，線ぴの内断面積の20%以下です。

金属ダクト同様，金属線ぴの終端部も閉塞します。

※7
OW線
屋外用絶縁電線です。被覆が薄いので電線管内で使用できません。

※8
電気的に接続
ボンド線で接続します。

※9
メッセンジャワイヤ
ケーブルを架線するための吊りワイヤです。D種接地工事を施します。

※10
金属ダクト
幅が5cmを超える金属性のものをいいます。

※11
金属線ぴ
線ぴは1種金属製線ぴ（幅4cm未満）と2種金属製線ぴ（幅4cm以上5cm以下）があります。

※12
内線規程
電気設備技術基準等に基づいた，民間規格です。

8 接地工事の省略

接地工事を省略できる場合として，次のものなどがあります。

- **対地電圧が150V以下の機械器具を乾燥した場所に施設する場合**
- **機械器具を乾燥した木製の床等の絶縁物の上に施設した場合**
- **二重絶縁の機械器具を施設する場合**
- **水気のある場所以外に施設する機械器具の電路に，定格感度電流15mA以下，動作時間0.1秒以内に動作する漏電遮断器を施設する場合**

また，金属管工事や金属線ぴ工事において使用電圧300V以下の場合，D種接地工事を施しますが，次の場合は接地工事が省略できます。

- **管の長さが4m以下のものを乾燥した場所に施設する場合**
- **対地電圧が150V以下の場合で8m以下のものに，簡易接触防護措置[※13]を施すとき，または乾燥した場所に施す場合**

チャレンジ問題！

問1 難 **中** 易

低圧屋内配線のバスダクト工事に関する記述として，「電気設備の技術基準とその解釈」上，不適当なものはどれか。

ただし，使用電圧は300V以下とする。

(1) 電気シャフト（EPS）内に垂直に取り付けるバスダクトの支持間隔を6mとした。

(2) 乾燥した点検できない隠ぺい場所にバスダクトを使用した。

(3) 造営材に取り付けるバスダクトの水平支持間隔を3mとした。

(4) 湿気の多い展開した場所に屋外用バスダクトを使用した。

解 説

バスダクトは，点検できない隠ぺい場所に施設することはできません。

解答（2）

その他工事

1 地中管路工事

管路には，ライニングなど防食処理を施した厚鋼電線管や硬質塩化ビニル電線管（VE）を使用します。ただし，軟弱地盤の管路には，硬質塩化ビニル電線管は不向きです。衝撃や圧力に強く可とう性があり，施工性に優れる波付硬質ポリエチレン管（FEP[※14]）が適します。

マンホールの管口部分には，マンホール内部に水が浸入しにくいように防水処理を施します。

軟弱地盤では，ボビン[※15]を通しながら配管します。ボビンとは，管路につぶれなどが無く健全であることを確認するものです。

管路の途中に水平屈曲部がある場合，引入張力を小さくするためには，屈曲部に近い方のマンホールからケーブルを引き入れます。

管路へのケーブル引入れ時，ケーブルの損傷を防ぐため，引入れ側の管路口にケーブルガイドを取り付けます。

ケーブルの熱伸縮対策として，洞道[※16]内のケーブルはスネーク敷設[※17]とし，スネークの変曲点はクリートで拘束します。傾斜地に敷設されたケーブルは滑落を防止するため，上端側の管路口にスプリング方式のストッパを取り付けます。金属シースの熱疲労を防止するため，マンホール内にオフセット[※18]を設けます。

配管の埋設位置を示すため，埋設杭や，舗装面には金属製の鋲を使用します。

※13
簡易接触防護措置
次の①または②いずれかの措置をいいます。
①設備を屋内にあっては床上1.8m以上，屋外にあっては，地表上2m以上の高さ，かつ，人が通る場所から容易に触れることがない範囲に施設する。
②柵，塀等を設け，または設備を金属管に収める等の防護措置を施す。

※14
FEP
Flexible Electric Pipeの略で，可とう性電線管という意味です。

※15
ボビン
管路通過試験器のこと。

※16
洞道
通信ケーブルやガス管などを敷設するための専用の地下道で人が通れます。

※17
スネーク敷設
ケーブルを蛇行させ，その振幅の変化によって熱伸縮を吸収する敷布設方式です。

2 現場打ちマンホールの施工

底面の砂利は，すき間がないように敷き，振動コンパクタで十分締め固めます。マンホールを正確に設置するためには，捨[※19]てコンクリートを打ち，その表面に墨出しを行います。

根切り深さの測定には，レベルかメジャーを使用しますが，マンホール壁面の鉛直度を測定するときには，レーザ鉛直器を使用することもあります。

マンホールに管路を接続後，良質の根切り土を使用し，ラ[※20]ンマで締め固めながら埋め戻します。

3 光ファイバケーブルの施工

管路内への光ファイバケーブルの通線には[※21]ケーブルグリップを使用し，ケーブルシースに張力はかけないようにします。

塩害区域の橋梁区間は，耐塩害性に優れ，温度伸縮が少ない繊維強化プラスチック管（FRP管）に敷設することが望ましい施工です。

ノンメタリックケーブルを使用すれば，電力ケーブルと並行して敷設することができます。メタリックケーブルは，鋼線の[※22]テンションメンバとアルミテープを成端箱で接地します。

マンホールでの光ファイバ心線相互の接続は，融着接続工法で行いクロージャに収容します。圧着接続工法は不可です。

4 自動火災報知設備

P型受信機の感知器回路の電路の抵抗は，**50Ω以下**となるようにします。

受信機は，操作スイッチが床面から**0.8～1.5m**の高さになるように取り付けます。

一の地区音響装置までの水平距離は，その階の各部分から**25m以下**とし，発信機までの歩行距離は**50m以下**となるようにします。

発信機の表示灯は，取付け面と15度以上の角度となる方向に沿って10m離れたところから点灯していることが容易に識別できるように設置します。

音声によらない地区音響装置の音圧は，音響装置の中心から1m離れた位置で90dB以上とし，音声の場合は，92dB以上が必要です。

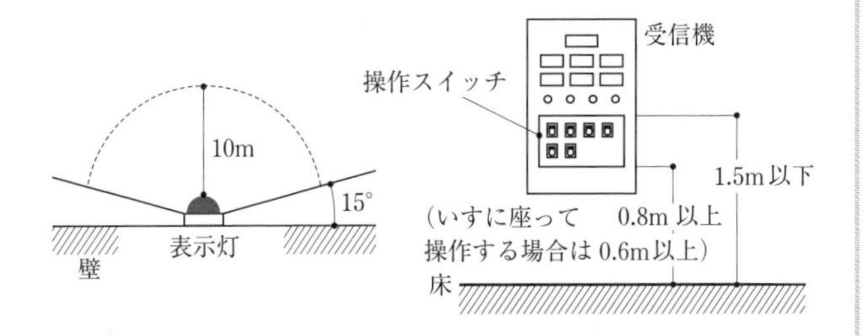

5 有線電気通信工事

①線路の電圧

通信回線の線路の電圧は，100V以下とします。

②屋内電線

屋内電線（光ファイバを除く）と大地との間および屋内電線相互間の絶縁抵抗は，直流100Vの電圧で測定した値で，1MΩ以上です。

③架空電線の支持物

架空強電流電線（当該架空電線の支持物に架設されるものを除く）との間の離隔距離は次のとおりです。

架空強電流電線の使用電圧および種別		離隔距離
低圧		30cm
高圧	強電流ケーブル	30cm
	その他の強電流電線	60cm

④架空電線の高さ

架空電線の高さは，道路上，原則5m以上とします。

※18
オフセット
ケーブルの曲がりをとる部分です。余長をとることになります。

※19
捨てコンクリート
凹凸のある砂利の上に流し，表面を平らにするコンクリートです。

※20
ランマ
土を締め固める機械です。

※21
ケーブルグリップ
ケーブルの先端にかぶせ，引っ張ると圧縮します。網を組むので，通称アミソともいいます。

※22
テンションメンバ
張力を担います。

⑤足場金具

架空電線の支持物には，取扱者が昇降に使用する足場金具等を地表上1.8m未満の高さに取り付けることはできません。

⑥保護網

●第1種保護網

特別保安接地工事（接地抵抗が10Ω以下となるように接地する工事をいう）をした金属線による網状のものです。

●第2種保護網

保安接地工事（接地抵抗が100Ω以下となるように接地する工事をいう）をした金属線による網状のものです。

チャレンジ問題！

問1 難 **中** 易

光ファイバケーブルの施工に関する記述として，最も不適当なものはどれか。

(1) 塩害区域の橋梁区間は，耐塩害性に優れ，温度伸縮が少ない繊維強化プラスチック管（FRP管）に敷設した。

(2) マンホールでの光ファイバ心線相互の接続は，圧着接続工法を行いクロージャに収容した。

(3) ノンメタリックケーブルを使用したので，電力ケーブルと並行して敷設した。

(4) メタリックケーブルを使用したので，鋼線のテンションメンバとアルミテープを成端箱で接地を施した。

解説

マンホールでの光ファイバ心線相互の接続は，融着接続工法で行いクロージャに収容します。圧着接続工法は不可です。

解答（2）

第一次検定

第5章

法規

1 建設業法 ………………… 258
2 電気関係法規 ………………… 268
3 建築関係法規 ………………… 276
4 労働関係法規 ………………… 282
5 消防法・その他 ………………… 288

第5章

法規

CASE 1 建設業法

まとめ & 丸暗記　この節の学習内容とまとめ

□　建設業許可

営業所の所在	許可する者	許可の種類
1つの都道府県	都道府県知事	一般建設業許可 特定建設業許可
2つ以上の都道府県	国土交通大臣	一般建設業許可 特定建設業許可

□　建設業法

①許可の有効期間は5年

②500万円未満の電気工事のみ請け負う場合，建設業許可は不要

③電気工事に附帯する他の工事（附帯工事）を請け負うことができる

④発注者から直接請負い（元請け）で，下請金額の合計が，4,500万円以上の電気工事では，次のことが必要である

- 特定建設業許可を受けていること
- 現場には監理技術者を配置すること
- 施工体制台帳・施工体系図を作成すること

⑤公共性のある工事で，請負代金が4,000万円以上の電気工事は，現場に専任の主任技術者または監理技術者を配置する

⑥専任の主任技術者を必要とする密接な関係のある2以上の建設工事を，同一の建設業者が同一の場所または近接した場所で施工する場合は，同一の専任の主任技術者がこれらの建設工事を管理することができる

⑦元請負人は，その請け負った建設工事を施工するために必要な工程の細目，作業方法その他元請負人において定めるべき事項を定めるときは，あらかじめ，下請負人の意見を聞く

建設業許可

1 用語

建設業法等で用いられる用語です。

用語	意味
建設工事	土木建築に関する工事
建設業	元請・下請を問わず，建設工事の完成を請け負う営業
指定建設業	建築一式工事業，土木一式工事業，電気工事業，管工事業，造園工事業，舗装工事業，鋼構造物工事業の７種類
建設業者	建設業の許可を受けて建設業を営む者
発注者※1	建設工事(他の者から請け負ったものを除く)の注文者
元請負人	下請契約における注文者で建設業者である者
下請負人	下請契約における請負人
下請契約	建設工事を他の者から請け負った建設業を営む者と他の建設業を営む者との間で当該建設工事について締結される請負契約

2 許可

建設業※2を行うには，営業所ごとに専任の技術者を置き，都道府県知事または国土交通大臣の許可を必要とします。

1つの都道府県に営業所を設置

都道府県知事の許可

2つ以上の都道府県に営業所を設置

国土交通大臣の許可

※1

発注者

建設工事を注文する者はすべて注文者ですが，仕事をほかの者から請け負わないで注文している者を，特に，発注者といいます。つまり，一番はじめに注文する建築主（施主）などが発注者です。

※2

建設業

全部で29業種あります。

許可の有効期間[※3]は5年です。

ただし，次にあげる軽微な工事だけの場合は，許可がなくても建設業が行えます。

- **500万円未満の工事**（電気工事など28業種）
- **建築一式工事で，1,500万円未満の工事**または，延べ面積が150m^{2}未満の木造住宅工事

電気工事業を営もうとする者が，２以上の都道府県の区域内に営業所を設けて営業しようとする場合は，**国土交通大臣の許可**が必要であり，それぞれの所在地を管轄する都道府県知事の許可ではありません。

3 一般建設業と特定建設業

建設業の許可には，**一般建設業と特定建設業**があります。

次の①と②の**両方に該当**する場合，特定建設業の許可がなければ請け負うことができません。

※①かつ②で，①または②ではありません。

①発注者から直接請け負う

②下請金額の合計が

・**4,500万円以上**（電気工事など28業種）

・**7,000万円以上**（建築一式工事）

※金額の改正は令和５年

①と②の両方に該当しなければ，一般建設業許可でよいことになります。もちろん，特定建設業の許可でもかまいません。

たとえば，右図でＡ社は元請け，Ａ社の下請けをＢ，Ｃ，Ｄ社とした場合，その合計金額は4,500万円なので，Ａ社は特定建設業許可が必要です。

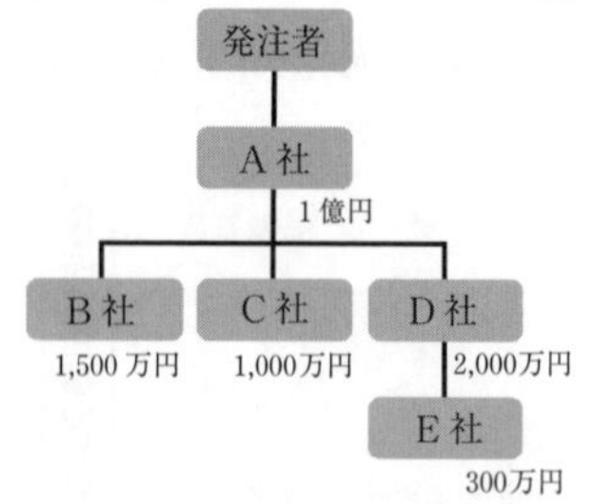

電気工事業に係る一般建設業の許可を受けた者が，電気工事業に係る特定建設業の許可を受けたときは，その一般建設業の許可は効力を失います。

建設業者は，許可を受けた建設業に係る建設工事を請け負う場合においては，当該建設工事に附帯する他の建設業に係る建設工事を請け負うことができます。

たとえば，電気工事が主たる工事で，従たる工事が管工事の場合，電気工事業の許可のみでも管工事を含んだ当該工事を受注できます。この場合，管工事を下請け会社に外注すればよいわけです。

※3
有効期間5年
建設業許可を受けてから1年以内に営業を開始せず，または引き続いて1年以上営業を休止した場合は，当該許可を取り消されます。

チャレンジ問題！

問1 難 中 易

建設業の許可に関する記述として，「建設業法」上，誤っているものはどれか。

(1) 建設業の許可は，3年ごとにその更新を受けなければ，その期間の経過によって，その効力を失う。
(2) 建設業者は，許可を受けてから1年以内に営業を開始せず，または引き続いて1年以上営業を休止した場合は，当該許可を取り消される。
(3) 建設業者は，許可を受けた建設業に係る建設工事を請け負う場合においては，当該建設工事に附帯する他の建設業に係る建設工事を請け負うことができる。
(4) 電気工事業に係る一般建設業の許可を受けた者が，電気工事業に係る特定建設業の許可を受けたときは，その一般建設業の許可は効力を失う。

解 説

建設業の許可は，5年ごとにその更新を受けなければ，その期間の経過によって，その効力を失います。

解答（1）

請負契約

1 契約

①締結

契約は，見積り[※4]を元に締結します。契約書には，工事名，工期，請負代金，契約に関する紛争の解決方法，工事完成後における請負代金の支払いの時期および方法などを記載し，請負契約の当事者が記名押印します。

注文者は，自己の取引上の地位を不当に利用して，建設工事を施工するために通常必要と認められる原価に満たない金額を請負代金の額とする請負契約を締結することはできません。

②履行

請け負った建設工事を，一括して他人に請け負わせてはならないという原則があります。ただし，あらかじめ発注者の書面による承諾を得たときは，一括[※5]して他人に請け負わせることができます。

請負人は，請負契約の履行に関し工事現場に現場代理人を置く場合においては，注文者に通知します。

注文者は，請負人に対して，建設工事の施工につき著しく不適当と認められる下請負人があるときは，あらかじめ注文者の書面による承諾を得て選定した下請負人である場合等を除き，変更を請求することができます。

2 元請負人の義務

①意見聴取

元請負人は，工程の細目，作業方法を定めようとするときは，あらかじめ，下請負人の意見を聞く必要があります。

②検査・引渡し

元請負人は，下請負人から工事が完成した通知を受けたときは，通知を受けた日から20日以内で，かつ，できる限り短い期間内にその完成を確認するための検査を完了しなければなりません。

③**支払い**

元請負人は，**前払金の支払いを受けた**ときは，下請負人に対して，資材の購入，労働者の募集その他建設工事の着手に必要な費用を前払金として支払うよう適切な配慮をします。

また，元請負人は，工事完成後に注文者から請負代金の支払いを受けたときは，支払いを受けた日から**1か月以内**で，かつ，できる限り短い期間内に，下請負人に下請代金を支払わなければなりません。

※4
見積り
建設業者は，建設工事の注文者から請求があったときは，請負契約が成立するまでの間に見積書を提示しなければなりません。

※5
一括して
共同住宅新築工事はできません。

チャレンジ問題！

問1　難　中　易

建設工事の請負契約に関する記述として，「建設業法」上，誤っているものはどれか。

(1) 建設工事の元請負人は，その請け負った建設工事を施工するために必要な工程の作業方法を定めるときは，下請負人の意見を聞かなければならない。
(2) 注文者は，自己の取引上の地位を不当に利用して，原価に満たない金額を請負代金の額とする請負契約を締結してはならない。
(3) 請負人は，請負契約の履行に関し工事現場に現場代理人を置く場合，注文者の承諾を得なければならない。
(4) 建設業者は，その請け負った建設工事を，いかなる方法をもってするかを問わず，一括して他人に請け負わせてはならない。

解説

工事現場に現場代理人を置く場合，注文者に通知すればよく，承諾を得ることまでは規定されていません。

解答（3）

技術者

1 監理技術者・主任技術者

工事現場には，監理技術者か主任技術者のいずれかを配置します。監理技術者でなければならないのは，次の①と②の両方に該当する場合です。

① 発注者から直接請け負う

② 下請金額の合計が

・4,500万円以上（電気工事など28業種）

・7,000万円以上（建築一式工事）

①職務※6

主任技術者および監理技術者の職務は，施工計画の作成，工程管理，品質管理などや，施工に従事する者の技術上の指導監督です。工事現場における建設工事の施工に従事する者は，主任技術者，監理技術者がその職務として行う指導に従わなければなりません。

②資格要件

次の者は，現場の技術者等※7になることができます。

資格・実務	監理技術者	主任技術者
1級電気工事施工管理技士	○	○
2級電気工事施工管理技士	—	○
電気工事に関し実務経験が10年以上	—	○

③専任

公共性のある工事で，請負代金が4,000万円以上の場合（電気工事など28業種），建築一式工事で8,000万円以上の場合，工事現場に配置する技術者（主任技術者または監理技術者）は，専任でなければなりません。ただし，専任の主任技術者を必要とする密接な関係のある2以上の建設工事を，同一の建設業者が同一の場所または近接した場所で施工する場合等の条件を満たせば，同一の専任の主任技術者がこれらの建設工事を管理すること

ができます。

また，監理技術者については，令和3年10月から，主任技術者の資格（たとえば，２級電気工事施工管理技士）および１級施工管理技士補の資格を所有している者を現場に従事させることにより，2現場の管理が認められました。

※6
職務
請負代金額の管理は業務にありません。

※7
現場の技術者等
営業所の専任の技術者にもなれます。1級資格者は特定建設業で，他は一般建設業です。

チャレンジ問題！

問1

難 **中** 易

建設工事の現場に置く主任技術者または監理技術者に関する記述として，「建設業法」上誤っているものはどれか。

(1) １級電気工事施工管理技士の資格を有する者は，電気工事の主任技術者になることができる。
(2) 特定建設業の許可を受けた電気工事業者は，発注者から直接受注した電気工事において，下請代金の総額が4,000万円の場合には，当該工事現場に監理技術者を置かなければならない。
(3) 学校に関する電気工事に置く専任の監理技術者は，監理技術者資格者証の交付を受けた者であって，国土交通大臣の登録を受けた講習を受講した者でなければならない。
(4) 病院に関する電気工事の下請契約において，請け負った額が4,000万円以上となる場合，工事現場ごとに置く主任技術者は，専任の者でなければならない。

解説

発注者から直接受注した電気工事において，現場に監理技術者を置かなければならないのは，下請代金の総額が4,500万円以上の場合です。

解答（2）

施工体制台帳・施工体系図

1 施工体制台帳と施工体系図

①施工体制台帳

元請負人は，その請け負った建設工事について，下請負人の名称，当該下請負人に係る建設工事の内容および工期などを記載した**施工体制台帳**を作成し，現場に備え置きます。

施工体制台帳には，次のものを記載，添付します。

- 施工体制台帳を作成する特定建設業者に関する事項として，許可を受けて営む建設業の種類の他に，**健康保険等の加入状況**を記載する
- 施工体制台帳を作成する特定建設業者の監理技術者が雇用期間を特に限定することなく雇用されている者であることを証する書面または写しを添付する
- 請け負った建設工事に従事する「外国人建設就労者」の従事の状況を記載する
- 下請負人は，その請け負った建設工事を他の建設業を営む者に請け負わせたときは，施工体制台帳を作成する特定建設業者に対して，当該他の建設業を営む者の商号または名称などの定められた事項を通知する

②施工体系図[※9]

施工体系図には，次のものなどを記載します。

- 工期および発注者の商号，名称または氏名
- 作成した特定建設業者が請け負った建設工事の名称
- 作成した特定建設業者の商号または名称
- 下請負人が建設業者であるときは，下請負人が置く主任技術者の氏名

③作成の要件

施工体制台帳，施工体系図を作成するのは，次の①と②の両方に該当する場合です。

①発注者から直接請け負う

②下請金額の合計が
・4,500万円以上（電気工事など28業種）
・7,000万円以上（建築一式工事）

これに該当しない場合は，作成不要です。

施工体制台帳，施工体系図を作成しなければならない元請負人は，これらを作成し，施工体制台帳を工事現場ごとに備え置き，施工体系図は工事現場の見やすい場所に掲げます。

※8
施工体制台帳
建設工事において，下請けを含めた施工の体制をまとめたものです。

※9
施工体系図
建設工事において，各下請負人の施工の分担関係を表示した図です。

チャレンジ問題！

問1　難　**中**　易

施工体制台帳に関する記述として，「建設業法」上誤っているものはどれか。

(1) 下請負人は，その請け負った建設工事を他の建設業を営む者に請け負わせたときは，施工体制台帳を作成する特定建設業者に対して，当該他の建設業を営む者の商号または名称などの定められた事項を通知しなければならない。
(2) 施工体制台帳には，施工体制台帳を作成する特定建設業者に関する事項として，許可を受けて営む建設業の種類の他に，健康保険等の加入状況を記載しなければならない。
(3) 施工体制台帳は，営業所に備え置き，発注者から請求があったときは閲覧に供しなければならない。
(4) 施工体制台帳には，請け負った建設工事に従事する「外国人建設就労者」の従事の状況を記載しなければならない。

解　説

施工体制台帳は，現場に備え置きます。

解答（3）

第5章  法規

CASE 2 電気関係法規

まとめ & 丸暗記　この節の学習内容とまとめ

□ 電気工作物

□ 小規模発電設備

①太陽電池発電設備で出力50kW未満のもの
②風力発電設備で出力20kW未満のもの
③水力発電設備で出力20kW未満のもの
④燃料電池発電設備で出力10kW未満のもの
⑤内燃力を原動力とする火力発電設備で出力10kW未満のもの
①～⑤までの合計容量が50kW以上は自家用電気工作物

□ 電気用品

特定電気用品（主なもの）	安定器，温度ヒューズ，電線，ケーブル，漏電遮断器，配線用遮断器，電撃殺虫器，電気温水器
それ以外（主なもの）	電気温床線，ケーブル配線用スイッチボックス，二種金属製線ぴ（A型），電線管

□ 電気工事士等

電気工事の資格	従事できる作業
第一種電気工事士	一般用電気工作物・自家用電気工作物
第二種電気工事士	一般用電気工作物の設備
認定電気工事従事者	自家用電気工作物の低圧設備
特殊電気工事資格者	ネオン工事
	非常用予備発電装置工事

電気事業法

1 電気工作物

①電気工作物

電気工作物[※1]とは，発電，変電，送電，配電または電気使用のために設置する機械・器具・ダム・水路・貯水池・電線路その他の工作物をいいます。

電気工作物を分類すると図のようになります。

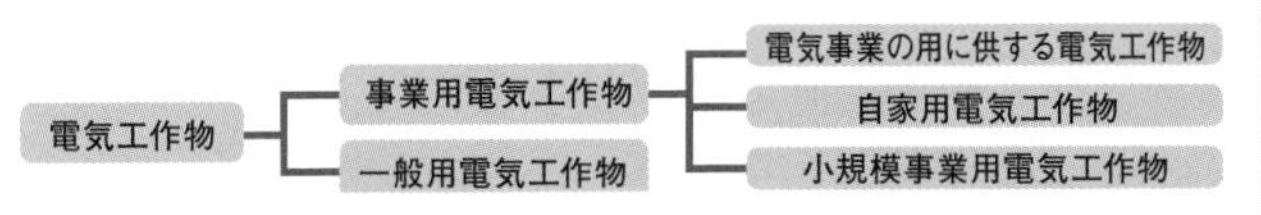

一般用電気工作物とは，次の条件を満たす電気工作物をいいます。

- 他の物から600V以下の電圧で受電し，その受電の場所と同一の構内で電気を使用する電気工作物で，受電用の電線路以外の電線路で構内以外にある電気工作物と電気的に接続されていないもの
- 構内に設置する小規模発電設備[※2]（小規模事業用発電設備は除く）であって，その発電した電気が構内以外にある電気工作物と電気的に接続されていないもの

②工事計画

公共の安全の確保上特に重要なものとして経済産業省令で定める事業用電気工作物[※3]の設置または変更の工事をする者は，その工事の計画について経済産業大臣または所轄産業保安監督部長の認可を受けます。

※1
電気工作物
船舶，車両または航空機に設置されるものは，電気工作物から除かれています。

※2
小規模発電設備
太陽光発電設備や，内燃力発電設備などで，発電容量の小さい設備をいいます。（P270参照）

※3
事業用電気工作物
自家用電気工作物が含まれています。
また，令和5年の法改正により，次のものは小規模事業用発電設備となり，保安規程（P270参照）の届出や電気主任技術者の選任に代えて，基礎情報の提供と使用前自己確認が必要になります。
・太陽電池で10kw以上50kw未満
・風力発電で20kw未満
なお，「小出力」から「小規模」への名称変更も行われました。

2 保安規程

事業用電気工作物を新たに設置する者は，その電気工作物の保安規程を作成し，使用開始前に経済産業大臣または所轄産業保安監督部長に届け出ます（小規模事業用発電設備は不要）。

保安規程には，次の事項を定めます。

- 工事，維持および運用に関する保安のための巡視，点検および検査事項
- 職務，組織に関すること
- 保安教育に関すること
- 電気工作物の運転または操作に関すること
- 記録および記録の保存に関すること
- 災害その他非常の場合に採るべき措置に関する事項

3 電気主任技術者

事業用電気工作物の工事，維持または運用に従事する者は，**主任技術者**[※4]がその保安のためにする指示に従います。

電気主任技術者免状の種類と保安監督の適用範囲は表のとおりです。

資格の種別	保安監督の適用範囲
第１種電気主任技術者	事業用電気工作物の工事，維持および運用
第２種電気主任技術者	電圧17万Ｖ未満の事業用電気工作物の工事，維持および運用
第３種電気主任技術者	電圧５万Ｖ未満の事業用電気工作物（出力5,000kW以上の発電所を除く）の工事，維持および運用

4 小規模発電設備

小規模発電設備とは，次の電気工作物です。

①太陽電池発電設備で出力50kW未満のもの

②風力発電設備で出力20kW未満のもの

③水力発電設備で出力20kW未満のもの
④燃料電池発電設備で出力10kW未満のもの
⑤内燃力を原動力とする火力発電設備で出力10kW未満のもの

①～⑤までの合計容量が50kW以上は小規模発電設備の対象外となります。

※4
主任技術者
電気主任技術者，ボイラー・タービン主任技術者をいい，建設業法の主任技術者とは異なります。

5 事故報告

感電死傷事故，電気火災，波及事故があったときは，産業保安監督部長に報告[※5]します。

※5
報告
事故発生を知ったときから24時間以内に速報，30日以内に詳報を提出します。

チャレンジ問題！

問1 難 中 易

次の電気工作物はいずれも出力が25kWである。小規模事業用電気工作物に該当するものとして，「電気事業法」上，適当なものはどれか。

(1) 水力発電設備
(2) 内燃力を原動力とする火力発電設備
(3) 太陽電池設備
(4) 風量発電設備

解説

太陽電池設備は10kW以上50kW未満が小規模事業用電気工作物に該当します。

解答（3）

電気用品安全法

1 電気用品

電気用品※6とは，一般用電気工作物等（一般用電気工作物及び小規模事業用電気工作物）の部分となり，またはこれに接続して用いられる機械，器具または材料であって，政令で定めるものをいいます。

電気用品は，「特定電気用品」と「特定電気用品以外の電気用品」に分けられます。

特定電気用品とは，構造または使用方法その他の使用状況からみて特に危険または障害の発生するおそれが多い電気用品であって，政令で定められています。

①特定電気用品の主なもの

- ケーブル（導体の公称断面積が22mm^{2}以下，線心が7本以下および外装がゴム，合成樹脂のもの）
- 絶縁電線（導体の公称断面積が100mm^{2}以下のゴムかビニルで被覆されたもの）
- 温度ヒューズ
- タイムスイッチ（定格電流30A以下）
- フロートスイッチ（定格電流100A以下）
- 配線用遮断器（定格電流100A以下）
- 漏電遮断器（定格電流100A以下）
- 電流制限器（定格電流100A以下）
- 蛍光灯用安定器（500W以下）
- 電気温水器
- 電撃殺虫器
- 携帯発電機

②特定電気用品以外の電気用品の主なもの

- 電気温床線

- 金属製電線管（内径120mm以下）
- 二種金属製線ぴ（幅50mm以下，A型は該当する）
- ケーブル配線用スイッチボックス
- リモートコントロールリレー（定格電流30A以下）
- ライティングダクト

※6
電気用品
プルボックスやケーブルラックは，電気工事で使用しますが，電気用品ではありません。特定電気用品かそれ以外の電気用品かを答えさせる問題がよく出ます。

2 電気用品の製造

電気用品の製造の事業を行う者は，電気用品の区分に従い，必要な事項を経済産業大臣または所轄経済産業局長に届け出ます。電気用品は，技術上の基準に適合したものでなければなりません。

チャレンジ問題！

問1 難 中 易

特定電気用品に該当するものとして，「電気用品安全法」上，誤っているものはどれか。

ただし，使用電圧200Vの交流の電路に使用するものとし，機械器具に組み込まれる特殊な構造のものおよび防爆型のものは除く。

(1) 定格電流20Aのリモートコントロールリレー
(2) 定格電流30Aの配線用遮断器
(3) 14mm^{2}の600V CVTケーブル
(4) 定格消費電力10kWの電気温水器

解説

定格電流30A以下のリモートコントロールリレーは，特定電気用品以外の電気用品です。

解答（1）

電気工事士法ほか

1 電気工事士法

電気工事士等の資格は，表のようになります。

種類	免状交付者	業務範囲
第一種電気工事士	都道府県知事	一般用電気工作物，小規模事業用電気工作物，自家用電気工作物
第二種電気工事士	都道府県知事	一般用電気工作物，小規模事業用電気工作物
認定電気工事従事者	経済産業大臣	自家用電気工作物の600V以下で使用する設備※1
特殊電気工事資格者※2	経済産業大臣	ネオン工事 非常用予備発電装置工事

※1　電線路に関わるものを除く。
※2　ネオン工事と非常用予備発電装置は別の免状。

業務範囲は，いずれの資格も最大電力[※7]**500kW未満の需要設備**です。

[※8]**第一種電気工事士**は，自家用電気工作物の保安に関する[※8]**所定の講習**を受けなければなりません。また，ネオン工事，非常用予備発電装置工事は従事できません。**特殊電気工事資格者**の免状が必要です。

2 電気工事業の業務の適正化に関する法律

通称，「電気工事業法」です。電気工事業者は，営業所ごとに省令で定める事項を記載した標識を掲げ，帳簿を備え，省令で定める事項を記載し，記載の日から**5年間保存**します。電気工事業者には，**登録電気工事業者**と**通知電気工事業者**があり，登録電気工事業者の登録の有効期間は，**5年**です。電気工事業者は，一般用電気工作物に係る電気工事の業務を行う営業所ごとに**主任電気工事士**を置きます。

3 電気通信事業法

電気通信事業者は，事業用電気通信設備の管理規程を定めます。また，事業用電気通信設備の工事，維持および運用に関する事項を監督させるため，電気通信主任技術者を選任します。電気通信主任技術者を選任したときは，遅滞なく，その旨を総務大臣に届け出ます。

※7
500kW未満の需要設備
500kW以上は定めがありません。

※8
所定の講習
5年に1回の法定講習があります。

チャレンジ問題！

問1 難 中 易

電気工事士等に関する記述として，「電気工事士法」上，誤っているものはどれか。

ただし，保安上支障がないと認められる作業であって省令で定める軽微なものを除く。

(1) 第一種電気工事士は，自家用電気工作物に係る電気工事のうち特殊電気工事を除く作業に従事できる。
(2) 特種電気工事資格者認定証および認定電気工事従事者認定証は，経済産業大臣が交付する。
(3) 認定電気工事従事者は，電圧600V以下で使用するすべての自家用電気工作物に係る電気工事の作業に従事できる。
(4) 特殊電気工事の種類には，ネオン工事と非常用予備発電装置工事がある。

解説

認定電気工事従事者は，自家用電気工作物に係る電気工事のうち，電圧600V以下の電線路に関わるものを除いた作業に従事できます。

解答（3）

第5章

法規

CASE 3

建築関係法規

まとめ & 丸暗記　この節の学習内容とまとめ

□ 建築基準法の用語

①建築物
屋根および柱もしくは壁を有するもの。建築設備を含む

②特殊建築物
多数の人が集い，衛生上，防火上特に規制すべき建築物のこと

③建築設備
建築物に設ける電気，ガス，給水，排水，換気，暖房，冷房等のこと

④建築
新築，増築，改築，移転の４つである

⑤居室
居住，執務等のために継続的に使用する室のこと

⑥避難階
直接地上へ通ずる出入口のある階のこと

⑦主要構造部
壁，柱，床，梁，屋根，階段のこと。最下階の床と外部階段は除く

⑧特定行政庁
建築主事を置いていない市町村の区域については，都道府県知事で，建築主事を置いている市町村は，市町村長である

□ 建築士法の用語

①建築士とは，一級建築士，二級建築士および木造建築士
②一級建築士とは，国土交通大臣の免許を受けた者
③二級建築士とは，都道府県知事の免許を受けた者
④設計とは，その者の責任において，設計図書を作成すること

建築基準法

1 用語

①建築物

屋根および柱もしくは壁を有するものであって，建築設備を含みます。なお，鉄道のプラットホームの上家は，建築物から除かれます。

②特殊建築物

学校，体育館，病院，劇場，百貨店，共同住宅[※1]などです。多数の人が集まる建物や，衛生上，防火上特に規制すべき建築物です。

③建築設備

建築物に設ける電気，ガス，給水，排水，換気，暖房，冷房，消火，排煙設備，昇降機，避雷針，煙突などです。

④建築

建築物を新築し，増築し，改築[※2]し，または移転[※3]することをいいます。

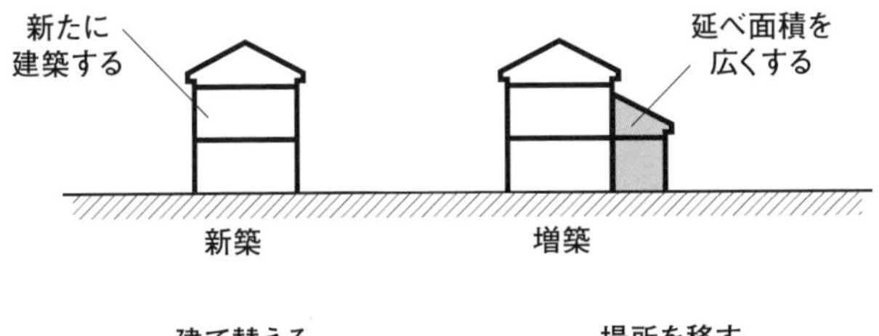

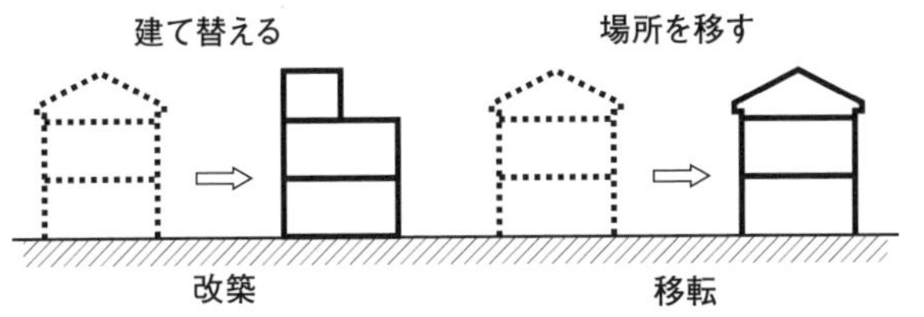

※1
共同住宅
個人住宅は特殊建築物に該当しません。なお，事務所も特殊建築物ではありません。

※2
改築
原則，現在の建物を取り壊し，同規模，同構造のものに建て替えることをいいますが，一般には，基礎をそのままに，部分的な建て替えも改築と表現する場合もあります。

※3
移転
建物を他の敷地に移設する場合は，移転に該当せず，新築扱いとなります。新築といっても新しい建築材料を使用する必要はありません。

⑤居室

居住，執務，作業，集会，娯楽その他これらに類する目的のために継続的に使用する室をいいます。

⑥避難階

※4
直接地上へ通ずる出入口のある階です。一般には，1階です。

⑦地階

床が地盤面より下にある階で，床面から地盤面までの高さが，その階の天井面までの高さの1/3以上のものをいいます。

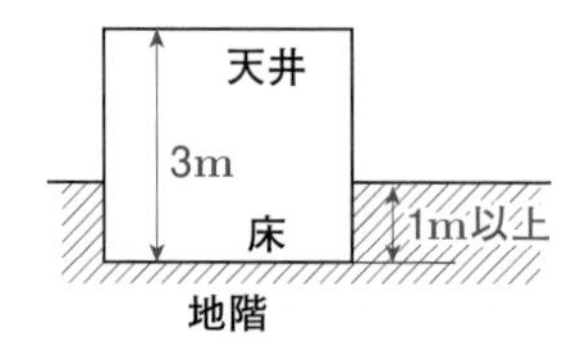

⑧主要構造部

壁，柱，床，梁，屋根，階段です。ただし，最下階の床と外部階段は除きます。

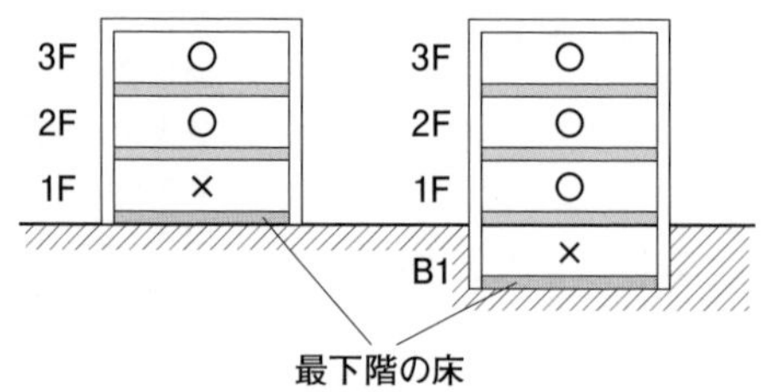

⑨大規模の修繕

建築物の主要構造部の一種以上について行う過半の修繕です。

⑩大規模の模様替

建築物の主要構造部の一種以上について行う過半の模様替です。

⑪不燃材料

コンクリート，れんが，瓦，アルミニウム，ガラスなどです。

⑫耐水材料

れんが，石，コンクリート，アスファルト，陶磁器，ガラスなどです。

⑬特定行政庁

※5
建築主事を置いていない市町村の区域については都道府県知事であり，

建築主事を置いている市町村は市町村長です。

⑭建築確認

建築しようとする場合，建築主は建築主事または指定確認検査機関に設計図などを提出し，建築の許可を得なければなりません。これを建築確認といい，その申請を建築確認申請といいます。

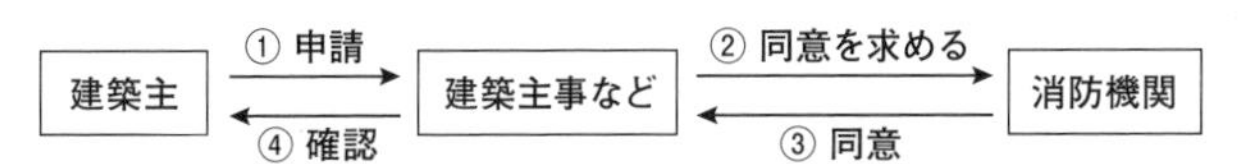

消防用設備等については，建築する建物の地域を所管する消防本部または消防署の審査を受け，同意を得て建築確認をすることになります。

※4
直接地上
階段やスロープを使わずに出られる階です。

※5
建築主事
建築の審査，検査等を行う，国家資格を持った人です。

チャレンジ問題！

問1　難　**中**　易

次の記述のうち，「建築基準法」上，定められていないものはどれか。

(1) 建築とは，建築物を新築し，増築し，改築し，または移転することをいう。
(2) 避難階とは，直接地上へ通ずる出入口のある階をいう。
(3) 建築設備の一種以上について行う過半の修繕は，大規模の修繕である。
(4) 建築物の電気設備は，電気工作物に係る建築物の安全および防火に関するものの定める工法によって設けなければならない。

解説

大規模の修繕とは，主要構造部の一種以上について，過半の修繕を行うことです。

解答（3）

建築士法

1 用語

- **建築士**とは，一級建築士，二級建築士および木造建築士である。建築士は，建築物に関する調査または鑑定を行うことができる
- **一級建築士**[※6]とは，**国土交通大臣の免許**を受け，一級建築士の名称を用いて，建築物に関し，設計，工事監理その他の業務を行う者である
- **二級建築士**とは，**都道府県知事の免許**を受け，二級建築士の名称を用いて，建築物に関し，設計，工事監理その他の業務を行う者である
- **木造建築士**とは，**都道府県知事の免許**を受け，木造建築士の名称を用いて，木造の建築物に関し，設計，工事監理その他の業務を行う者である
- **建築設備士**とは，建築設備に関する知識および技能につき国土交通大臣が定める資格を有する者である
- **設計図書**[※7]とは，建築物の建築工事の実施のために必要な**図面**[※8]および仕様書である
- **設計**とは，その者の責任において，**設計図書**を作成することである
- **構造設計**とは，基礎伏図，構造計算書その他の建築物の構造に関する設計図書で，国土交通省令で定めるものの設計である
- **設備設計**とは，建築設備の各階平面図および構造詳細図その他の建築設備に関する設計図書で，国土交通省令で定めるものの設計である
- **工事監理**とは，その者の責任において，**工事を設計図書と照合**し，それが設計図書のとおりに実施されているかいないかを確認することである

2 建築士等

①建築士

- **一級建築士**，二級建築士または木造建築士は，設計を行った場合においては，その設計図書に一級建築士，二級建築士または木造建築士である

旨の表示をして記名および押印する

- 建築士は，延べ面積が2,000m²を超える建築物の建築設備に係る工事監理を行う場合においては，建築設備士の意見を聞くよう努め，意見を聞いたときは，設計図書にその旨を明らかにする

②設備設計一級建築士

- 一級建築士として5年以上設備設計の業務に従事した後，登録講習機関が行う講習の課程をその申請前1年以内に修了した者は，設備設計一級建築士証の交付を申請することができる
- 設備設計一級建築士は，階数が3以上で床面積の合計が5,000m²を超える建築物の設備設計を行った場合においては，その設備設計図書に設備設計一級建築士である旨の表示をする

※6
一級建築士
すべての建築物の設計および工事監理を行うことができます。

※7
設計図書
公共工事標準請負契約約款では，その他に質問回答書，現場説明書も含まれます。

※8
図面
現寸図その他これに類するものを除きます。

チャレンジ問題！

問1　難 **中** 易

次の記述のうち，「建築士法」上，誤っているものはどれか。

(1) 建築士は，建築物に関する調査または鑑定を行うことができる。
(2) 一級建築士は，木造の建築物の設計および工事監理を行うことができる。
(3) 二級建築士になろうとする者は，二級建築士試験に合格し，国土交通大臣の免許を受けなければならない。
(4) 工事監理とは，その者の責任において，工事を設計図書と照合し，それが設計図書のとおり実施されているかを確認することをいう。

解説

二級建築士になろうとする者は，二級建築士試験に合格し，都道府県知事の免許を受けなければなりません。

解答（3）

第5章  法規

CASE 4

労働関係法規

まとめ & 丸暗記　この節の学習内容とまとめ

□ 親権者または後見人
①未成年者の賃金を代って受け取ることはできない
②労働契約が未成年者に不利な場合，解除できる

□ 休憩時間

労働時間	休憩時間
6時間を超える	労働時間の途中に45分間
8時間を超える	労働時間の途中に60分間

□ 年少者の使用
①満15歳に達した日以後の最初の3月31日が終了するまで使用できない
②満18歳未満は，午後10時から午前5時までの間において使用することができないが，満16歳以上の男性を交替制により使用する場合は，可能
③満18歳に満たない者については，その年齢を証明する戸籍証明書を事業場に備え付ける

□ 単一事業所内の組織

選任される者	選任の基準
総括安全衛生管理者	従業者が100人以上で選任
安全管理者	従業者が50人以上で選任
衛生管理者	
産業医	
安全衛生推進者	従業者が10～49人で選任

※従業者50人以上では，安全委員会と衛生委員会を設置。

労働基準法

1 労働契約等

①労働契約

使用者とは，事業主または事業の経営担当者その他その事業の労働者に関する事項について，事業主のために行為をするすべての者をいいます。

使用者は，労働契約の不履行について違約金を定めることができません。

親権者[※1]または後見人[※2]は，未成年者の賃金を代って受け取ることはできませんが，労働契約が未成年者に不利であると認める場合においては，将来に向ってこれを解除することができます。

②労働条件

使用者が労働契約の締結に際し，労働者に対して書面の交付により明示しなければならない労働条件は，次のとおりです。

- 就業の場所および従事すべき業務に関する事項
- 労働契約の期間に関する事項
- 退職に関する事項

労働時間については，原則として1日8時間を超えないこと，1週間について40時間を超えないことになっています。

休憩時間[※3]については，労働時間が6時間を超える場合は，少なくとも45分間の休憩時間を労働時間の途中に与えます。8時間を超える場合においては，少なくとも60分間の休憩時間を労働時間の途中に与えなければいけません。

※1
親権者
未成年の子供の監護，養育，財産管理など親に認められた権利で，その権利を行使する人をいいます。通常，父母が共同で持っています。

※2
後見人
判断能力が不十分と考えられる者を補佐する人です。

※3
休憩時間
従業者に対して，自由に利用させなければなりません。

③年少者の使用

建設事業における年少者の使用について，使用者は，児童が満15歳に達した日以後の最初の3月31日が終了するまで，これを使用することはできません。満18歳未満は，午後10時から午前5時までの間において使用することができませんが，満16歳以上の男性を交替制により使用する場合は，可能です。満18歳に満たない者については，その年齢を証明する**戸籍証明書**を事業場に備え付けます。

④災害補償

建築の事業が数次の請負によって行われる場合の災害補償については，その**元請負人**を原則として使用者とみなします。

労働者が業務上負傷し，治った場合において，その身体に障害が存するときは，使用者は障害補償を行わなければいけません。

チャレンジ問題！

問1　難　中　易

建設の事業において年少者を使用する場合の記述として，「労働基準法」上，誤っているものはどれか。

(1) 使用者は，満16歳以上の男性を，交替制により午後10時から午前5時までの間において使用することができる。
(2) 使用者は，満18歳に満たない者について，その年齢を証明する戸籍証明書を事業場に備え付けなければならない。
(3) 親権者または後見人は，未成年者の賃金を代って受け取ることができる。
(4) 親権者または後見人は，労働契約が未成年者に不利であると認める場合においては，将来に向ってこれを解除することができる。

解　説

親権者または後見人は，未成年者の賃金を代って受け取ることができません。

解答（3）

労働安全衛生法

1 安全衛生管理体制

建設業における特定元方事業者[※4]が，労働災害を防止するために講ずべき措置は次のとおりです。

- 関係請負人が行う労働者の安全または衛生のための教育に対する指導および援助を行う
- 特定元方事業者およびすべての関係請負人が参加する協議組織の設置および運営を行う
- 特定元方事業者と関係請負人との間および関係請負人相互間における，作業間の連絡および調整を行う

①単一の事業所内での組織

事業者は，1つの建設現場での従業者の人数により，図のような組織を編成します。

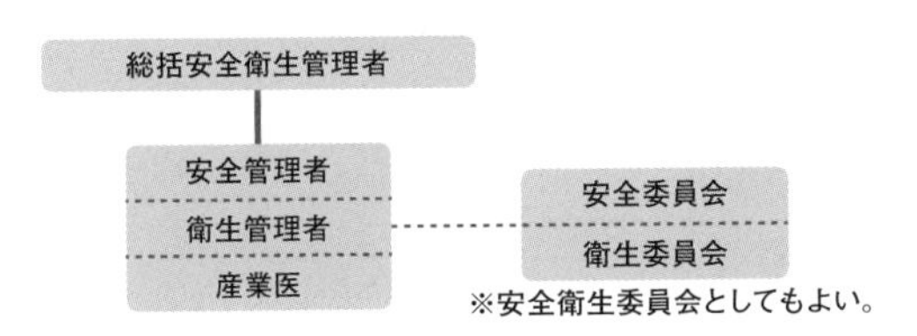

常時100人以上の場合，総括安全衛生管理者[※5]を選任します。常時50人以上の場合，安全管理者，衛生管理者，産業医を選任し，安全委員会，衛生委員会を設置します。常時10～49人の場合，安全衛生推進者を選任します。

総括安全衛生管理者は，安全管理者および衛生管理者の指揮をします。総括安全衛生管理者を選任すべき事由が発生した日から14日以内に選任し，遅滞なく，報告書を所轄労働基準監督署長に提出します。総括安

※4
特定元方事業者
下請負者のいる現場で，最も先次の事業者です。

※5
総括安全衛生管理者
「総括」，「統括」，「管理者」，「責任者」，「推進者」など，似た用語が出てきます。
単一企業内での組織か，複数企業全体の組織かを明確にして覚えましょう。

全衛生管理者が旅行，疾病，事故その他やむを得ない事由によって職務を行うことができないときは，代理者を選任します。

労働基準監督署長は，労働災害を防止するため必要があると認めるときは，事業者に対し，安全管理者の増員または解任を命ずることができます。

②元請負者・下請負者合同の組織

元請，下請混在現場では，その合計が常時50人以上の場合，図のような組織を編成します。

元請け社員である**統括安全衛生責任者**※6が統括管理しなければならない事項は，協議組織の設置および運営，作業場所の巡視，機械，設備等を使用する作業に関し関係請負人が講ずべき措置についての指導を行うことなどです。同じく元請け社員の**元方安全衛生管理者**は，技術的事項を補佐します。

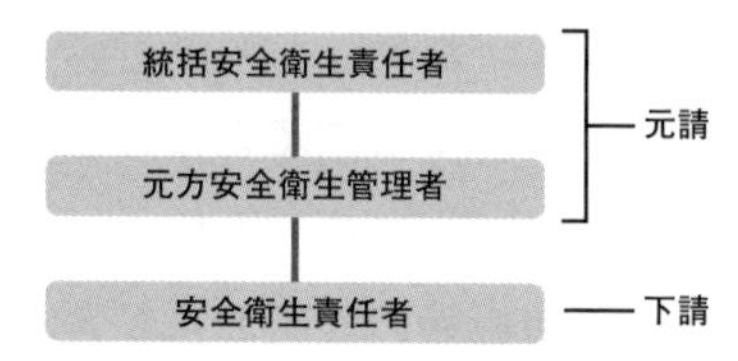

安全衛生責任者は下請け各社の社員で，同一の場所において作業を行う統括安全衛生責任者を選任すべき事業者に対し，遅滞なく，その旨を通報します。

50人に満たない場合，**店社安全衛生管理者**を選任し，次の職務を行わせます。

※RC造の工事などの場合，20～49人

- 協議組織の会議に随時参加すること
- 少なくとも毎月1回労働者が作業を行う場所を巡視すること
- 労働者の作業の種類その他作業の実施の状況を把握すること

※作業場所における機械，設備等の配置に関する計画を作成することは定められていません。

例題

A社は発注者から建設工事を受注した会社で常時，当該現場で従事する人数は，23人である。B社はA社の下請会社で，同じく122人が作業している。C社はA社の下請会社で，同じく56人が作業している。このとき，A社，B社，C社で選任される者を答えよ。

解説

A社：安全衛生推進者，統括安全衛生責任者，元方安全衛生管理者　B社：総括安全衛生管理者，安全管理者，衛生管理者，産業医，安全衛生責任者　C社：安全管理者，衛生管理者，産業医，安全衛生責任者

※6
統括安全衛生責任者
先次の元請け企業の事業者が選任します。

チャレンジ問題！

問1　**難**　中　易

建設業における安全衛生管理体制に関する記述として，「労働安全衛生法」上，誤っているものはどれか。

(1) 総括安全衛生管理者を選任したときは，遅滞なく，報告書を所轄労働基準監督署長に提出しなければならない。
(2) 安全衛生責任者を選任した請負人は，同一の場所において作業を行う統括安全衛生責任者を選任すべき事業者に対し，遅滞なく，その旨を通報しなければならない。
(3) 衛生管理者を選任した事業者は，その者に労働者の健康障害を防止するための措置のうち衛生に係る技術的事項を管理させなければならない。
(4) 都道府県労働局長は，労働災害を防止するため必要があると認めるときは，事業者に対し，安全管理者の増員または解任を命ずることができる。

解　説

安全管理者の増員または解任を命ずることができるのは，労働基準監督署長です。

解答（4）

第5章 法規

CASE 5 消防法・その他

まとめ & 丸暗記　この節の学習内容とまとめ

□ 消防設備士

消防設備士の種類	点検・整備	工事
甲種消防設備士	○	○
乙種消防設備士	○	×

□ 消防用設備等

消防用設備等の種類	細目	主な設備名
消防の用に供する設備	消火設備	屋内消火栓，スプリンクラー
	警報設備	自動火災報知設備，ガス漏れ火災警報設備
	避難設備	誘導灯，救助袋
消防用水		防火水槽，貯水槽
消火活動上必要な施設		排煙設備，非常コンセント設備無線通信補助設備

□ 特定建設資材

①木材　②コンクリート
③アスファルト・コンクリート
④コンクリートおよび鉄から成る建設資材

□ 廃棄物の種類

①産業廃棄物
産業活動により排出される廃棄物のこと
②一般廃棄物
産業廃棄物以外の廃棄物のこと

消防法

1 用語

①防火対象物

山林または舟車，船きょ[※1]もしくはふ頭[※2]に繋留された船舶，建築物その他の工作物もしくはこれらに属する物をいいます。

②関係者

防火対象物または消防対象物の所有者，管理者，占有者です。

③防火管理者

当該防火対象物全体の消防計画を作成し，消火，通報，および避難の訓練を実施します。統括防火管理者[※3]も同様の業務です。

④高層建築物

高さが31mを超える建築物です。

⑤無窓階

建築物の地上階のうち，総務省令で定める避難上または消火活動上有効な開口部を有しない階です。

⑥指定数量

指定数量[※4]は，危険物についてその危険性を勘案して政令で定める数量のことです。

2 消防用設備等

防火対象物の消防用設備等は，次のように分類されます。

※1
船きょ
船を点検，修理するドックです。

※2
ふ頭
波止場です。

※3
統括防火管理者
大規模な雑居ビルなど所有者等が複数にわたる防火対象物の管理者です。

※4
指定数量
例として，ガソリンは200L，軽油は1,000L，重油は2,000Lです。なお，指定数量の1/5以上で指定数量未満を少量危険物といいます。

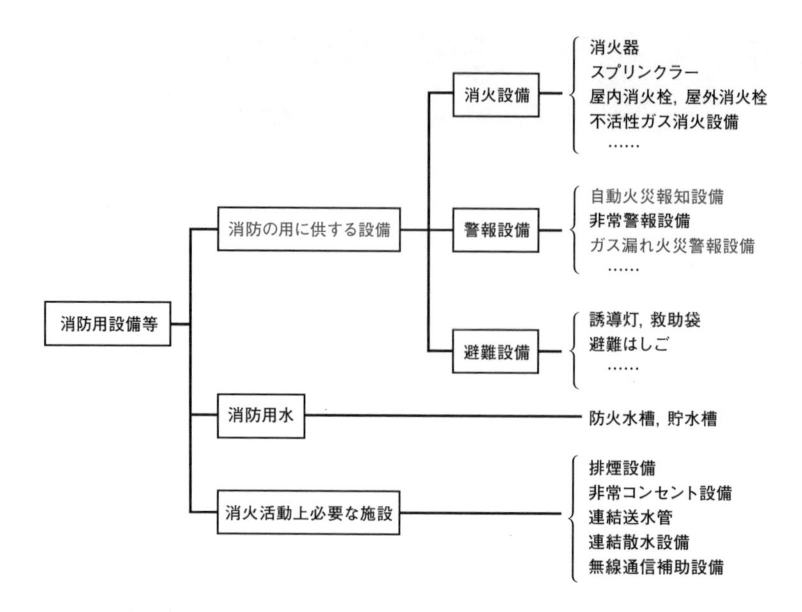

消防設備士の資格で電気に関係したものは，表のとおりです。

消防設備士の種類	扱うことのできる消防用設備等
甲種４類・乙種４類	自動火災報知設備，ガス漏れ火災警報設備　等
乙種７類	漏電火災警報器

自動火災報知設備やガス漏れ火災警報設備の※5電源部分を除く工事は，第4類の**甲種消防設備士**が行います。それらの点検，整備は，第4類の※6**乙種消防設備士**でも行うことができます。

※7**排煙設備**は，火災が発生したとき，煙を屋外に排出する設備ですが，手動起動装置または火災の発生を感知した場合に作動する自動起動装置を設けます。手動式（左図）と機械式（右図）があります。

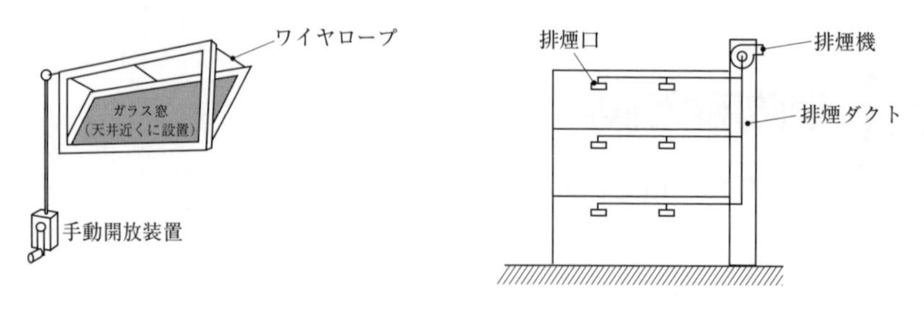

自動火災報知設備，ガス漏れ火災警報設備，非常コンセント設備等には，**非常電源を附置**します。

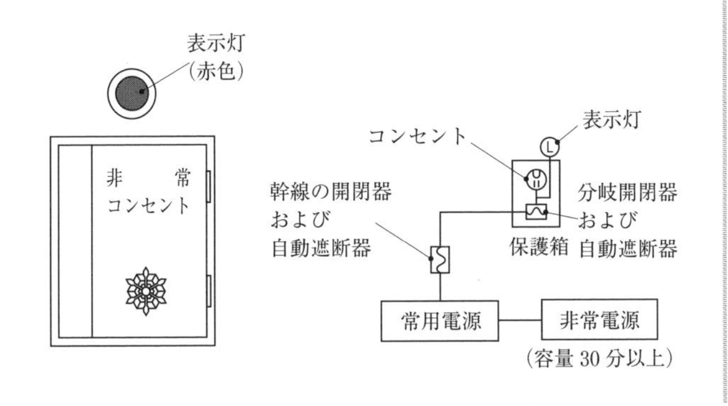

※5
電源部分を除く工事
電源の部分の工事は消防設備士でなく，電気工事士が行います。

※6
乙種消防設備士
工事はできません。

※7
排煙設備
避難設備ではなく，消防隊のための消火活動上必要な施設に分類されます。

チャレンジ問題！

問1　難　**中**　易

次の記述のうち「消防法」上，誤っているものはどれか。

(1) 防火対象物とは，山林または舟車，船きょもしくはふ頭に繋留された船舶，建築物その他の工作物もしくはこれらに属する物をいう。
(2) 危険物の取扱所を設置しようとする者は，その区分に応じて市町村長，都道府県知事または総務大臣の許可を受けなければならない。
(3) 乙種第７類の消防設備士は，電源の部分を除く，漏電火災警報器の工事および整備を行うことができる。
(4) 統括防火管理者は，当該防火対象物全体の消防計画を作成し，消火，通報，および避難の訓練を実施しなければならない。

解説

乙種第７類の消防設備士は，漏電火災警報器の工事はできません。

解答（3）

資材の再資源化等

1 特定建設資材

建設工事に係る資材の再資源化等に関する法律[※8]に，分別解体等および再資源化等を促進するため，特定建設資材[※9]として次の4種類が定められています。

- 木材
- コンクリート
- アスファルト・コンクリート
- コンクリートおよび鉄から成る建設資材

建物解体においては，コンクリートだけでなく，アスファルトとコンクリートが一体となって排出されるものもあれば，コンクリートと鉄が一体化した物もあります。したがって，**木材とコンクリート**が絡んだものが特定建設資材に該当する，と覚えます。

2 用語

建設業を営む者は，建設資材廃棄物の**再資源化**により得られた建設資材を使用するよう努めなければいけません。

①分別解体等

解体工事において，建築物等に用いられた建設資材に係る建設資材廃棄物を**その種類ごとに分別**しつつ当該工事を計画的に施工する行為です。

②再資源化

分別解体等に伴って生じた建設資材廃棄物について，資材または原材料として利用することができる状態にする行為や，燃焼の用に供することができるものを，熱を得ることに利用できる状態にする行為が含まれます。

対象建設工事の元請業者は，当該工事に係る特定建設資材廃棄物の再資源化等が完了したときは，その旨を**発注者**に書面で報告します。

都道府県知事は，特定建設資材廃棄物の再資源化等の適正な実施を確保するため，職員に，営業に関係のある場所に立ち入り，帳簿，書類その他の物件を検査させることができます。

※8
建設工事に係る資材の再資源化等に関する法律
通称「建設リサイクル法」と呼ばれています。

※9
特定建設資材
石膏ボード，ガラスは含まれません。

チャレンジ問題！

問1　難 **中** 易

建設資材廃棄物に関する記述として，「建設工事に係る資材の再資源化等に関する法律」上，誤っているものはどれか。

(1) 建設業を営む者は，建設資材廃棄物の再資源化により得られた建設資材を使用するよう努めなければならない。
(2) 建設工事の元請業者は，当該工事に係る特定建設資材廃棄物の再資源化等が完了したときは，その旨を都道府県知事に書面で報告しなければならない。
(3) 都道府県知事は，特定建設資材廃棄物の再資源化等の適正な実施を確保するため，職員に，営業に関係のある場所に立ち入り，帳簿，書類その他の物件を検査させることができる。
(4) 再資源化には，分別解体等に伴って生じた建設資材廃棄物であって，燃焼の用に供することができるものを，熱を得ることに利用できる状態にする行為が含まれる。

解説

建設工事の元請業者は，当該工事に係る特定建設資材廃棄物の再資源化等が完了したときは，その旨を発注者に書面で報告します。

解答（2）

廃棄物の処理および清掃

1 廃棄物の種類と規定

廃棄物は次のとおり分類されます。

①産業廃棄物

産業活動により排出される廃棄物です。廃ウエス，紙くず，木くずなどがあり，特別管理産業廃棄物に廃油などがあります。

事業者は，産業廃棄物の処理を依頼する場合，産業廃棄物管理票（マニフェスト）を交付し，5年間保存します。

②一般廃棄物

産業廃棄物以外の廃棄物です。

チャレンジ問題！

問1 難 中 易

建設工事から発生する廃棄物の種類に関する記述として，「廃棄物の処理及び清掃に関する法律」上，誤っているものはどれか。

(1) 工作物の除去に伴って生じたコンクリートの破片は，産業廃棄物である。
(2) 工作物の新築に伴って生じた廃ウエスは，産業廃棄物である。
(3) 工作物の新築に伴って生じた紙くずは，一般廃棄物である。
(4) 工作物の除去に伴って生じた灯油類などの廃油は，特別管理産業廃棄物である。

解　説

工作物の新築に伴って生じた紙くずは，産業廃棄物です。

解答（3）

第一次検定

練習問題

第 1 章　電気工学 ・・・・・・・・・・・・・・・・ 296
第 2 章　電気設備 ・・・・・・・・・・・・・・・・ 303
第 3 章　関連分野 ・・・・・・・・・・・・・・・・ 324
第 4 章　施工管理 ・・・・・・・・・・・・・・・・ 328
第 5 章　法規 ・・・・・・・・・・・・・・・・・・ 338

練習問題（第一次検定）

第1章 電気工学

▶ 電気理論

問1 図に示す三相交流回路に流れる電流I［A］を表す式として，正しいものはどれか。

ただし，電源は平衡三相電源とし，線間電圧はV[V]，誘導リアクタンスはX_L〔Ω〕，容量リアクタンスはX_C〔Ω〕，X_LとX $_C$の関係は$X_L > X_C$とする。

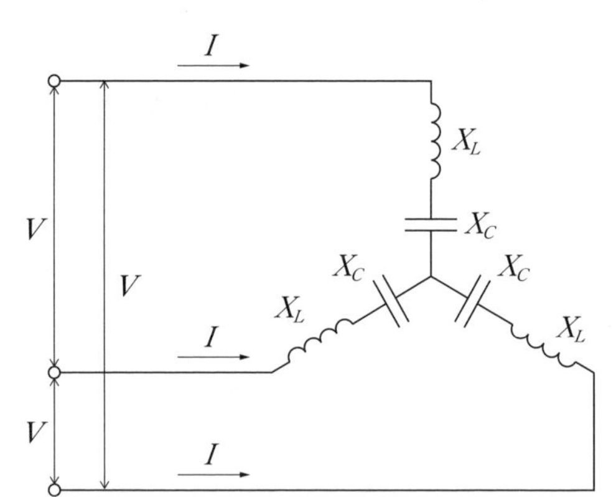

(1)　$I = \dfrac{V}{X_L - Xc}$［A］

(2)　$I = \dfrac{\sqrt{3}\,V}{X_L - Xc}$［A］

(3)　$I = \dfrac{V}{2\,(X_L - Xc)}$［A］

(3)　$I = \dfrac{V}{\sqrt{3}\,(X_L - Xc)}$［A］

解説

中性線を引き，相電圧をE，インピーダンスをZとすると図のようになります。

▶解答（4）

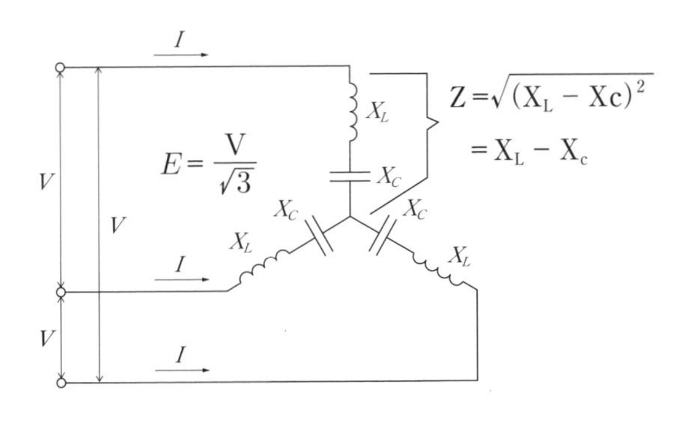

Eを相電圧とすると

オームの法則により

$$I=\frac{E}{Z}=\frac{\frac{V}{\sqrt{3}}}{X_L-Xc}$$

$$=\frac{V}{\sqrt{3}(X_L-Xc)}$$

問2 図に示す三相対称交流回路において，三相平衡負荷の消費電力が2kWである場合の抵抗Rの値〔Ω〕として，正しいものはどれか。

(1)　20 Ω

(2)　60 Ω

(3)　180 Ω

(4)　540 Ω

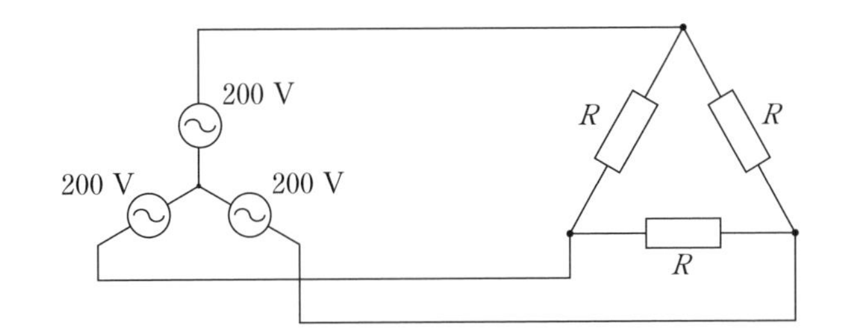

解説

抵抗Rに流れる電流をIとすると，負荷の消費電力Pは次のようになります。

$P=3I^2R$----①

Rの両端にかかる電圧$V=200\sqrt{3}$であり，$I=\frac{V}{R}=\frac{200\sqrt{3}}{R}$です。

①より，$P=3\times(\frac{200\sqrt{3}}{R})^2R=\frac{360000}{R}$

　$P=2000$より，$R=180$

▶解答（3）

問3 図に示すスイッチSを入れたとき，環状鉄心の一次コイルの電流i_1〔A〕が0.1msの間に0.5A変化し，二次コイルに誘導起電力e_2〔V〕が3V発生した。このときの相互インダクタンスMの値〔mH〕として，正しいものはどれか。

ただし，漏れ磁束はないものとする。

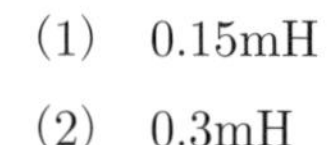

(1)　0.15mH

(2)　0.3mH

(3)　0.6mH

(4)　1.2mH

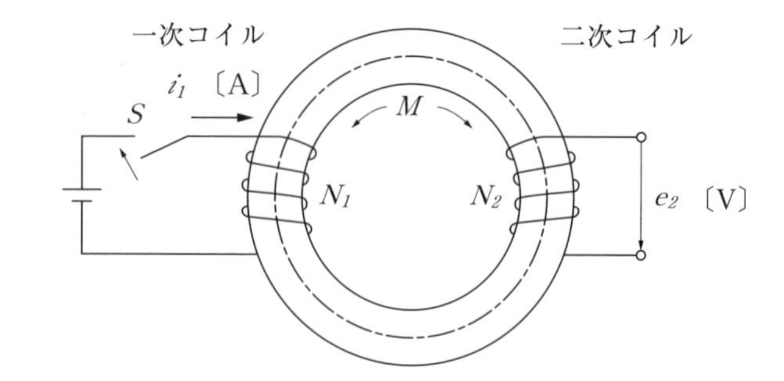

解説

$e_2 = M\Delta i/\Delta t$　→　$M = e_2\Delta t/\Delta i = 3 \times 0.1 \div 0.5 = 0.6$mH

※選択肢の単位がmHなので，時間tは0.1msのまま計算してよい。

▶解答（3）

▶ 計測・制御

問1 図に示す最大目盛50mAの永久磁石可動コイル形電流計に0.1Ωの分流器Rsを接続したとき，1Aまで測定可能な電流計となった。電流計の内部抵抗Ra［Ω］の値として，正しいものはどれか。

(1)　0.1Ω

(2)　0.5Ω

(3)　1.9Ω

(4)　10Ω

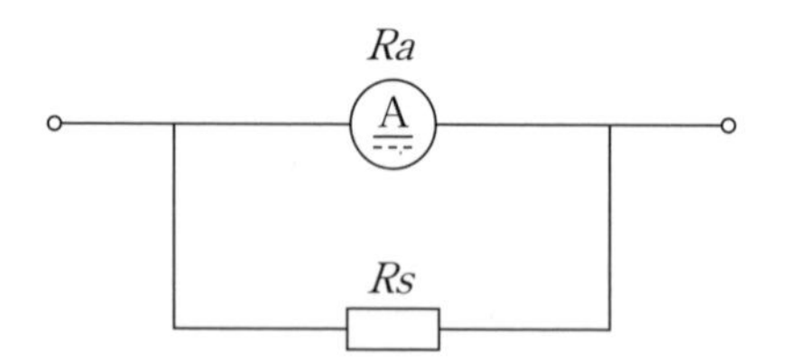

解説

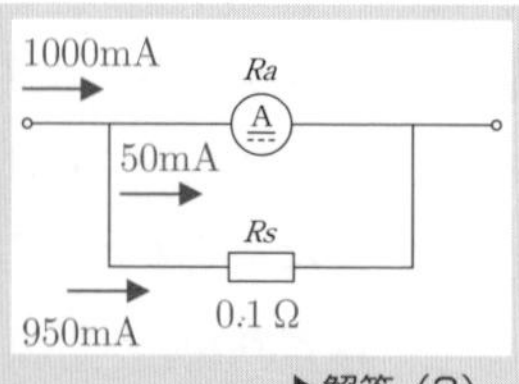

1000mAを電流計に50mA流し，残りの950mAは分流器に流すようにします。電流値は抵抗の大きさに反比例するので，電流計の内部抵抗は0.1×（950÷50）＝1.9Ω　になります。

▶解答（3）

▶ 電気機器

問1 変圧器の負荷が，1/2負荷から全負荷になったとき，鉄損と銅損の変化の組合せとして，適当なものはどれか。

ただし，電圧及び力率の変動はないものとする。

	鉄損の変化	銅損の変化
(1)	1倍	2倍
(2)	1倍	4倍
(3)	2倍	2倍
(4)	2倍	4倍

解説

鉄損は，ヒステリシス損や渦電流損等の励磁電流に伴うジュール熱であり，ほぼ一定です。銅損は，一次及び二次の変圧器巻線による損失で，負荷電流の二乗に比例します。 ▶解答 (2)

問2 高圧進相コンデンサに関する記述として，最も不適当なものはどれか。

(1) はく電極（NH）コンデンサは，自己回復機能をもっている。

(2) はく電極（NH）コンデンサは，薄いアルミ箔でフイルムを挟んで対向させる構造である。

(3) 蒸着電極(SH)コンデンサは，薄い絶縁シートの両側に亜鉛を蒸着した構造である。

(4) 蒸着電極(SH)コンデンサは，ケースがある程度膨張するとコンデンサ配線を切断する保護装置が内蔵されているものがある。

解説

はく電極（NH）コンデンサは，金属箔を電極としたコンデンサで，絶縁破壊するとコンデンサとしての機能を失い，自己回復しません。 ▶解答 (1)

問3 リアクトルの設置に関する記述として，不適当なものはどれか。

(1) 特別高圧変圧器の中性点と対地間に接続し，地絡電流を制限する。
(2) 回路に直列に接続し，遅れ電流を抑制する。
(3) 高圧進相コンデンサに直列に接続し，コンデンサへの高調波の流入を抑制する。
(4) 高圧進相コンデンサに直列に接続し，コンデンサ投入時の突入電流を抑制する。

解説

分路リアクトルは回路に並列に挿入し，軽負荷時の進み電流を抑制します。つまり，電流が進みすぎないようにブレーキをかけます。 ▶解答（2）

問4 ガス遮断器等に用いられる，六フッ化硫黄(SF_6)ガスに関する記述として，不適当なものはどれか。

(1) 化学的に安定であり無色無臭である。
(2) 空気と比べてアーク放電に対する消弧性能が高い。
(3) 空気と比べて絶縁耐力が高い。
(4) 地球温暖化係数が二酸化炭素（CO_2）に比べて小さい。

解説

六フッ化硫黄(SF_6)ガスは，高い消弧性能を持ちますが，地球温暖化係数が非常に高く，ガス遮断器を処分する際は，気体を回収する必要があります。

▶解答（4）

▶ 電力系統

問1 水力発電における水車の調速機に関する記述として，不適当なものはどれか。

(1) 発電機の負荷変動に応じて，ガイドベーンを開閉して水の流入量を調整する。
(2) 発電機と系統との並列運転が解けた場合には，発電機の電圧低下を防止する。
(3) 調速機は，並列運転している発電機の負荷分担を自由に変える役割を有する。
(4) 発電機が系統と並列運転するまでは，自動同期装置などの信号により調速制御を行う。

解説

発電機と系統との並列運転が解けた場合，発電機の回転速度が上昇して電圧も上昇します。水車の調速機は，発電機の電圧上昇を防止します。

▶解答 (2)

問2 送電線の表皮効果に関する記述として，不適当なものはどれか。

(1) 周波数が高いほど，表皮効果は大きくなる。
(2) 導電率が小さいほど，表皮効果は小さくなる。
(3) 表皮効果が小さいほど，電力損失が小さくなる。
(4) 表皮効果が大きいほど，電線中心部の電流密度は大きくなる。

解説

送電線における表皮効果として，表皮効果が大きいほど，電線表皮部の電流密度が大きくなります。電線中心部ではありません。

▶解答 (4)

問3 架空送電線における，単導体方式と比較した多導体方式の特徴として，不適当なものはどれか。

ただし，多導体の合計断面積は，単導体の断面積に等しいものとする。

(1) 静電容量が小さい。
(2) 送電容量が大きい。
(3) インダクタンスが小さい。
(4) コロナ開始電圧が高い。

解説

多導体は，風圧や氷雪荷重が大きいのは欠点ですが，静電容量（C）が大きく，インダクタンス（L）が小さいことから，送電容量も大きくなります。理由は，リアクタンスは，$1/\omega C$，ωLで表され，Cは大きいほど，Lは小さいほどリアクタンスは小さくなるからです。

▶解答（1）

▶ 電気応用

問1 屋内照明に関する記述として，不適当なものはどれか。

(1) 相関色温度5,300K 未満の光源の光色は，涼色に分類される。
(2) 精密な作業における演色性については，平均演色評価数Raの最小値として80が推奨されている。
(3) 光度とは，光源からある方向に向かう光束の，単位立体角当たりの割合である。
(4) 直接グレアは，人に不快感を及ぼす不快グレアと視対象物を見えにくくする減能グレアに分類される。

解説

相関色温度5,300K 未満の光源の光色は，暖色に分類されます。5,300K 以上は涼色に分類されます。

▶解答（1）

▶ 発電設備

問1 蒸気タービンによる汽力発電と比較した，コンバインドサイクル発電に関する記述として，不適当なものはどれか。
ただし，発電設備は同容量とする。

(1) 熱効率が高い。
(2) 始動用電力が少ない。
(3) 起動・停止時間が短い。
(4) 大気温度の変化が，出力に与える影響が小さい。

解説
コンバインドサイクル発電は，大気温度の変化が出力に与える影響が大きくなります。
▶解答 (4)

問2 風力発電に関する記述として，最も不適当なものはどれか。

(1) プロペラ形風車は，風速変動に対する制御が容易である。
(2) ダリウス形風車は，垂直軸型のため，風向の変化に対して姿勢を変える必要がない。
(3) ナセルは，水平軸風車においてタワーの上部に配置され，動力伝達装置，発電機，制御装置などを格納するもの，及びその内容物の総称である。
(4) 制御装置は，風況に応じてブレードの設置角度を制御する装置である。

解説
風況に応じてブレードの設置角度を制御する装置は，ピッチ制御装置です。
▶解答 (4)

▶ 変電設備

問1 変電所に用いられる機器に関する記述として，最も不適当なものはどれか。

(1) 遮断器は，機器などの故障時に回路を自動遮断するために設置されるが，常時は回路の開閉操作に用いられる。
(2) 断路器は，無負荷時に，回路を切り離したり系統の接続変更をするために用いられる。
(3) 負荷開閉器は，負荷電流の開閉操作用に設けられるが，短絡電流の遮断能力もある。
(4) 接地開閉器は，遮断器や断路器が開放したのちに，電路に残留している電荷や誘導電圧をなくし，点検作業時の安全性を確保するために使用する。

解説

負荷開閉器は，負荷電流の開閉操作用に設けられます。しかし，短絡電流の遮断能力はありません。

▶解答 (3)

問2 変電所に用いられるガス絶縁開閉装置(GIS)の特徴に関する記述として，最も不適当なものはどれか。

(1) 気中絶縁に比べて小型化が可能であり，その小型化の効果は電圧が高いほど大きい。
(2) 露出充電部がなく外気の影響を受けにくいため，信頼性が高い。
(3) 内部事故の場合，事故部分を一括取替することにより，気中絶縁に比べて迅速な復旧が可能である。
(4) 規模に応じて，組立調整，熱伸縮吸収，地震時の過渡変位吸収などのために伸縮継手が必要となる。

解説

変電所に用いられるガス絶縁開閉装置(GIS)の特徴として，機器の内部事故が発生すると絶縁性能のよいSF_6ガスを封入している雰囲気内にあるので，一括取替えは難しいです。 ▶解答 (3)

問3 変電所の変圧器のインピーダンスを小さくした場合の記述として，不適当なものはどれか。

(1) 変圧器の電圧変動率が減少する。
(2) 系統の安定度が向上する。
(3) 系統の短絡電流が増加する。
(4) 変圧器の全損失が増加する。

解説

変圧器のインピーダンスを小さくした場合，損失が減少し電圧変動率が小さくなり，系統が安定しますが，短路電流は増加します。 ▶解答 (4)

▶ 送配電設備

問1 送電系統の保護に関する記述として，最も不適当なものはどれか。

(1) 保護継電器は，その役割を果たすため事故判別の正確性と高速性が要求される。
(2) 比率差動継電器は，電流と電圧の位相差がある比率以上になったとき動作するものである。
(3) 回線選択継電器は，並行2回線送電線の場合，送電線区間内の1回線のみに故障が生じたとき，健全回線と故障回線の電流または電力潮流の差により，故障回線を選択遮断するものである。
(4) 後備保護継電器は，主保護継電器がロックされているなどの理由で動作できない場合に動作して，故障部分を除去するものである。

解説

比率差動継電器は，保護区間に流入する電流と流出する電流の差を検出し，比率により動作します。

▶解答 (2)

問2 送電線の再閉路方式に関する記述として，最も不適当なものはどれか。

(1) 遮断器が開放されたのち，設定時間が経過してから自動投入される。
(2) 三相再閉路方式は，当該回線の事故により三相一括で遮断し，再閉路を行う。
(3) 遮断器開放から再閉路までの無電圧時間により高速度，中速度，低速度に区分される。
(4) 再閉路方式は，停電時間を短くするものであり，主に地中送電系統で使用される。

解説

再閉路方式は，停電時間を短くするものであり，主に架空電線路に使用されます。

▶解答 (4)

問3 電力系統の供給信頼度の向上対策に関する記述として，最も不適当なものはどれか。

(1) 発電機，送電線，変圧器などの機器は，できる限り並列接続する。
(2) 機器の定期点検は，負荷の軽重に関わらず，年間を通して平均化するように計画する。
(3) 交流連系線や直流連系線，周波数変換設備などで隣接系統間を連系し，広域運営を行う。
(4) 多重化や自動監視の適用などによって，保護継電装置の信頼度を向上させる。

解説

機器の定期点検の実施時期は，負電気使用の少ない時期を選ぶなど負荷の軽重を考慮します。年間を通して平均化するように計画するものではありません。

▶解答（2）

問4 架空送電線におけるスリートジャンプによる事故の防止対策として，不適当なものはどれか。

(1) 電線の張力を大きくする。
(2) 長径間になることを避ける。
(3) 単位重量の小さい電線を使用する。
(4) 電線相互のオフセットを大きくする。

解説

架空送電線におけるスリートジャンプとは，送電線に付着した氷雪が外気温の上昇により跳ね上がる現象です。単位重量の小さい電線は跳ね上がる高さが大きいので，単位重量の大きい電線を使用します。

▶解答（3）

問5 架空送電線路のギャロッピングに関する記述として，最も不適当なものはどれか。

(1) 電線に付着した氷雪が脱落し，その反動で電線が跳ね上がる現象である。
(2) 振幅が大きくなり，相間短絡を起こすことがある。
(3) 単導体よりも多導体において発生しやすい。
(4) 防止対策として，送電線に相間スペーサを取り付ける方法がある。

解説

電線に付着した氷雪が脱落し，その反動で電線が跳ね上がる現象はスリートジャンプです。

▶解答（1）

問6 架空送電線路のフラッシオーバに関する記述として，不適当なものはどれか。

(1) 径間逆フラッシオーバを防止するため，架空地線のたるみを電線のたるみより大きくする。
(2) がいし表面が塩分などで汚損されると，交流に対するフラッシオーバ電圧が低下する。
(3) 鉄塔逆フラッシオーバを防止するため，埋設地線を施設して塔脚接地抵抗を小さくする。
(4) アークホーン間隔は，遮断器の開閉サージでフラッシオーバしないように設定する。

解説

径間逆フラッシオーバを防止するため，架空地線のたるみを電線のたるみより小さくします。大きいと径間逆フラッシオーバが発生しやすくなります。

▶解答（1）

問7 架空電線路の架空地線に関する記述として，不適当なものはどれか。

(1) 誘導雷により電力線に発生した雷電圧を低減する効果がある。
(2) 直撃雷に対しては，遮へい角が大きいほど遮へい効果が高い。
(3) 直撃雷に対しては，1条より2条施設した方が遮へい効果が高い。
(4) 送電線の地絡故障による通信線への電磁誘導障害を軽減する効果がある。

解説

遮へい角が小さいほど遮へい効果が高いので，架空地線を2列に張って遮へい角を小さくすることがあります。

▶解答（2）

問8 架空送電線路の線路定数を定める要素として，最も関係のないものはどれか。

(1) 電線の種類　　(2) 導体の断面積
(3) 電線の配置　　(4) 負荷の力率

解説

線路定数を定める要素は，電線の種類，導体の断面積（太さ），電線の配置です。電圧，電流，力率は関係ありません。 ▶解答（4）

問9 変電所の変圧器の中性点接地方式において，非接地方式と比較した直接接地方式の特徴に関する記述として，不適当なものはどれか。

(1) 1線地絡時の保護継電器の動作が確実である。
(2) 1線地絡時の電磁誘導障害が小さい。
(3) 1線地絡時の健全相の電圧上昇が小さい。
(4) 変圧器の巻線の絶縁を軽減することができる。

解説

中性点接地方式において，直接接地方式は1線地絡時の地絡電流が最も大きく，通信線などに及ぼす電磁誘導障害が大きくなります。 ▶解答（2）

問10 三相3線式の地中送電線路において，無負荷時の充電容量Qc〔kV･A〕を表す式として，正しいものはどれか。

ただし，各記号は次のとおりとする。

V：線間電圧〔kV〕　　C：ケーブル1線当たりの静電容量〔μF〕
ω：角周波数〔rad/s〕

(1) $Q_C=\frac{1}{\sqrt{3}}\omega CV\times10^{-3}$〔kV・A〕
(2) $Q_C=\omega CV\times10^{-3}$〔kV・A〕

(3) $Q_C = \omega CV^2 \times 10^{-3}$〔kV・A〕

(4) $Q_C = 3\omega CV^2 \times 10^{-3}$〔kV・A〕

解説

ケーブルの無負荷充電電流をIcとすると，無負荷時の充電容量Qc〔kV・A〕$=\sqrt{3}\,VIc$……①

対地電圧をEとすると，$Ic = \omega CE = \omega C \times 10^{-6} \times V \times 10^3/\sqrt{3}$ ……②

②を①に代入して，$Qc = \sqrt{3}\,VIc = \sqrt{3}\,V\omega C \times 10^{-6} \times V \times 10^3/\sqrt{3} = \omega CV^2 \times 10^{-3}$〔kV・A〕

▶解答（3）

問11 送配電系統におけるフェランチ現象に関する記述として，不適当なものはどれか。

(1) 線路の静電容量が大きいほど発生しやすい。

(2) 深夜などの軽負荷時に発生しやすい。

(3) 地中電線路よりも架空電線路のほうが発生しやすい。

(4) 進み力率の負荷が多く接続されているときに発生しやすい。

解説

フェランチ現象は，軽負荷時に受電端電圧が送電単電圧より高くなる現象です。これは対地静電容量による充電電流が大きくなるためで，対地静電容量が大きい地中電線路のほうが架空電線路より発生しやすくなります。

▶解答（3）

問12 地中送電線路における電力ケーブルの常時許容電流を増大させる方法に関する記述として，不適当なものはどれか。

(1) ケーブルのシース回路損を低くする。

(2) 誘電正接の小さい絶縁体を使用する。

(3) ケーブルを冷却する。

(4) 比誘電率の大きい絶縁体を使用する。

解説

比誘電率の小さい絶縁体を使用します。そのほか，許容電流を小さくするには，①導体抵抗を小さくする。②渦電流を小さくする。③誘電損失を小さくするなどの方法があります。

▶解答 (4)

問13 配電系統の保護に関する記述として，最も不適当なものはどれか。

(1) 高圧配電線路の地絡保護のために，変電所に過電流継電器を施設する。
(2) 雷による高圧配電線路の機器保護のため，柱上変圧器の一次側に避雷器を施設する。
(3) 高圧配電線路の短絡保護のため，電路に過電流遮断器を施設する。
(4) 低圧配電線路の短絡故障に対し，柱上変圧器の一次側に高圧ヒューズを施設する。

解説

過電流継電器は電流の流れすぎで動作するものであり，高圧配電線路の地絡保護は地絡継電器が担います。

▶解答 (1)

問14 高圧の電力系統に分散型電源を連系する場合において，分散型電源を自動的に解列しなければならない事象として，「電気設備の技術基準とその解釈」上，定められていないものはどれか。

(1) 連系している電力系統の短絡事故または地絡事故
(2) 分散型電源の単独運転
(3) 連系している電力系統におけるフリッカ電圧の発生
(4) 分散型電源の異常または故障

解説

連系している電力系統におけるフリッカ電圧の発生や，連系している電力系統における高調波の発生は，分散型電源を自動的に解列しなければならない事象には含まれていません。

▶解答（3）

問15 分散型電源の系統連系設備に関する用語の定義として，「電気設備の技術基準とその解釈」上，誤っているものはどれか。

(1) 自立運転とは，分散型電源が連系している電力系統から解列された状態において，当該分散型電源設置者の構内負荷にのみ電力を供給している状態である。

(2) 線路無電圧確認装置とは，電線路の電圧の有無を確認するための装置である。

(3) 逆潮流とは，分散型電源設置者の構内から，一般送配電事業者が運用する電力系統側へ向かう有効電力の流れである。

(4) 転送遮断装置とは，遮断器の遮断信号を通信回線で伝送し，同じ構内に設置された別の遮断器を動作させる装置である。

解説

転送遮断装置とは，遮断器の遮断信号を通信回線で伝送し，別の構内に設置された遮断器を動作させる装置です。同じ構内の遮断器ではありません。

▶解答（4）

▶ 構内電気設備

問1 屋内全般照明の光束法による照度計算に関する記述として，不適当なものはどれか。

(1) 壁面の反射率が小さいほど，照度は下がる。

(2) 保守率が小さいほど，照度は下がる。

(3) 室指数が大きいほど，照度は下がる。

(4) 作業面から光源までの高さが高いほど，照度は下がる。

解説

1室の縦と横の長さをそれぞれX，Yとし，光源までの高さをHとすると，室指数$=X \cdot Y/H(X+Y)$ ……① で表すことができます。

光源の高さHに着目すると，これが小さいと照度は上がり，①も大きいことがわかります。

▶解答（3）

問2 光束法により算出される作業面の平均照度として，適当なものはどれか。ただし，条件は次のとおりとする。

部屋の開口：10m

部屋の奥行：15m

作業面から光源までの高さ：2m

照明器具1台の光束：3,000lm

照明器具の台数：25台

照明率：図の固有照明率より選定

保守率：0.8

反射率：天井70%，壁50%，床10%

照明器具形式	室指数	反射率〔%〕	固有照明率						
		天井	70			50		30	0
		壁	70	50	30	50	30	30	0
		床	10			10		10	0
LSS9－4－30	0.60	J	0.50	0.38	0.32	0.38	0.31	0.30	0.24
	0.80	I	0.59	0.49	0.41	0.47	0.40	0.39	0.34
	1.00	H	0.65	0.56	0.48	0.53	0.47	0.46	0.40
	1.25	G	0.71	0.61	0.55	0.59	0.54	0.52	0.46
	1.50	F	0.75	0.66	0.59	0.64	0.58	0.57	0.51
	2.00	E	0.80	0.73	0.67	0.70	0.65	0.63	0.59
	2.50	D	0.83	0.77	0.72	0.75	0.70	0.68	0.63
	3.00	C	0.86	0.80	0.76	0.77	0.74	0.71	0.67
	4.00	B	0.89	0.85	0.80	0.81	0.78	0.76	0.72
	5.00	A	0.91	0.87	0.84	0.84	0.81	0.78	0.76

(1) 292lx

(2) 308lx

(3) 320lx

(4) 340lx

解説

①室指数＝間口×奥行÷高さ(間口＋奥行)＝10×15÷2(10＋15)＝3

②反射率：天井70%，壁50%，床10%から，照明率は0.8

③$E = FUMN/S$＝3,000×0.8×0.8×25÷(10×15)＝320lx　▶解答（3）

問3 図に示す電動機を接続しない分岐幹線において，分岐幹線保護用過電流遮断器を省略できる分岐幹線の長さと分岐幹線の許容電流の組合せとして,「電気設備の技術基準とその解釈」上，適当なものはどれか。

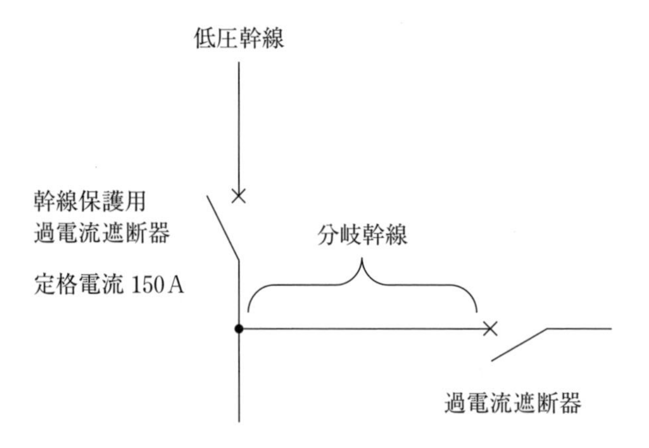

分岐幹線の長さ	分岐幹線の許容電流
(1) 5m	30A
(2) 7m	50A
(3) 9m	70A
(4) 11m	90A

解説

分岐幹線の長さと許容電流の関係は表のとおりです。

分岐幹線の長さ	分岐幹線の許容電流
3m以下	規定なし
3～8m以下	定格電流×35%以上
8m～	定格電流×55%以上

150×0.35＝52.5A　　150×0.55＝82.5A

▶解答（4）

問4 次の負荷ア，イを接続する低圧屋内幹線に必要な許容電流の最小値〔A〕として，「電気設備の技術基準とその解釈」上，適当なものはどれか。

ア　電動機の定格電流の合計:80A
イ　ピークの定格電流の合計:60A

(1) 148A
(2) 154A
(3) 160A
(4) 175A

解説

まず，電動機の定格電流の合計（80A）と，ピークの定格電流の合計（60A）を比較すると，電動機の定格電流の合計のほうが大きい値です。また，50Aを超えているので，低圧屋内幹線に必要な許容電流の最小値〔A〕は次のように計算します。

80×1.1＋60＝148A

▶解答（1）

問5 屋内に施設するフロアヒーティングに関する記述として，「電気設備の技術基準とその解釈」上，不適当なものはどれか。

(1) 発熱線に電気を供給する電路の対地電圧を，150V以下とした。

(2) 使用電圧が100V の発熱線に直接接続する電線の被覆に使用する金属体には，D種接地工事を施した。
(3) 発熱線に電気を供給する電路には，専用の過電流遮断器（MCCB）を設けるほか，漏電遮断器（ELCB）を設置した。
(4) 発熱線の温度は，120℃を超えないように施設した。

解説

フロアヒーティングの発熱線の温度は，80℃を超えないようにします。

なお，ロードヒーティングの金属被覆を有する発熱線の温度は120℃を超えないようにします。

▶解答（4）

問6 キュービクル式高圧受電設備に関する記述として，「日本産業規格(JIS)」上，不適当なものはどれか。

(1) 主遮断装置の形式がPF･S形の場合，受電設備容量は300kV･A 以下である。
(2) 主遮断装置の形式がCB形の場合，受電設備容量は5,000kV･A 以下である。
(3) 通気孔（換気口を含む。）には，小動物などの侵入を防止する処置として，直径10mmの丸棒が入るような孔または隙間がないものとする。
(4) 本体，屋根，扉及び囲い板は，JISに規定する鋼板を用い，鋼板の厚さは，屋内用は標準厚さ1.6mm以上，屋外用は標準厚さ2.3mm以上とする。

解説

主遮断装置の形式がCB形の場合，受電設備容量は4,000kV･A 以下です。

▶解答（2）

問7 キュービクル式高圧受電設備に関する記述として，「日本産業規格(JIS)」上，不適当なものはどれか。

(1) CB形の主遮断装置は，遮断器と過電流継電器とを組み合わせたもの，または一体としたものとする。
(2) 高圧引出しを行う場合，引出し形遮断器を使用すれば断路器を省略できる。
(3) 自動力率調整を行う一つの開閉装置に接続することができる高圧進相コンデンサの設備容量は，200kvar以下とする。
(4) 変圧器容量が500kV·A の場合は，変圧器の一次側の開閉装置として，高圧カットアウトを使用することができる。

解説

変圧器の一次側の開閉装置として，高圧カットアウトを使用することができるのは，変圧器容量が300kV·A以下の場合です。 ▶解答 (4)

問8 3回線で受電する低圧スポットネットワーク方式に関する記述として，不適当なものはどれか。

(1) 低圧スポットネットワーク方式とは，ネットワーク変圧器の二次側電圧が低圧の方式をいう。
(2) 一次側の1回線が停止しても，残りの変圧器で最大需要電力を供給できるように，変圧器容量を選定する。
(3) プロテクタヒューズは，ネットワーク変圧器の一次側に設置される。
(4) プロテクタ遮断器は，ネットワーク母線からの逆潮流により遮断動作する。

解説

プロテクタヒューズは，受電変圧器の二次側に設置されます。 ▶解答 (3)

問9 自家用発電設備におけるガスタービン発電装置と比較したディーゼル発電装置の特徴に関する記述として，不適当なものはどれか。
ただし，定格出力は同一のものとする。

(1) 往復動機関のため，発生振動は大きい。
(2) 燃焼用空気量が少ない。
(3) 軽負荷時において燃料の完全燃焼が得られにくい。
(4) 構成部品点数が少なく，重量も軽い。

解説

ディーゼル発電装置は構成部品点数が多く，重量も重くなります。

▶解答 (4)

問10 コージェネレーションシステム (CGS) の用語に関する記述として，「日本産業規格 (JIS)」上，誤っているものはどれか。

(1) 熱電比とは，建物または施設の熱需要を電力需要で除した値である。
(2) ピークカット運転とは，需要電力のピーク負荷部分に発電電力を供給する運転方式である。
(3) コンバインドサイクルとは，高温の熱機関サイクルと低温の熱機関サイクルとを並列に組み合わせたサイクルである。
(4) 電力負荷追従運転とは，電力需要を基準に，CGSを運転する運転制御方式である。

解説

コンバインドサイクルとは，一般に天然ガスを燃焼させてガスタービンを回し，さらにガスタービンからの高温の排ガスを利用して蒸気をつくって蒸気タービンを回します。つまり，ガスタービンと蒸気タービンを組み合わせた二重の発電方式です。

▶解答 (3)

問11 無停電電源装置（UPS）に関する記述として，「日本産業規格（JIS）」上，不適当なものはどれか。

(1) インバータは直流電力を交流電力に変換する半導体電力変換装置である。
(2) 常時商用給電方式は，常用電源の電圧または周波数が許容範囲から外れた場合，蓄電池運転状態となりインバータで負荷電力の連続性を維持するものである。
(3) 保守バイパスは，システムのUPSユニットまたはUPSユニットのグループを追加することによって，負荷電力の連続性を向上させた電力経路である。
(4) 並列冗長UPSは，複数のUPSユニットで並列運転を行い，1台以上のUPSユニットが故障したとき，残りのUPSユニットで全負荷を負うことができるシステムである。

解説

保守バイパスは，保守期間中，負荷電力の連続性を維持するために設ける電力経路のことです。システムのUPSユニットまたはUPSユニットのグループを追加して，負荷電力の連続性を向上させるのは冗長UPSです。

▶解答（3）

問12 高圧受電設備において，変圧器の高圧側電路の1線地絡電流が15 Aであるとき，B種接地工事の接地抵抗値の最大値として，「電気設備の技術基準とその解釈」上，正しいものはどれか。

ただし，高圧側の電路には低圧側の電路との混触時に1秒を超え2秒以下で自動的に遮断する装置が施設されているものとする。

(1) 10 Ω
(2) 20 Ω
(3) 30 Ω
(4) 40 Ω

解説

B種接地の値　$R=K/I$　I：1線地絡電流　で計算します。Kの値は自動遮断装置の動作時間によって異なり，表のようになります。

自動遮断装置の動作時間（秒）	Kの値
1秒以下	600
1秒超え2秒以下	300
2秒超え	150

$R=K\div I=300\div 15=20\,\Omega$

▶解答（2）

問13 中央監視制御装置の機能に関する記述として，最も不適当なものはどれか。

(1) 無効電力制御は，コンデンサの台数制御を行い，常に力率を適正に保つ制御を行う。

(2) 発電装置負荷制御は，停電時等の発電装置立上げに伴い，設定された優先順位に従い負荷制御を行う。

(3) 電力デマンド監視は，使用電力量から一定周期で使用電力を監視し，デマンド目標値を超えるおそれがある場合に警報を発する。

(4) トレンド表示は，設備系統図や平面図を表示装置上に表示して，機器の状態や警報をそのシンボルの色変化や点滅で表示を行う。

解説

トレンド表示は，現在までの計測データや運転履歴などをグラフで表示したものです。設備系統図や平面図を表示装置上に表示して，機器の状態や警報をそのシンボルの色変化や点滅で表示を行うのは，状態監視機能です。

▶解答（4）

問14 非常用の照明装置（照明設備）に関する記述として，「建築基準法」上，誤っているものはどれか。

(1) 地下街の各構えの接する地下道の床面において，水平面照度で5 l_X 以上を確保しなければならない。
(2) 照明器具（照明カバーその他照明器具に付属するものを含む。）のうち主要な部分は，難燃材料で造り，または覆わなければならない。
(3) 予備電源と照明器具との電気配線に用いる電線は，600V 二種ビニル絶縁電線その他これと同等以上の耐熱性を有するものとしなければならない。
(4) LEDランプを用いる場合は，常温下で床面において水平面照度で2 l_X 以上を確保しなければならない。

解説

地下街の各構えの接する地下道の床面において，水平面照度で10l_X 以上を確保します。

▶解答（1）

問15 自動火災報知設備に関する記述として，「消防法」上，不適当なものはどれか。

(1) 面積600m^2 で一辺の長さが100m の工場に光電式分離型感知器を設置したので，一つの警戒区域とした。
(2) 面積600m^2 で一辺の長さが50mの事務室に煙感知器を設置したので，一つの警戒区域とした。
(3) 事務所ビルの3階と4階それぞれの床面積が500m^2 であったので，合わせて一つの警戒区域とした。
(4) 学校の体育館で主要な出入口から内部を見通すことができたので，一つの警戒区域の面積を1,000m^2 とした。

解説

警戒区域とは，火災の起こった場所を他と区別，識別できる単位です。一つの警戒区域の面積は，原則として600m^{2}以下ですが，主要な出入口から内部を見通すことができる場合は，一つの警戒区域の面積を1,000m^2 以下とすることができます。また，例外的に，上下階の床面積の合計が500m^{2}以下の場合は，一つの警戒区域としてよいという規定があります。　▶解答（3）

問16 消防用設備等とこれを有効に作動できる非常電源の最小の容量の組合せとして,「消防法」上，誤っているものはどれか。

	消防用設備等	非常電源の最小の容量
(1)	自動火災報知設備	10分間
(2)	非常コンセント設備	20分間
(3)	屋内消火栓設備	30分間
(4)	不活性ガス消火設備	60分間

解説

非常コンセント設備は30分間以上の容量が必要です。　▶解答（2）

問17 光ファイバに関する記述として，不適当なものはどれか。

(1) マルチモードファイバは，屈折率分布により，ステップインデックス（SI）型とグレーデッドインデックス（GI）型がある。

(2) シングルモードファイバは，コア径が小さく単一のモードで伝搬するものである。

(3) 光ファイバは，光の屈折率の高いコア（中心部）とその外側の屈折率の低いクラッドから構成されている。

(4) シングルモードファイバは，マルチモードファイバと比較して，伝送損失が大きく長距離伝送に適さない特徴がある。

解説

シングルモードファイバは，光のモード（光の伝わる道）が1本で，伝送損失が小さく長距離伝送に適します。

▶解答（4）

▶ 電車線・その他

問1 電気鉄道における交流き電方式（単相交流20kV）と比較した，直流き電方式（直流1,500V）に関する記述として，不適当なものはどれか。

(1) 変電所の変電設備が簡単である。
(2) 地下埋設物の電食について考慮する必要がある。
(3) 変電所間隔を短くする必要がある。
(4) トンネル断面が小さくできる。

解説

直流き電方式（直流1,500V）は，変電所間隔が短く変電所の数が多くなります。また，交流・直流の変成器などを必要とし，設備は複雑で建設費も高くなります。

▶解答（1）

問2 道路トンネル照明に関する記述として，最も不適当なものはどれか。

(1) 基本照明は，トンネル全長にわたり，灯具を原則として一定間隔に配置する。
(2) ちらつきによる不快感は，明暗輝度比，明暗周波数，明暗時間率などが複合して生ずる。
(3) 出口部照明は，昼間，出口付近の野外輝度が著しく高い場合に，出口の手前付近にある障害物や先行車の見え方を改善するための照明である。
(4) 基本照明の平均路面輝度は，トンネル延長が長いほど高い値とする。

解説

トンネルの平均路面輝度は，速度が速いほど高くしますが，トンネルが長いほど低い値にします。

▶解答（4）

第3章 関連分野

▶ 管

問1 空気調和設備の熱負荷計算に関する記述として，最も不適当なものはどれか。

(1) 人体，照明及び機器発熱による熱負荷は，室内負荷として冷房負荷に含める。
(2) 室内圧力が正圧の場合，窓からのすきま風負荷は，暖房負荷に含めないことが多い。
(3) ガラス窓透過日射熱負荷は，暖房負荷に含めないことが多い。
(4) 地下階の土壌に接している壁の通過熱負荷は，冷房負荷に含める。

解説

地下階の土壌に接している壁は一般に室内より冷たく，通過熱負荷は，冷房負荷に含めません。

▶解答（4）

問2 給水設備の飲料用受水槽に関する記述として，最も不適当なものはどれか。

(1) 水槽のオーバーフロー管及び通気管の末端には，耐食性の防虫網を取り付けた。
(2) 水槽の側面には保守点検のために，60cm のスペースを設けた。
(3) 水槽の上面には保守点検のために，80cm のスペースを設けた。
(4) 水槽内の給水流入口端とオーバーフロー管下端との間に，吐水口空間を設けた。

解説

水槽の上面には保守点検のために，100cm 以上のスペースを設ける必要があります。

▶解答（3）

▶ 土木・鉄塔

問1 次の記述に該当する土留め壁の名称として，最も適当なものはどれか。

「遮水性がよく，原地盤の土砂を材料として用い，H型鋼などを芯材に利用した土留め壁」

(1) ソイルセメント壁
(2) 鋼矢板土留め壁
(3) 鋼管矢板土留め壁
(4) 親杭横矢板土留め壁

解説

「原地盤の土砂（ソイル）を材料として用い」とあるのでソイルセメント壁です。

▶解答（1）

問2 鉄塔の基礎に関する次の記述に該当する基礎の名称として，適当なものはどれか。

「勾配の急な山岳地に適用され，鋼板などで孔壁を保護しながら円形に掘削しコンクリート躯体を孔内に構築する。」

(1) 杭基礎

(2) 深礎基礎

(3) マット基礎

(4) 逆T字基礎

解説

勾配の急な山岳地に適用され，鋼板などで孔壁を保護しながら円形に掘削しコンクリート躯体を孔内に構築するのは，深礎基礎です。 ▶解答 (2)

▶ 建築

問1 鉄筋コンクリートに関する記述として，最も不適当なものはどれか。

(1) クリープは，持続荷重が作用すると時間の経過とともにひずみが増大する現象のことである。

(2) コンクリートと鉄筋の付着強度は，異形鉄筋より丸鋼を用いた方が大きい。

(3) コンクリートのアルカリ性により，鉄筋をさびにくくしている。

(4) 打設時にコンクリートのまわりが悪くなるおそれがあるため，隣り合うガス圧接継手の位置をずらす。

解説

丸鋼は鉄筋表面が滑らかであるが，異形鉄筋は表面に節，リブによる凹凸があります。コンクリートと鉄筋の付着強度は，異形鉄筋を用いた方が大きくなります。 ▶解答 (2)

問2 鉄筋コンクリート構造の建築物における，梁貫通に関する記述として，最も不適当なものはどれか。

(1) 貫通孔の径は，梁せいの1/3以下とした。

(2) 貫通孔が並列する場合の中心間隔は，孔径平均値の3倍以上とする。

(3) 貫通孔の横方向の位置は，柱の付近が望ましい。

(4) 貫通孔の上下方向の位置は，梁せいの中心付近が望ましい。

解説

貫通孔の横方向の位置は，柱の付近を避けて柱から梁せいの1.5倍以上離れた位置とします。 ▶解答 (3)

▶ 設計・契約

問1 配電盤・制御盤・制御装置の文字記号と用語の組合せとして,「日本電機工業会規格 (JEM)」上，誤っているものはどれか。

	文字記号	用語
(1)	ZCT	零相変流器
(2)	UVR	不足電圧継電器
(3)	PGS	ガス遮断器
(4)	RPR	逆電力継電器

解説

PGSはPole Gas Switchで柱上ガス開閉器を意味します。 ▶解答 (3)

問2 請負契約に関する記述として,「公共工事標準請負契約約款」上，誤っているものはどれか。

(1) 受注者は，監督員がその職務の執行につき著しく不適当と認められるときは，発注者に対して，その理由を明示した書面により，必要な措置をとるべきことを請求することができる。

(2) 受注者は，工事の施工に当たり，設計図書の表示が明確でないことを発見したときは，その旨を直ちに監督員に通知し，その確認を請求しなければならない。

(3) 発注者は，工事が完成の検査に合格し，請負代金の支払いの請求があったときは，請求を受けた日から40日以内に請負代金を支払わなければならない。

(4) 受注者は，発注者が設計図書を変更したため請負代金額が3分の1以上減少したときは，契約を解除することができる。

解説

受注者は，発注者が設計図書を変更したため請負代金額が3分の2以上減少したときは，契約を解除することができます。 ▶解答 (4)

第4章 施工管理

▶ 施工計画

問1 施工計画書の作成に関する記述として，最も不適当なものはどれか。

(1) 工種別施工計画書を作成し，それに基づき総合施工計画書を作成した。

(2) 工種別施工計画書は，施工の具体的な計画及び一工程の施工の確認内容を含めて作成した。

(3) 総合施工計画書は，施工体制，仮設計画及び公害防止対策を含めて作成した。

(4) 総合施工計画書は，現場担当者だけで検討することなく，会社内の組織を活用して作成した。

解説

施工計画書の作成は，最初に総合施工計画書を作成し，それを基に工種別施工計画書を作成します。作成順序が違います。 ▶解答 (1)

問2 建設工事における施工要領書を作成する際の留意事項として，最も不適当なものはどれか。

(1) 品質の向上を図り，安全かつ経済的な施工方法を検討した。
(2) 他の現場においても共通に利用できるよう一般的事項を記入した。
(3) 設計図書などに明示のない部分を具体化して作成した。
(4) 作業員に施工方針や施工技術を周知するために作成した。
(5) 工事の着手前に作成して，工事監理者の承諾を受けた。

解説

施工要領書は施工図を補完する役割もあります。他の現場においても共通に利用できるような一般的事項を記入するのではなく，その現場に応じた内容を作業員に対して分かりやすく図などを用いて示します。 ▶解答 (2)

問3 建設工事における仮設計画に関する記述として，最も不適当なものはどれか。

(1) 屋内に設ける仮設通路は，通路面から高さ1.8m以内に障害物がないようにした。
(2) 工事用電源として出力10kWの可搬型ディーゼル発電機を使用するので，電気主任技術者を選任する計画とした。
(3) 仮設の低圧ケーブル配線が通路床上を横断するので，車両等の通過により絶縁被覆が損傷しないように架空配線で使用する計画とした。
(4) 仮設の配線に接続する架空つり下げ電灯は，高さ2.3mに設置したのでガードを省略した。
(5) 工事用電気設備の建物内幹線は，工事の進捗に伴う移設や切り回し等の支障の少ない場所で立上げる計画とした。

解説

仮設の配線に接続する架空つり下げ電灯は，高さによらずガードを取り付けます。高いからといって省略することはできません。 ▶解答 (4)

問4 法令に基づく申請書等に関する記述として，最も不適当なものはどれか。

(1) 重量機器搬入のため道路上でラフタークレーンを使用するので，道路交通法に基づく「道路使用許可申請書」を道路管理者に提出した。

(2) 延面積1,500m^{2}の事務所ビルの新築工事において，消防法に基づく「消防用設備等設置届出書」を工事が完了した日から4日後に提出した。

(3) 重油を貯蔵する地下タンクの容量が5,000Lであったので，消防法に基づく「危険物貯蔵所設置許可申請書」を提出した。

(4) 工事用仮設電源として，内燃力を原動力とする出力20kWの移動用発電設備を使用するので，電気事業法に基づく「主任技術者選任届出書」を所轄の産業保安監督部長に提出した。

(5) 受電電圧6kVの需要設備を設置するので，電気事業法に基づく「保安規程届出書」を所轄の産業保安監督部長に提出した。

解説

道路上でラフタークレーンを使用する場合，道路交通法に基づく「道路使用許可申請書」を所轄の警察署長に提出します。 ▶解答 (1)

▶ 工程管理

問1 進捗度曲線（Sチャート）を用いた工程管理に関する記述として，最も不適当なものはどれか。

(1) 進捗度曲線は，上方許容限界曲線と下方許容限界曲線で囲まれた形がバナナ形になることから，バナナ曲線と呼ぶことがある。

(2) 実施数量の累積値が計画数量の累積値の上側にある場合は，工程に遅れが生じている。

(3) 計画時点の進捗度曲線は，労力などの平均施工速度を基礎として作成される。

(4) 進捗度のずれには許容限界があり，回復しがたい状態に追い込まれないことが必要である。

解説

進捗度曲線（Sチャート）において，実施数量の累積値が計画数量の累積値の上側にある場合は，工程に遅れが生じているのではなく，工程が予定より進みすぎていることを示しています。 ▶解答（2）

問2 図のネットワーク工程表において，クリティカルパスの日数（所要工期）として，正しいものはどれか。

ただし，○内の数字はイベント番号，アルファベットは作業名，日数は所要日数を示す。

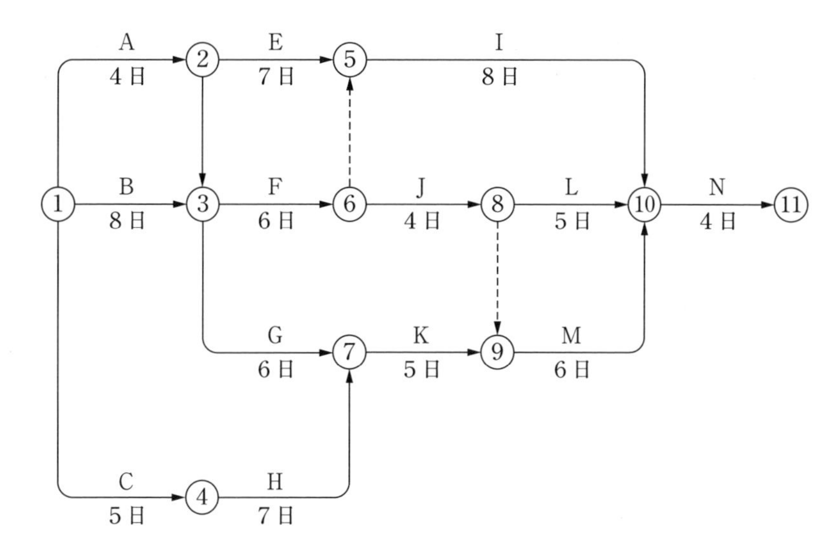

（1）27日

（2）28日

（3）29日

（4）30日

（5）31日

解説

最早開始時刻を計算すると，図のようになります。

一般に，イベント番号順に計算していきますが，⑤には2本のアローが入るので，⑥を先に計算しておきます。クリティカルパスの日数（所要工期）は，⑪の数字30日です。

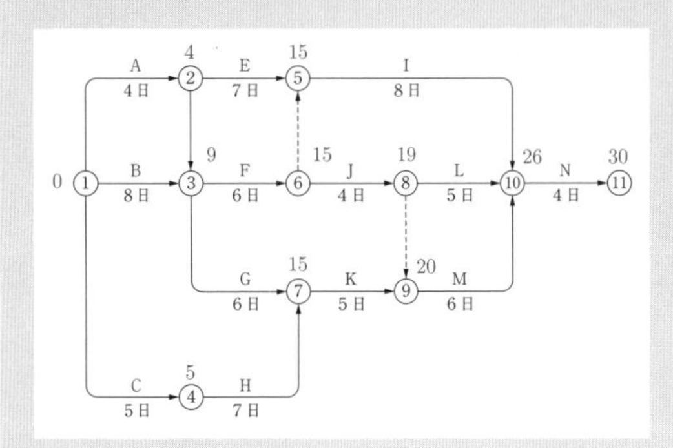

▶解答（4）

問3 アロー形ネットワーク工程表を用いて工程の短縮を検討する際に留意する事項として，最も不適当なものはどれか。

(1) 各作業の所要日数を検討せずに，全体の作業日数を短縮してはならない。

(2) 各作業の順序を入れ替えてはならない。

(3) 機械台数の増加が可能であっても，増加限度を超過してはならない。

(4) 余裕のない他の作業から，人員の応援を見込んではならない。

解説

可能であれば，各作業の順序を入れ替えます。また，同時に並行してできる作業を探すことも工程短縮となります。

▶解答（2）

▶ 品質管理

問1 品質管理に関する記述として，最も不適当なものはどれか。

(1) 品質管理とは，品質計画における目標を施工段階で実現するために行う工事管理の項目，方法等をいう。
(2) 品質管理は，問題発生後の検出を重視し，工事の過程で予防処置を行う必要はない。
(3) 工程の各ステップごとに品質管理のチェックリストを作成して計画的に管理する。
(4) 品質管理においては，要求する品質と品質を作り出すために必要な原価とのバランスが重要である。
(5) P→D→C→Aの管理のサイクルを回していくことが，品質管理の基本となる。

解説

問題発生後の検出を重視して品質管理を行うと，手直し，手戻りが多く生じて非効率であり，高い品質が満たされないおそれがあります。工事の各過程で問題が発生しないように予防処置を行うことが重要です。　▶解答 (2)

問2 図に示す品質管理に用いる管理図に関する記述として，最も不適当なものはどれか。

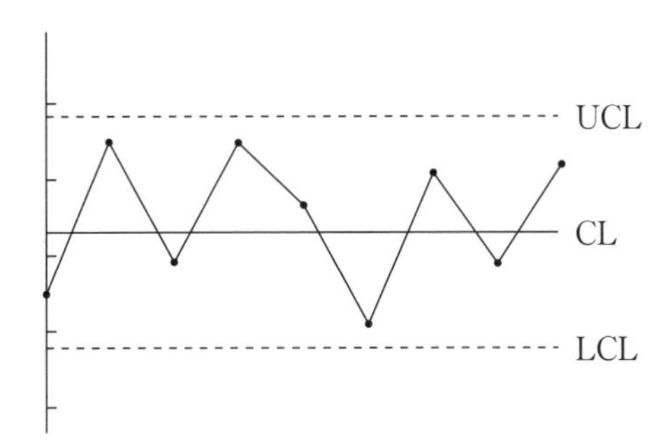

(1) 管理図は，工事の品質管理において，工程が安定状態にあるかどうかを調

べるために用いられる。

(2) 管理図のUCLは，上側管理限界線といい，これを超えると工程が異常である。

(3) 管理図のCLは，中心線（平均値）であり，この図では管理限界に納まっている。

(4) 管理図に打点した点の連続100点中60点が管理限界内にあるときは，工程が安定状態にある。

(5) 管理図に打点した点の連続20点中16点が平均値以上にあるときは，工程が異常である。

解説

管理限界内に，打点した点の連続100点中60点しかないのは，工程が不安定状態にあります。

▶解答（4）

問3 高圧受電設備の絶縁性能の試験(絶縁耐力試験)に関する記述として，最も不適当なものはどれか。

(1) 試験実施の前に，変圧器や計器用変成器の二次側の接地を外していることを確認した。

(2) 試験実施の前後に絶縁抵抗測定を行い，絶縁抵抗が規定値以上であり，試験前後で変わらないことを確認した。

(3) 試験電圧の半分ぐらいまでは徐々に昇圧し，検電器で機器に電圧が印加されていることを確認してから，試験電圧まで昇圧した。

(4) 試験終了後，電圧を零に降圧して電源を切り，検電して無電圧であることを確認してから接地し，残留電荷を放電した。

解説

変圧器や計器用変成器の二次側の接地が施してあることを確認します。

▶解答（1）

▶ 安全管理

問1 明り掘削の作業における，労働者の危険を防止するための措置に関する記述として，「労働安全衛生法」上，誤っているものはどれか。

(1) 掘削作業によりガス導管が露出したので，つり防護を行った。
(2) 地山の掘削作業主任者が，器具及び工具を点検し，不良品を取り除いた。
(3) 砂からなる地山を手掘りで掘削するので，掘削面のこう配を35度とした。
(4) 土止め支保工を設けたので，14日ごとに点検を行い，異常を認めたときは直ちに補修した。

解説

土止め支保工を設けたときは，7日を超えない期間ごとに点検を行い，異常を認めたときは直ちに補修します。

▶解答 (4)

問2 労働者の危険を防止するための措置に関する記述として，「労働安全衛生法」上，誤っているものはどれか。

(1) 作業員の昇降用に幅が30cmの移動はしごを設けた。
(2) 地中管路を施設するための掘削深さが1mであったので，作業員昇降用の設備を省略した。
(3) 高さが2mの箇所での作業であったので，要求性能墜落制止用器具を取り付けるための設備を設けた。
(4) 物体を投下する高さが3mであったので，投下設備を設ける等労働者の危険を防止するための措置を省略した。

解説

物体を投下する高さが3m以上（3mを含む）の場合は，ダストシュートなどの投下設備を設ける等労働者の危険を防止するための措置をします。

▶解答 (4)

問3 建設現場において，特別教育を修了した者が就業できる業務として，「労働安全衛生法」上，誤っているものはどれか。

ただし，道路上を走行する運転を除く。

(1) つり上げ荷重が1.5tの移動式クレーンの玉掛けの業務
(2) 最大荷重が1t未満のフォークリフトの運転の業務
(3) ゴンドラの操作の業務
(4) 高圧充電電路の支持物の点検の業務

解説

つり上げ荷重が1t以上の移動式クレーンの玉掛けの業務は，都道府県労働局長が行う技能講習を修了した者でなければその業務に就くことができません。なお，1t未満であれば特別教育を修了した者でも就業できます。

▶解答 (1)

▶ 工事施工

問1 汽力発電設備の発電機据付工事に関する記述として，最も不適当なものはどれか。

(1) 発電機は，工場において組み立てて試験運転を行ったのち，固定子と回転子及び付属品に分けて現場に搬入した。
(2) エンドカバーベアリング及び軸密封装置を取り付けたのち，固定子に回転子を挿入し，冷却系の配管等の付属品を取り付けた。
(3) 水素冷却タービン発電機及び付属配管の漏れ検査には，不活性ガスを使用した。
(4) 発電機の据付工事は，固定子の据付，回転子の挿入，発電機付属品の組立据付，配管の漏れ検査の順で行った。

解説

固定子に回転子を挿入してから，エンドカバーベアリング及び軸密封装置を取り付けます。順序が逆になっています。 ▶解答 (2)

問2 屋外に設置するキュービクル式高圧受電設備に関する記述として，「高圧受電設備規程」上，最も不適当なものはどれか。

ただし，キュービクルは，高さ2m以上の開放された場所に設置するものとする。

(1) キュービクルへ至る保守点検用の通路は，保守員がキュービクルまで安全に到達できるように，幅0.8mの通路を全面にわたり確保した。

(2) キュービクルを建物屋上の端までの保有距離が2mの位置に設置するので，墜落防止のために高さ0.9mのさくを設けた。

(3) キュービクル前面には，基礎に足場スペースを設けた。

(4) 基礎の開口部からキュービクル内部に小動物が侵入しないよう，開口部に網を設けた。

解説

キュービクルを建物屋上の端までの保有距離が2m以内の位置に設置する場合，墜落防止のために高さ1.1m以上のさくを設けます。 ▶解答 (2)

問3 地中電線路の施工に関する記述として，最も不適当なものはどれか。

(1) 洞道内のケーブルは，熱伸縮の影響を少なくするため，スネーク布設の変曲点で拘束した。

(2) 管路へのケーブル引入時，ケーブルの損傷を防ぐため，引入側の管路口にケーブルガイドを取り付けた。

(3) 管路の途中に水平屈曲部があったので，引入張力を小さくするため，屈曲部に近い方のマンホールからケーブルを引き入れた。

(4) 傾斜地の管路に布設されたケーブルの熱伸縮による滑落を防止するため，

上端側管路口にプーリングアイを取り付けた。

解説

プーリングアイは，ケーブルの先端に取り付けて布設する際に使用するものです。ケーブルの熱伸縮による滑落を防止するためではありません。

▶解答（4）

第5章 法規

▶ 建設業法

問1 建設工事の請負契約書に記載しなければならない事項として，「建設業法」上，定められていないものはどれか。

(1) 現場代理人の権限に関する事項
(2) 価格等の変動若しくは変更に基づく請負代金の額または工事内容の変更
(3) 工事の施工により第三者が損害を受けた場合における賠償金の負担に関する定め
(4) 各当事者の履行の遅滞その他債務の不履行の場合における遅延利息，違約金その他の損害金

解説

建設工事の請負契約書には，現場代理人の権限に関する事項は記載されていません。

▶解答（1）

問2 建設工事において，施工体系図を作成する場合に表示する事項として，「建設業法」上，定められていないものはどれか。

(1) 複数の下請負人が建設業者であるときは，下請負人ごとに置く主任技術者の氏名

(2) 発注者が監督員を置くときは，当該監督員の氏名
(3) 下請負人が建設業者であるときは，一般建設業又は特定建設業の別
(4) 作成建設業者が監理技術者補佐を置くときは，その者の氏名

解説

施工体系図には，発注者が監督員を置いた場合の当該監督員の氏名は記載しません。

▶解答（2）

▶ 電気関係法規

問1 電気工作物に関する記述として，「電気事業法」上，誤っているものはどれか。

(1) 工事計画の届出を必要とする自家用電気工作物を新たに設置する者は，工事計画を届け出，その届出が受理された日から30日を経過した後でなければ，工事を開始してはならない。
(2) 発電のために設置するダム，水路及び貯水池は，電気工作物である。
(3) 一般用電気工作物以外の電気工作物は，すべて自家用電気工作物である。
(4) 自家用電気工作物を設置する者は，死亡または入院を要する感電事故の発生を知った時から24時間以内可能な限り速やかに管轄する産業保安監督部長に概要について報告するとともに，30日以内に報告書を提出しなければならない。

解説

電気工作物には，一般用電気工作物と事業用電気工作物があります。事業用電気工作物には，電気事業用電気工作物，自家用電気工作物，小規模事業用電気工作物があります。したがって，一般用電気工作物以外の電気工作物は，すべて自家用電気工作物ではありません。

▶解答（3）

問2 電気工事士等に関する記述として,「電気工事士法」上, 誤っているものはどれか。

(1) 第一種電気工事士は, 自家用電気工作物に係る電気工事の作業すべてに従事することができる。

(2) 第二種電気工事士は, 最大電力50kW未満であってもその自家用電気工作物に係る電気工事の作業に従事することができない。

(3) 認定電気工事従事者は, 電圧600V以下で使用する自家用電気工作物に係る電気工事のうち, 電線路に係るものを除く電気工事の作業に従事することができる。

(4) 特種電気工事資格者認定証及び認定電気工事従事者認定証は, 経済産業大臣が交付する。

解説

第一種電気工事士は, 自家用電気工作物に係る電気工事の作業すべてに従事することができるものではなく, 需要設備が500kW未満に限ります。

▶解答 (1)

▶ 建築関係法規

問1 次の記述のうち,「建築基準法」上, 誤っているものはどれか。

(1) 主要構造部が耐火構造である建築物は, 耐火建築物である。

(2) 建築物に設ける防火シャッターは, 建築設備である。

(3) 居住の目的のために継続的に使用する室は, 居室である。

(4) 建築面積の敷地面積に対する割合を, 建蔽率という。

解説

建築設備とは, 電気, 給水, ガス設備などをいいます。建築物に設ける防火シャッターは, 建築設備に該当しません。

▶解答 (2)

問2 次の記述のうち,「建築士法」上，誤っているものはどれか。

(1) 建築士は，建築物に関する調査または鑑定を行うことができる。

(2) 一級建築士は，一級建築士として5年以上設備設計に従事した後，登録講習機関が行う所定の講習の課程を修了した後，1年以内に国土交通大臣へ設備設計一級建築士証の交付を申請できる。

(3) 建築士は，工事監理を終了したときは，直ちにその結果を文書で建築主事に報告しなければならない。

(4) 建築物（応急仮設建築物を除く。）を新築する場合に，延べ面積が1,000 m^2 を超え，かつ，階数が2以上の建築物は，一級建築士でなければ工事監理をしてはならない。

解説

建築士は，工事監理を終了したときは，直ちに，省令で定めるところにより，その結果を文書で建築主に報告します。建築主事や都道府県知事ではありません。

▶解答（3）

▶ 労働関係法規

問1 建設業における特定元方事業者が，労働災害を防止するために講ずべき措置に関する記述として,「労働安全衛生法」上，誤っているものはどれか。

(1) 特定元方事業者と関係請負人との間及び関係請負人相互間における，作業間の連絡及び調整を行うこと。

(2) 特定元方事業者及びすべての関係請負人が参加する協議組織の設置及び運営を行うこと。

(3) 統括安全衛生責任者との連絡を行わせるための，関係請負人の安全衛生責任者の選任を行うこと。

(4) 関係請負人が行う労働者の安全または衛生のための教育場所の提供など，指導及び援助を行うこと。

解説

特定元方事業者は，発注者から受注した最も先次の建設業者で，その者が関係請負人（下請負人）の安全衛生責任者の選任を行うことはあり得ません。安全衛生管理者を選任するのは下請け各社の事業者です。 ▶解答（3）

問2 常時50人以上の労働者を使用する建設業の事業場において，選任しなければならない者または設けなければならない委員会として，「労働安全衛生法」上，定められていないものはどれか。

(1) 産業医
(2) 安全衛生推進者
(3) 衛生管理者
(4) 安全衛生委員会

解説

安全衛生推進者は，常時10人以上50人未満の労働者を使用する建設業の事業場において選任します。 ▶解答（2）

問3 建設の事業における災害補償に関する記述として，「労働基準法」上，誤っているものはどれか。

(1) 建設の事業が数次の請負によって行われる場合においては，災害補償については，その元請負人は使用者とはならない。
(2) 労働者が業務上負傷し，または疾病にかかった場合においては，使用者は，必要な療養の費用を負担しなければならない。
(3) 労働者災害補償保険法に基づいて労働基準法の災害補償に相当する給付が行われる場合においては，使用者は，補償の責を免れる。
(4) 労働者が業務上負傷し，治った場合において，その身体に障害が存するときは，使用者は法令に定められた金額の障害補償を行わなければならない。

解説

建設の事業が数次の請負によって行われる場合においては，災害補償については，その元請負人が使用者となります。 ▶解答（1）

▶ 消防法・その他

問1 危険物の貯蔵及び取扱いの制限等における指定数量に関する記述として,「消防法」上，誤っているものはどれか。

ただし，所轄消防長または消防署長の承認を受けた場合を除く。

(1) 指定数量とは，危険物についてその危険性を勘案して政令で定める数量である。

(2) 少量危険物とは，指定数量の二分の一以上で当該指定数量未満のものをいう。

(3) 軽油の指定数量は，1,000L　である。

(4) 指定数量以上の危険物は，貯蔵所以外の場所で貯蔵してはならない。

解説

少量危険物とは，指定数量の五分の一以上で当該指定数量未満のものをいいます。 ▶解答（2）

問2 建設資材廃棄物に関する記述として,「建設工事に係る資材の再資源化等に関する法律」上，誤っているものはどれか。

(1) 都道府県知事は，特定建設資材廃棄物の再資源化等の適正な実施を確保するため，職員に，営業に関係のある場所に立ち入り，帳簿，書類その他の物件を検査させることができる。

(2) 特定建設資材とは，コンクリート，木材その他建設資材のうち，政令で定められた建設資材のことをいい，合成樹脂製可とう電線管(CD管)が含まれる。

(3) 建設工事の元請業者は，当該工事に係る特定建設資材廃棄物の再資源化等が完了したときは，その旨を発注者に，書面により報告または電磁的方法により通知をしなければならない。

(4) 再資源化には，分別解体等に伴って生じた建設資材廃棄物であって，燃焼の用に供することができるものを，熱を得ることに利用できる状態にする行為が含まれる。

解説

特定建設資材に合成樹脂製可とう電線管(CD管)は含まれません。

▶解答 (2)

問3 分別解体等及び再資源化等を促進するため，特定建設資材として，「建設工事に係る資材の再資源化等に関する法律」上，定められていないものはどれか。

(1) ガラス
(2) アスファルト・コンクリート
(3) 木材
(4) コンクリート及び鉄から成る建設資材

解説

特定建設資材とは，コンクリート，アスファルト・コンクリート，コンクリート及び鉄から成る建設資材，木材の4つです。

▶解答 (1)

第二次検定

第1章

施工経験記述

1 記述の基本 ・・・・・・・・・・・・・・・・・・・ 346
2 合格答案の書き方 ・・・・・・・・・・・・・ 350

第1章  施工経験記述

CASE 1

記述の基本

まとめ & 丸暗記　この節の学習内容とまとめ

□ 施工管理の経験

次の経験は，電気工事の施工管理に関する経験として記述できる。

①施工管理（請負者の立場での現場管理業務）
②設計監理（設計者の立場での工事監理業務）
③施工監督（発注者の立場での工事監理業務）

□ 出題内容

施工計画……仮設，資材，労務等の計画および現場組織などの組織編成に関すること。安全管理，工程管理，品質管理の計画に関すること。

工程管理……施工計画に基づき，着工から完成に至るまでの合理的な工程を決定し，この工程を時間の面から管理すること。
他業者と調整の取れた工程表を作成，適切な工程速度とし，工期内に順調に完成するように管理すること。

品質管理……資材，部品の品質の維持および寸法や精度が法令や設計図書に合致し，目的の機能が十分得られるよう管理すること。

安全管理……現場に従事する現場作業員等の労働災害を防止することや，現場付近住民，通行人等の公衆災害の防止に関すること。

□ 記述の基本事項

手書きで文章を書くための基本的な留意点として，

①誤字のないこと。
②ていねいに書く。
③専門用語や一般的に使う語句は漢字で書く。

記述の要点

1 電気工事の内容

記述できる電気工事[※1]の内容は以下のとおりです。

工事種別	主な工事内容 (電気工事として実施された工事に限る)
構内電気設備工事(非常用電気設備を含む)	建築物,トンネル,ダム等における受変電設備工事,自家発電設備工事,動力電源工事,計装工事,航空灯設備工事,避雷針工事,建築物等の「○○電気設備工事」 等
発電設備工事	発電設備工事,発電機の据付後の試運転,調整　等
変電設備工事	変電設備工事,変電設備の据付後の試運転,調整　等
送配電線工事	架空送電線工事,架線工事,地中送電線工事,電力ケーブル布設・接続工事　等
引込線工事	引込線工事　等
照明設備工事	屋外照明設備工事,街路灯工事,道路照明工事　等
信号設備工事	交通信号工事,交通情報・制御・表示装置工事　等
電車線工事	(鉄道に伴う)変電所工事,発電機工事,き電線工事 電車線工事,鉄道信号・制御装置工事,鉄道用高圧線工事　等
ネオン装置工事	ネオン装置工事　等

(※)上記工事種別による増改設等の工事は,実務経験と認められます。

※1
電気工事の内容
次の工事は電気工事の経験になりません。
- 設計,製造,据付け,修理,保守
- 電気通信工事
- 機械器具設置工事
- 消防施設工事
- 管工事
- その他,電気工事業を除く建設業28業種に分類される工事

2 文章作成のポイント

①具体的に記述[※2]

例1が具体的でない例で，例2が具体的な例です。以下同様です。

【例1】

現場で作業する人や近所の人とかが危なくないようにした。

※労働災害と公衆災害は，絞って記述する。「とか」は，話ことばなので，記述しない。「危なくないように」は，「安全」と表現した方がよい。

【例2】

埋設配管の掘削工事があるため，セフティコーンを設けてバックホーの後進時等に近くの作業員が挟まれる災害を防止した。

②簡潔な表現

簡潔とは，文が短く，意味が明確な表現です。一つの文が長いと不明瞭になりがちです。

【例1】

重量機器の床固定において，地震のときなどにぐらつかないようにするため，アンカーボルトにて4本用いて，ナットも2個用いてアングルも使用して固定した。

【例2】

地震時における変圧器の横ずれ，転倒防止のため，床面にアンカーボルトで4点固定し，ダブルナットで締付けた。また，アングルで本体の四方を固定した。

※文を2つに分けるとよい。

③専門用語を入れる[※3]

【例1】

停電にして工事を行うため，電気が来ていないことを確認した。

【例2】

電気室内で停電工事を行うため，高圧用検電器を使用し無充電を確認した。

また，短絡接地用金具を断路器の一次側に取付けた。

④文の長さを調節する

以上の基本に従って，題意に即した文を作ります。解答用紙のスペースがどのくらいあるかによって，長さを調整します。

目安として，記述スペースの80%以上を埋めるようにします。

●一般財団法人　建設業振興基金　電気試験部（令和6年7月10日）発表

令和6年以降の電気工事施工管理技術検定問題の見直しについて

―　第二次検定　経験記述に係る問題【問題1】　―

(現行) 受験者の経験した工事概要を記述し，受験者の経験・知識に基づき，施工管理上の課題や対策等を解答する。

(見直し) 与条件を設定した電気工事に対し，受験者の経験・知識に基づき，施工管理上の課題や対策等を解答する。

※2

具体的

具体的とは，施工場所，施工状況がわかる表現や，数値などを入れることなどです。
たとえば，「足場の高さが3m」，「朝8：00～9：00までの1時間」というような表現です。

※3

専門用語

その文の鍵を握ることばです。内容をより正確，具体的に伝えることばなので，専門用語を入れるだけでメリハリのある，具体的な文となります。

CASE 2 合格答案の書き方

まとめ & 丸暗記　この節の学習内容とまとめ

□ 減点答案

●題意に適さない解答

【例】安全管理の質問に対して，工程管理のことを記述する

●誤解される表現

【例】資材が盗難にあったので，資材の保管には十分配慮した

●社会通念上好ましくない内容

【例】工期が間に合わないので，突貫工事を行った

□ 合格答案（工程管理）

理由として記述可能です。

- 台風○号の直撃を受け，長期にわたり屋外工事ができず……
- 内装業者の天井ボード張りと，照明器具取付工事が重なるため……
- 施設が稼働したなかでの改修工事で，作業時間に制約があり……

□ 合格答案（品質管理）

留意する事項の例は次のとおりです。

- 保守管理を容易にするため，機器廻りの所定の空間を確保すること
- 地震時において，重量機器（○○）が移動，転倒しないように施工すること

□ 合格答案（安全管理）

理由と留意した事項を記述した例です。

- ○○作業（工事）が○mの高さとなるため，高所からの墜落災害を防止すること
- 重量機器（○○）搬入時，クレーンを使用するため，転倒事故防止をはかること

減点答案と合格答案

1 減点される答案

[※1]合格する答案を作成するには減点対象となるポイントを認識することが重要です。ここでは，減点答案の例を用いて解説していきます。

> **例題1**
>
> あなたが，労働災害につながる危険性があると予測した事項について，具体的に記述しなさい。ただし，安全帽，[※2]墜落制止用器具の着用に関するもののみの記述は不可とする。
>
> ①予測した事項とその理由
>
> ②とった処置または対策

減点答案

①[※3]高天井での照明器具取付工事があるので，脚立使
　→具体的な高さが不明
用時の[※4]落下災害を予測した。
　→墜落災害では？
②脚立の[※5]天板に乗って作業する場合は，ワイヤロープ
　→法令違反であり採点されない
を張り，安全帯を結び，作業者の安全を確保した。
　→墜落制止用器具

※1
合格する答案
減点の少ない答案を書くことが重要です。

※2
墜落制止用器具
旧安全帯です。これのみの記述は不可とあるので，扱うにしても少しにしましょう。

※3
高天井
具体的に数値を書くとよいです。

※4
落下災害
物が落ちて体の一部に当たって怪我をする災害です。墜落災害は，人が高いところから落ちて怪我をする災害です。間違えないようにしましょう。

※5
天板に乗る
乗って作業することや，ローリングタワーに乗ったまま移動することなど，法令違反の記述は不可です。

例題2

あなたが，工程管理上留意した事項について，具体的に記述しなさい。

①留意した事項とその理由

②とった処置または対策

減点答案

①他業者との工程調整がうまくいかず，配筋が遅れ，それにより配管の
→何の業者なのか不明　→理由が不明
遅れが見込まれたので，コンクリート打設が遅れないように留意した。
→自身の工事以外の記述は不要

②時間のかかる作業を減らし，施工能率の上がる材料を使い，納入時の
→どのような作業や材料なのかが不明
材料チェック，納品後の適正な保管等に留意したため，社内検査におい
→工程管理というより品質管理？
ても手直しもなく，予想以上の工期短縮となり，問題なく工事が完了
→具体的な日数が不明
できた。

1つの文が長い点（98文字）も減点対象です。

2 合格答案の要点

①工程管理

次のような例が，理由[※6]として記述可能です。

- 例年を上回る大雨が長く続き……。
- 台風の直撃を受け，長期にわたり屋外灯設置工事ができず……。
- 建築方の防水工事の工程が厳しく……。
- 管工事業者と受水槽廻りの工事で輻輳するため……。
- 施設が稼働したなかでの工事であり，作業時間に制約があり……。

● 工事中，施主の間仕切り変更の要望が2回あり……。

②品質管理

材料の搬入時のチェック，施工時，完成時の養生，品質を上げるために行ったことなどを，具体的に記述します。

留意する事項の例は次のとおりです。

● 保守管理を容易にするため，機器廻りの所定の空間を確保すること
● 地震時において，重量機器※7（○○）が移動，転倒しないように施工すること

③安全管理

理由と留意した事項を記述した例です。

● ○○作業（工事）が○mの高さとなるため，高所からの墜落災害を防止すること
● 重量機器（○○）搬入時，クレーンを使用するため，転倒事故防止をはかること
● 地下二重スラブ内で，酸素欠乏危険作業となるため，作業者の安全を確保すること

※6

理由

次の表現は避けましょう。

・設計図に不備があり……。
・当初より工期が厳しく……。

※7

重量機器（○○）

具体的な機器名を記述します。

チャレンジ問題！

問1　難 **中** 易

あなたが経験した電気工事について，次の問に答えなさい。

※1-1　省略

1-2　上記の電気工事の現場において，施工中に発生したまたは発生があると予想した工程管理上の問題とその理由を2つあげ，これらの問題を防止するために，あなたがとった対策を問題ごとに2つ具体的に記述しなさい。

ただし，対策の内容は重複しないこと。

1-3　上記の電気工事の現場において，施工の計画から引渡しまでの間の品質管理に関して，あなたが特に留意した事項とその理由をあげ，あなたがとった対策を具体的に記述しなさい。

解答例

1-2

	工程管理上の問題とその理由	対策
例1	管工事業者と機械室内の工事日程が重なるため，手待ちが発生するおそれがあった	①管工事業者の空調機ダクト工事と，当方のラック工事，ケーブル敷設工事の施工順序を打合せ，バーチャート工程表を作成し，節目ごとに進捗状況を確認し合った ②共通の仮設足場を組むことで，狭い機械室内の施工性を良くし，組立撤去にかかる時間の短縮をはかった
例2	施主から，応接室の照明器具を埋込器具に変更要望があり，手配済みであったため，工程が遅延することが懸念された	①メーカに納品ストップをかけ，施主に早急に具体的な型番を決めてもらい，手配し直した ②天井石こうボードの切り込みを，急きょ内装仕上げ業者に依頼した

1-3

留意事項	外灯用地中埋設ケーブル，ハンドホールの損傷を防止する
理由	電気工事終了後，土木，造園工事業者が舗装，植栽を行うため
対策	①各施工業者に，ケーブル埋設箇所の図面を提供するとともに，現地の地上部分にライン線で示した ②各施工業者に，ハンドホールにバックホー等の重機が乗らないよう申し入れた

第二次検定

第2章

工事施工

1 品質管理 ･･････････････････････ 356
2 安全管理 ･･････････････････････ 360

第2章  工事施工

CASE 1 品質管理

まとめ & 丸暗記　この節の学習内容とまとめ

□ 材料検査
①設計図書の仕様に適合しているか
②発注した品名，数量，寸法に違いはないか
③外観に傷，錆等の損傷はないか
④特注品は工場検査を行い，製作図にて寸法，色等を確認する

□ 資材管理
①品質，性能を損なうことのないように，適切な養生を行う
②使用時に取り出しやすいよう，整理整頓して保管する
③盗難予防と資材の劣化を考慮し，長期間保管しない

□ 機器の施工
①取付け高さや他物との離隔が法令等に適合しているか
②振動を発生する機器は防振，防音工事が施されているか
③重量機器は，十分な耐力を持つアンカーボルトで固定する
④重量機器は，耐震ストッパを設置する

□ 電線の施工
①電線接続部の絶縁は十分保たれているか
②電線管内で電線の接続をしない

□ 電線管（金属管）の施工
①太物の電線管をスラブ内に打ち込んでいないか
②電線管の曲げが適当か
③曲がり３直角以内ごとにプルボックスを設けているか
④金属管の接地工事は施されているか

品質管理の用語

1 資材管理

①材料検査

現場に材料，機器を納品する際，現場搬入検査[※1]を行います。確認する内容は次のとおりです。

●材料
・設計図書の仕様に適合しているか
・発注した品名，数量，寸法に違いはないか
・外観に傷，錆等の損傷はないか
・電気用品安全法，電気設備技術基準，JIS等の規格に適合しているか

●機器
・特注品は工場検査[※2]を行い，製作図にて寸法，色等を確認する

※その他は，材料と同様の事項です。

②資材管理

現場搬入検査で合格となった材料，機器は使用するまで現場等の資材置き場に保管します。その際の留意点は次のとおりです。

・品質，性能を損なうことのないように，適切な養生を行う
・使用時に取り出しやすいよう，整理整頓して保管する
・盗難予防と資材の劣化を考慮し，長期間保管しない

※1
現場搬入検査
現場管理の担当者が立会いのもと確認します。

※2
工場検査
工場検査で指摘した手直し事項が，正しく直されているかもチェックします。

2 施工

①機器

機器の取付けについての留意点は次のとおりです。

・取付け高さや他物との離隔が消防法，電気設備技術基準等に適合しているか確認する

・振動を発生する機器（発電機，変圧器など）は防振，防音工事が施されているか確認する

・重量機器は，地震時の転倒を防止するため，十分な耐力を持つアンカーボルトで固定する

・地震時の水平方向への変位を防止するため，一定のクリアランスを設けて耐震ストッパを設置する

②電線・電線管

●電線・ケーブル

電線，電線相互の接続，電線の盤への接続，ケーブルの施工については，次のとおりです。

・電線の接続部の電気抵抗，引張強度が基準を満たしているか

・電線接続部の絶縁は十分保たれているか

・ケーブルの場合，支持間隔が適当か

・電線管内で電線の接続をしない

●電線管

「電線管の施工」であれば，金属管，合成樹脂管いずれの解答でもよいですが，「金属管の施工」，「PF管の施工」であれば，それぞれの種類に沿った解答が必要です。

・露出配管の場合，取付け間隔は適当か

・電線管と管付属品の使用が適当か

・太物の電線管をスラブ内に打ち込んでいないか

・電線管の曲げが適当か

・曲がり3直角以内ごとにプルボックスを設けているか

・金属管の接地工事は施されているか

チャレンジ問題！

問1 難 **中** 易

電気工事に関する次の語句の中から2つ選び，番号と語句を記入のうえ，適正な品質を確保するための方法を，それぞれについて2つ具体的に記述しなさい。

ただし，内容は重複しないこと。

(1) 資材の管理
(2) 金属管の施工
(3) 重量機器の取付け
(4) 電線の盤への接続

解答例

(1)，(2) について解答した場合の例を示します。(3)，(4) の解答についてはP308を参照してください。

(1) 資材の管理

①	品質，性能を損なうことのないように，屋根付きの資材置き場で，ブルーシート等を敷き，適切な養生を行う
②	長期間保管すると資材が劣化するので，資材は短期に使い切る分だけ保管する

(2) 金属管の施工

①	ねじなし電線管をボックスに固定する際，ボックスコネクタのネジは頭が取れるまでねじ込む
②	曲げ部分のしわを防止するため，25 ϕ 以上の金属管の曲げは，ベンダーでなく，ノーマルベンドを使用する

CASE 2 安全管理

まとめ & 丸暗記　この節の学習内容とまとめ

□ 高圧活線近接作業

①作業者には，絶縁用保護具を着用させてから作業させる
②充電電路は，絶縁用防具を装着してから作業する

□ 高所作業車による作業

①作業開始前に，制動装置等の機能が正常に動作するか点検を行う
②アウトリガーを最大限張り出し，軟弱地盤の場合は鉄板敷き等を行う

□ 建設機械による掘削作業

①掘削土は土留め支保工から2m以上離れた場所に排土する
②誘導員を配置し，その者に誘導させる

□ 感電による危険の防止対策

①開路後，検電器により停電を確認する
②停電確認後，短絡接地器具で三相を確実に短絡接地する

□ 飛来・落下災害の防止対策

①3m以上の高所から物体を投下するときは，適当な投下設備を設け，監視人を置く等の措置をする
②養生ネット，防護棚等の防護設備を設ける

□ 酸素欠乏危険場所での作業

①酸欠危険場所での作業は，十分な換気をする
②酸素濃度計にて18%未満でないことを確認する
③入退所時に，作業員人数を確認する

安全管理の用語

1 危険作業

①高圧活線近接作業

・作業者には，絶縁用保護具[※1]を着用させる

・充電電路は，絶縁用防具[※2]を装着して作業する

②高所作業車による作業

・作業開始前に，制動装置や操作装置等の機能が正常に動作するか点検を行う

・アウトリガー[※3]を最大限張り出し，軟弱地盤の場合は鉄板敷き等を行う

③重機作業

●クレーン等による揚重作業

・作業開始前に，制動装置や操作装置等の機能が正常に動作するか点検を行う

・アウトリガーを最大限張り出し，軟弱地盤の場合は鉄板敷き等を行う

●建設機械による掘削作業

・掘削土は土留め支保工から2m以上離れた場所に排土する

・建設機の背後は見えにくいので，誘導員を配置し，その者に誘導させる

2 災害防止

①感電による危険の防止対策

・開路後，検電器により停電を確認する

・停電確認後，短絡接地器具で三相を確実に短絡接地

※1

絶縁用保護具

人の身体に着用する，絶縁衣，ゴム手袋などです。

※2

絶縁用防具

高圧電線路に装着する黄色い絶縁カバー等です。

※3

アウトリガー

トラッククレーン，高所作業車などで，車体から腕のように張り出して吊り荷による転倒を防止する装置です。

する

②飛来・落下災害の防止対策

・3m以上の高所から物体を投下するときは，適当な投下設備を設け，監視人を置く等の措置をとる

・養生ネット，防護棚等の防護設備を設ける

③墜落災害の防止対策

・高さが2m以上の作業場所には作業床を設ける。幅は40cm以上とし，床材のすき間は3cm以下とする

・高さが2m以上の箇所で作業するときは，照度を確保する

④酸素欠乏危険場所での作業

・酸欠危険場所での作業は，十分な換気をする

・酸素濃度計にて18%未満でないことを確認する

・入退所時に，作業員人数を確認する

チャレンジ問題！

問1　　難　**中**　易

電気工事に関する次の作業の中から2つを選び，番号と作業を記入のうえ，労働災害を防止するための対策を，それぞれについて2つ具体的に記述しなさい。

ただし，対策の内容は重複しないこと。また，保護帽の着用および安全帯（要求性能墜落制止用器具）の着用のみの記述については配点しない。

(1) クレーン等による揚重作業

(2) 高圧活線近接作業

(3) 酸素欠乏危険場所での作業

(4) 建設機械による掘削作業

解答例

P311，P312を参照してください。

第二次検定

第３章

電気用語

1　頻出用語と解答例 ············· 364

第3章  電気用語

CASE 1 頻出用語と解答例

まとめ & 丸暗記　この節の学習内容とまとめ

□ 発電設備の頻出用語
①燃料電池　②コンバインドサイクル発電
③太陽光発電の系統連系

□ 送配電設備の頻出用語
①スポットネットワーク受電方式
②光ファイバ複合架空地線（OPGW）
③送電線の多導体方式　④分路リアクトル

□ 受変電設備の頻出用語
①ガス絶縁開閉装置（GIS）　②電力デマンド制御
③B種接地工事　④C種接地工事

□ 構内電気設備の頻出用語
①点滅形誘導音装置付誘導灯　②等電位ボンディング
③電線の許容電流

□ 自動火災報知設備・弱電設備の頻出用語
①自動火災報知設備の炎感知器　②LANのルータ

□ 電気鉄道・交通
①電気鉄道の軌道回路　②電気鉄道の電食防止対策

□ 試験・対策等
①絶縁耐力試験　②接地抵抗の低減方法
③過電流継電器（OCR）の動作試験

解答案

1 発電設備

発電設備に関する技術的な内容の記述例を次に示します。

①系統連系（太陽光発電）

- （太陽光）発電設備の出力を，系統[※1]に接続することをいう。
- 発電した電力を電力会社に売電できる逆潮流ありと，買電だけの逆潮流なしがある。

②燃料電池

- 酸素と水素を結合した電気化学反応により，電力と水を得る。
- 二酸化炭素をほとんど排出しないクリーンなエネルギーで発電効率も高く，分散型電源[※2]として有望である。

③コンバインドサイクル発電

- 2種類[※3]の異なった作業流体による発電で，熱効率の向上をねらったもの。
- 主流は，排熱回収式で，ガスタービンの排熱を排熱回収ボイラで回収し，蒸気を発生させ，蒸気タービンを駆動する。

2 送配電設備

送配電に関する技術的な内容の記述例を次に示します。

①光ファイバ複合架空地線（OPGW）

- 直撃雷から保護する架空地線の内部に，光ファイバ

※1
系統
商用電源のことです。

※2
分散型電源
需要家エリアに隣接して分散配置される小規模な発電設備です。

※3
2種類
ガスと蒸気です。

ケーブルを実装したもので，通信線と架空地線の両機能を持つ。
- 内蔵する光ファイバの引き替えが可能なものや，多雪地帯への適用を目的とした難着雪型OPGWが開発されている。

②送電線の多導体方式

- 鉄塔に，1相あたり複数本の電線を用いて架設する方式をいう。
- 単導体と比較して，コロナ損[※4]が発生しにくく，表皮効果[※5]が少ないので送電容量が大きい。

③スポットネットワーク受電方式

- 電力会社の変電所から2〜4回線を引き出し，これに各需要家はT分岐でネットワーク変圧器を接続する。
- ネットワーク変圧器は1バンク脱落しても残りの変圧器で全負荷をまかなうことができる。

④分路リアクトル

- 電力系統と並列に接続し，遅れの無効電力を供給することで，進み無効電力を補償する，進相用コンデンサと逆の働きを持つ調相設備である。
- 長距離地中送電線において，深夜軽負荷時のフェランチ現象[※6]を抑制する働きがある。

3 受変電設備

受変電に関する技術的な内容の記述例を次に示します。

①ガス絶縁開閉装置（GIS）

- SF_6[※7]を封入したタンク内に，DS，CB，LA，CT類，母線を格納した高圧受電設備。
- 変電所の面積を小さくでき，塩害の影響もなく安全である。

②電力デマンド制御

- 自家用電気工作物の使用電力が，電力会社との契約を超過しないように監視し，負荷を制限する。
- 受電電力のパルス信号を監視し，最大需要電力に近づいたら警報を発し，重要度の低い負荷を切り離す。

③B種接地工事

- 高圧または特別高圧電路と，低圧電路を結合する変圧器の低圧側中性点に施す，系統接地[※8]工事をいう。
- 目的は，高圧または特別高圧電路と低圧電路が混触したとき，低圧電路の対地電圧が危険電圧まで上昇しないようにする。

④C種接地工事

- 低圧の機械器具で300Vを超える[※9]場合，その金属製外箱などに施す接地工事である。
- 原則として，接地抵抗値は10Ω以下であるが，その電路に0.5秒以内に自動遮断する漏電遮断器を設置すれば，500Ω以下となる。

4 構内電気設備

構内電気設備に関する技術的な内容の記述例を次に示します。

①電線の許容電流

- 絶縁電線やケーブルなどに流すことのできる最大の電流で，安全電流ともいう。
- 導体に電流を通じると，抵抗損により，発熱[※10]する。これが電線の絶縁物等の劣化原因となる。

②点滅形誘導音装置付誘導灯

- 火災発生時に，自動火災報知設備・誘導灯用信号装置と連動し，誘導音と光の点滅で避難方向を知らせる誘導灯である。
- 身体的ハンディキャップのある人のために開発され，人が多く集まる大型施設などに利用されている。

※4
コロナ損
放電現象による損失です。

※5
表皮効果
導体表面に近いほど高い電流密度になります。

※6
フェランチ現象
受電端電圧が送電端電圧より高くなる現象です。

※7
SF_6
六フッ化硫黄ガスで，絶縁性能に優れています。

※8
系統接地
機器接地に対応する用語です。

※9
300Vを超える
300V以下ならD種接地工事です。

※10
発熱
ジュール熱です。

③等電位ボンディング

- 電気機器，鉄骨，鉄筋などの金属体を接地線でつなぎ，電位を等しくし電位差をなくすこと。
- 電位差がないため，漏電時に電気機器等に触れても感電のおそれが無い。

5 自動火災報知設備・弱電設備

自動火災報知設備に関する技術的な内容の記述例を次に示します。

①炎感知器

- 炎に含まれる紫外線や赤外線を感知して，火災信号を受信機に送信する自動火災報知設備。
- 取付け高さの制限はなく，20mを超える高天井やトンネル内でも使用できる。

②LANのルータ

- 複数のネットワーク間でデータの転送を行うネットワーク機器である。
- アドレスをもとに，パケット[※11]の通過に最適な経路を決定するなどの制御を行う。

6 電気鉄道・交通

電気鉄道・交通に関する技術的な内容の記述例を次に示します。

①電気鉄道の軌道回路

- 鉄道において線路上の特定区間に列車が存在するかどうかを検知する電気的な装置。送信装置，レール，受信装置からなる。
- レールを電気回路の一部として利用し，列車の有無を検知したり，制御の情報を伝送する。

②電気鉄道の電食防止対策

- レールからの漏れ電流（迷走電流）を少なくするため，電気抵抗を低減する。レールの継目にレールボンドを設ける。

● 劣化した枕木の交換，線路脇排水設備の整備，絶縁パットなどを設ける。

③電車線の区分装置

● 事故時や保守作業のため，電車線路を部分的に停電させる目的の装置である。
● 変電所，き電区分所の前などで，区分開閉器によって電気的に区分され，セクションともいう。

④交通信号の定周期制御

● あらかじめ設定されたサイクル長，スプリットのプログラムにより，信号表示が繰り返される信号制御方式のこと。
● 予測されない交通変動や交通パターンの変化には対応できない。

7 試験・対策等

試験・対策等に関する技術的な内容の記述例を次に示します。

①絶縁耐力試験

● 高圧機器や電路に，規定の電圧を連続10分間印加し，それに耐えるかを確認する試験。
● 試験終了後は，検電器で電圧が印加されていないことを確認し，回路を接地して確実に放電する。

②接地抵抗の低減方法

● 接地極の連結，並列接続により大地との接触面積を大きくする。
● 接地極を埋設する周辺の土壌に，導電性物質である接地抵抗低減剤を注入する。

③過電流継電器（OCR）の動作試験

● 過電流継電器に電流を流し，遮断器をトリップさせ

※11
パケット
通信データを分割したものです。

る。このときの電流がタップ整定値の±10%以内であればよい。

- そのほかに，動作時間特性試験や瞬時要素試験などを行って正常であることを確認する。

チャレンジ問題！

問1

難 **中** 易

電気工事に関する次の用語の中から4つ選び，番号と用語を記入のうえ，技術的な内容を，それぞれについて2つ具体的に記述しなさい。

ただし，技術的な内容とは，施工上の留意点，選定上の留意点，動作原理，発生原理，定義，目的，用途，方式，方法，特徴，対策などをいう。

(1) コンバインドサイクル発電
(2) ガス絶縁開閉装置（GIS）
(3) 送電線の多導体方式
(4) 送電線の分路リアクトル
(5) スポットネットワーク受電方式
(6) 電力デマンド制御
(7) 等電位ボンディング
(8) LANのルータ
(9) 電気鉄道の電食防止対策
(10) 電車線の区分装置
(11) 交通信号の定周期制御
(12) 過電流継電器（OCR）の動作試験

解答例

本文等を参考にしてください。

第二次検定

第4章

知識問題

1 計算問題 ・・・・・・・・・・・・・・・・・・・・・ 372
2 法規 ・・・・・・・・・・・・・・・・・・・・・・・・ 378

第4章 知識問題

CASE 1 計算問題

まとめ & 丸暗記　この節の学習内容とまとめ

□ オームの法則

$$I = V/R$$

$$I = V/Z$$

□ キルヒホッフの法則

①第1法則
ある点に流入する電流＝流出する電流

$$I_1 + I_3 = I_2 + I_4$$

②第2法則

$$R_1 I_1 + R_2 I_2 - R_3 I_3 = E_1 - E_3$$

□ 引留柱の許容引張強度

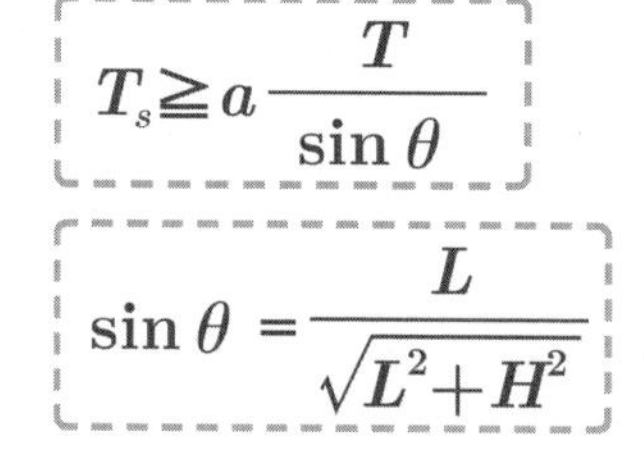

$$T_s \geqq a \frac{T}{\sin\theta}$$

$$\sin\theta = \frac{L}{\sqrt{L^2 + H^2}}$$

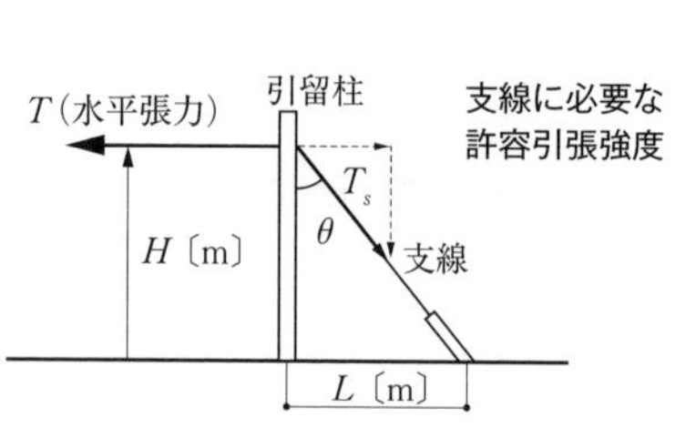

□ 分散負荷の電圧降下

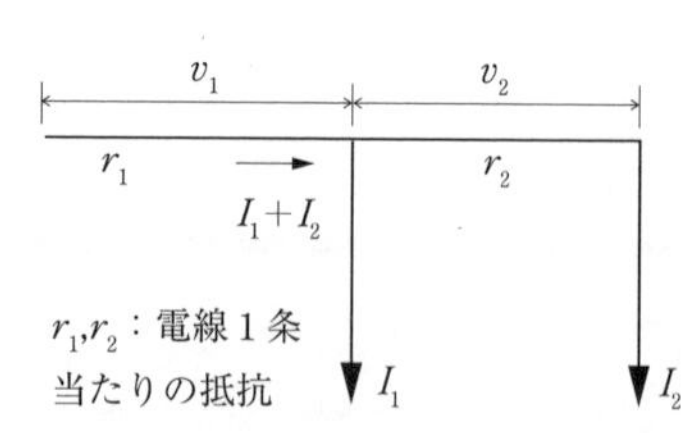

電気の計算公式

1 引留柱の許容引張強度

支線の許容引張強度 T_s は直角三角形の公式[※1]を用い，次の式で求められます。

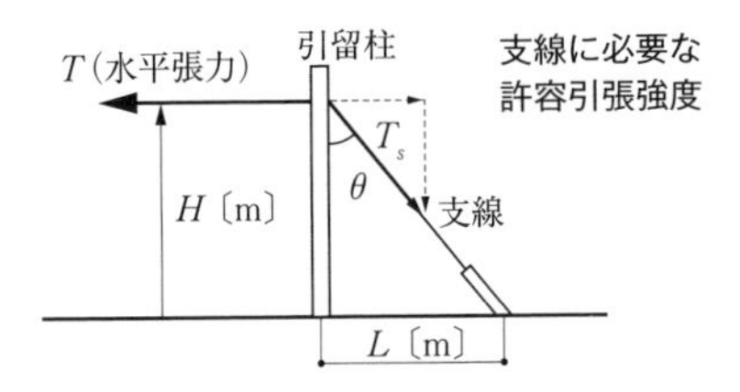

T：電線の水平張力〔N〕

H：支線の取付け高さ〔m〕

L：支線の根開き〔m〕

θ：引留柱と支線の角度〔度〕

a：支線の安全率（2.5以上とする。木柱，A種鉄柱，鉄筋コンクリート柱は1.5以上とする）

$$T_s \geqq a\frac{T}{\sin\theta}$$

$$\sin\theta = \frac{L}{\sqrt{L^2+H^2}}$$

2 電線の弛度

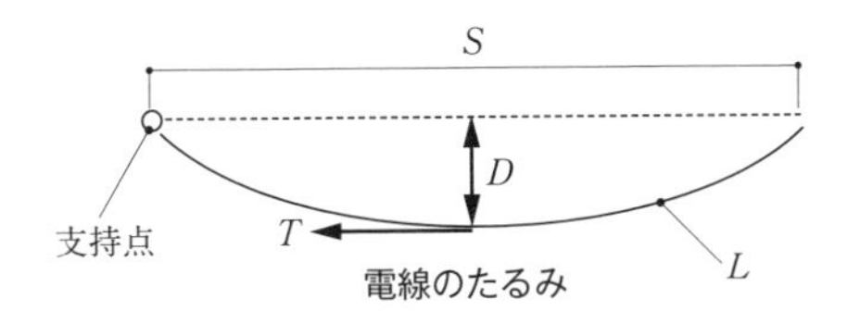

※1

直角三角形の公式

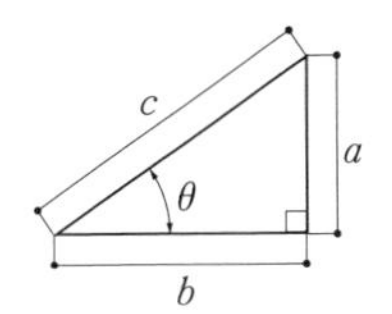

$a^2+b^2=c^2$

→ $c=\pm\sqrt{a^2+b^2}$

－（マイナス）は長さとしてはあり得ないので無視します。つまり，$c=\sqrt{a^2+b^2}$ です。

$\sin\theta=\dfrac{a}{c}$

→ $a=c\sin\theta$

$\cos\theta=\dfrac{b}{c}$

→ $b=c\cos\theta$

$\tan\theta=\dfrac{a}{b}$

→ $a=b\tan\theta$

$\sin^2\theta+\cos^2\theta=1$

→ $\sin\theta=\sqrt{1-\cos^2\theta}$

S：径間長〔m〕　　　T：電線の水平張力〔N〕
W：電線の単位長さ当たりの重量〔N/m〕

$D = WS^2/8T$〔m〕　　　$L = S + \dfrac{8D^2}{3S}$〔m〕

3 電圧降下

①単相2線式

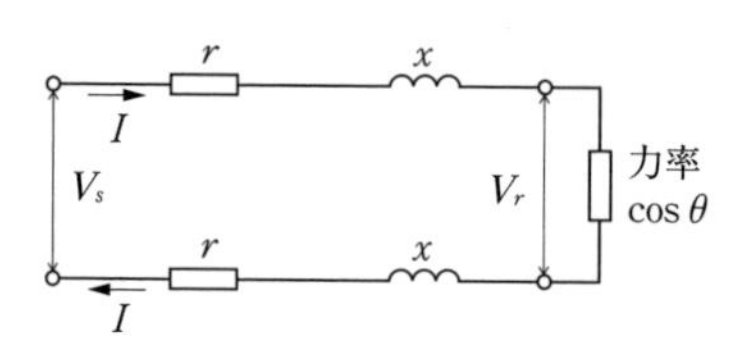

図において，V_s：送電端電圧　V_r：受電端電圧　r：線路抵抗　x：線路リアクタンスとすると，次の式が成り立ちます。

$V_s = V_r + 2I(r\cos\theta + x\sin\theta)$〔V〕

電圧降下[※2]は，

$v = V_s - V_r = 2I(r\cos\theta + x\sin\theta)$〔V〕

②単相3線式（平衡負荷の場合）

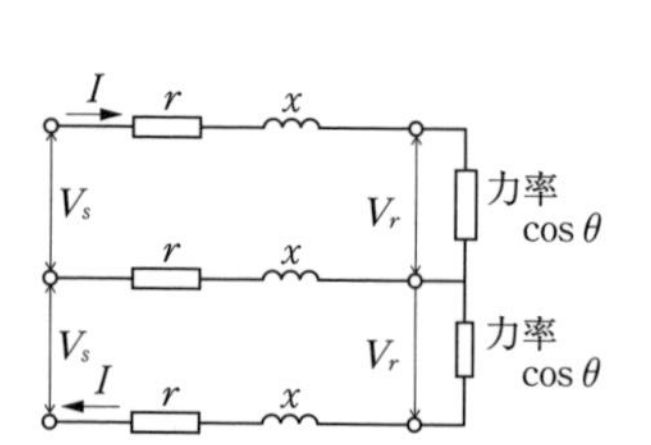

送電端電圧は，

$V_s = V_r + I(r\cos\theta + x\sin\theta)$〔V〕

電圧降下は，

$v = V_s - V_r = I(r\cos\theta + x\sin\theta)$〔V〕

③三相3線式

送電端電圧は，

$V_s = V_r + \sqrt{3}\,I(r\cos\theta + x\sin\theta)$〔V〕

電圧降下は，

$v = V_s - V_r$

$= \sqrt{3}\,I(r\cos\theta + x\sin\theta)$〔V〕

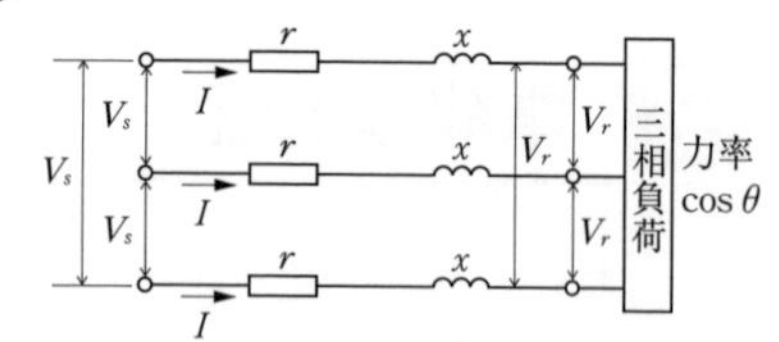

④分散負荷の電圧降下

電線のリアクタンスは無視し，負荷の力率[※3]を100%とするとき，電圧降下は次のようになります。

●単相2線式

$$v = v_1 + v_2$$
$$= 2\ (I_1 + I_2)\, r_1 + 2\ I_2 r_2\ \text{〔V〕}$$

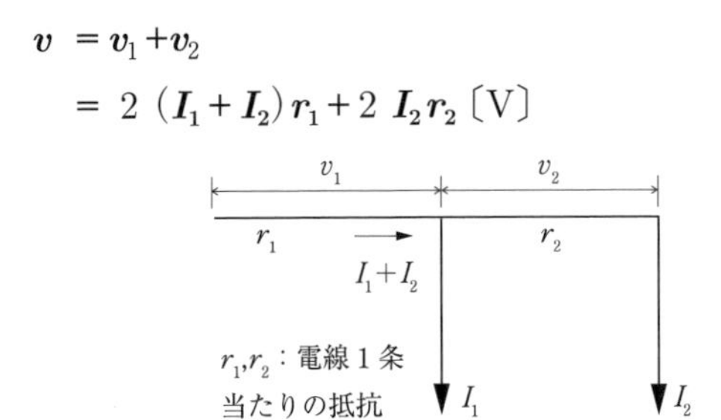

●三相3線式

$$v = v_1 + v_2$$
$$= \sqrt{3}\ (I_1 + I_2)\, r_1 + \sqrt{3}\ I_2 r_2\ \text{〔V〕}$$

4 電力損失

電線路の電力損失[※4] P は次のとおりです。

①単相2線式

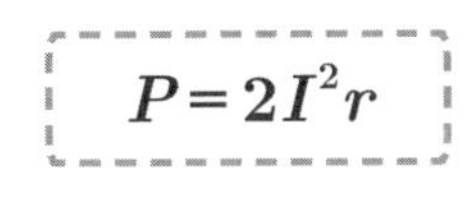

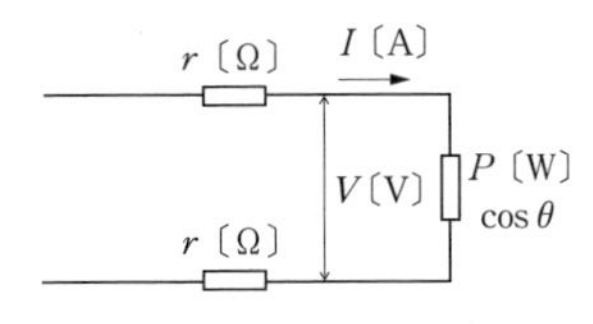

②単相3線式[※5]（平衡負荷）

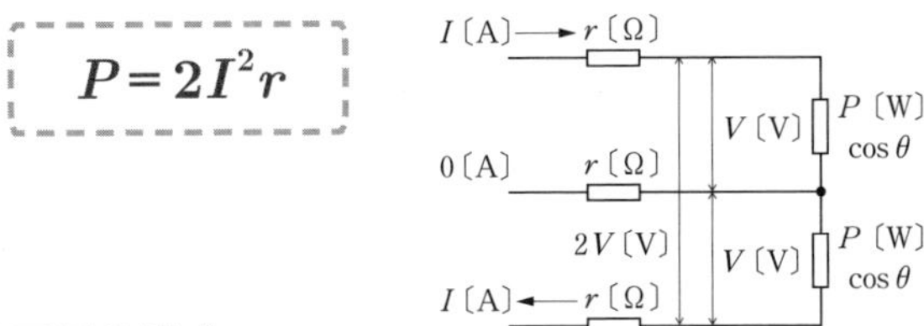

③三相3線式

$$P = 3I^2 r$$

I〔A〕 r〔Ω〕 V〔V〕 三相平衡負荷 P〔W〕 cos θ

※2
電圧降下
送配電線には，銅，アルミなどの導電率のよい導体を使用していますが，配電線が長くなれば，抵抗も無視できなくなります。それにより，電圧降下が生じます。

※3
力率を100%
抵抗だけの負荷です。

※4
電力損失
配電線に電流が流れると，ジュール熱として，$P = I^2 R$ が消費されます。
これが電力損失です。

※5
単相3線式回路
変圧器の二次側電圧から，100Vと200Vの電気を供給します。真ん中の線を中性線と称し，接地されています。中性線と上側の電源線と，下側の電源線に接続されている各負荷の容量が同じ場合（平衡負荷）中性線に電流は流れません。

問題の解き方

1 配電線

例題1

図に示す単相3線式の配電線がある。AB間の電圧 $\boldsymbol{V}_{ab}$ の値〔V〕とBC間の電圧 $\boldsymbol{V}_{bc}$ の値〔V〕を答えよ。

ただし，配電線は抵抗分のみとし，各負荷の力率は100%とする。

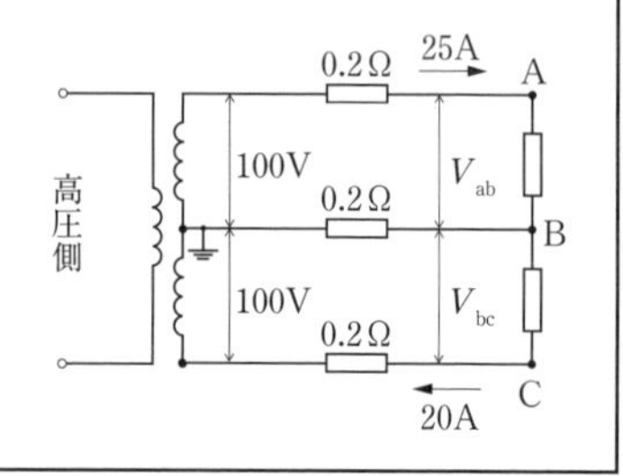

解説

単相3線式回路で，その**中性線**には25 − 20＝5Aの電流が流れます。

上図の100V回路は次のようになります。

$$0.2 \times 25 + \boldsymbol{V}_{ab} + 0.2 \times 5 = 100 \quad \rightarrow \quad \boldsymbol{V}_{ab} = 94\text{V}$$

下の100V回路は次のようになります。

$$0.2 \times (-5) + \boldsymbol{V}_{bc} + 0.2 \times 20 = 100 \quad \rightarrow \quad \boldsymbol{V}_{bc} = 97\text{V}$$

例題2

図のような直流2線式環状配電線路において，AB間に流れる電流 $\boldsymbol{I}$〔A〕の値を答えよ。

ただし，配電線の1線当たりの抵抗値は，AB間およびAC間が0.1Ω，BC間が0.2Ωとする。

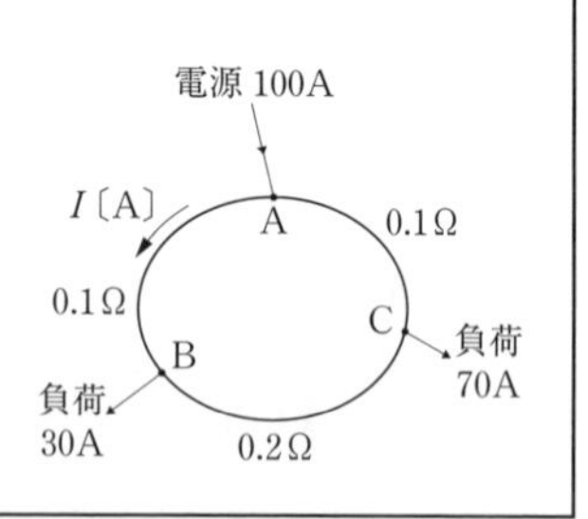

解説

キルヒホッフの第1法則[※6]から，図のようになります。

直流2線式環状配電線路の環状（ループ）に，第2法則を適用します。

A→B→C→Aの順に電圧降下を計算します。

電源 100A
I〔A〕
$I-100$
A
0.1Ω
0.1Ω
C
B
負荷 70A
負荷 30A
$I-30$
0.2Ω

$$2\times0.1\times I+2\times0.2\times(I-30)+2\times0.1\times(I-100)=0$$

よって，$I=40$〔A〕

※6
キルヒホッフの第1法則
回路網の1点に流入する電流の和は，流出する電流の和に等しい，という法則です。

チャレンジ問題！

問1 難 **中** 易

図に示す配電線路において，C点の線間電圧として，正しいものはどれか。

ただし，電線1線あたりの抵抗はA－B間で0.1Ω，B－C間で0.2Ω，負荷は抵抗負荷とし，線路リアクタンスは無視する。

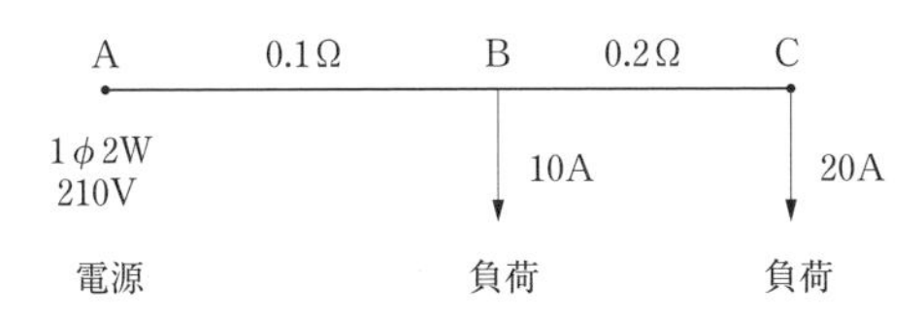

(1) 192V　(4) 203V
(2) 196V　(5) 205V
(3) 200V

解説

BB'間の電圧
$=210-(2\times0.1\times30)=204$〔V〕
CC'間の電圧
$=204-(2\times0.2\times20)=196$〔V〕

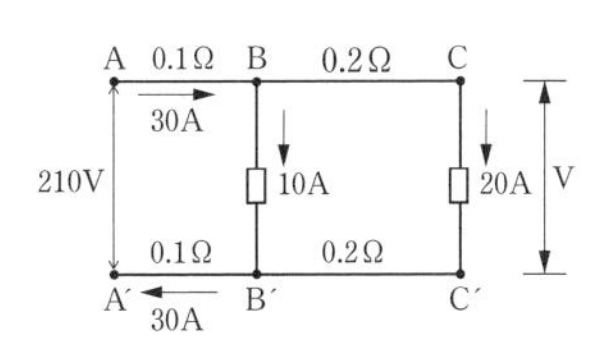

解答（2）

第4章  知識問題

CASE 2 法規

まとめ & 丸暗記　この節の学習内容とまとめ

□ 監理技術者の職務

施工計画の作成，工程管理，品質管理，その他技術上の管理，および施工に従事する者の技術上の指導監督の職務を誠実に行う

□ 元請負人の義務

元請負人は，下請負人に対して，次のように定められている

①元請負人は，前払金の支払いを受けたときは，下請負人に対して，資材の購入，労働者の募集その他建設工事の着手に必要な費用を前払金として支払うよう配慮をする

②元請負人は，工程の細目，作業方法その他元請負人において定めるべき事項を定めようとするときは，あらかじめ，下請負人の意見を聞く

□ 保安規程

経済産業大臣は，事業用電気工作物を設置する者に対し，保安規程を変更すべきことを命ずることができる

□ 電気主任技術者の業務範囲

電気主任技術者免状の種類	保安監督をすることができる範囲
第１種電気主任技術者免状	事業用電気工作物の工事，維持および運用
第２種電気主任技術者免状	電圧170,000V未満の事業用電気工作物の工事，維持および運用
第３種電気主任技術者免状	電圧50,000V未満の事業用電気工作物の工事，維持および運用

建設業法

1 建設業許可

①建設業の許可を受ける場合

・営業所ごとに一定の資格または実務経験を有する専任の技術者を置く[※1]

・1つの都道府県に営業所 → 都道府県知事の許可

・2つ以上の都道府県に営業所→ 国土交通大臣の許可

・更新は5年ごと

②許可を受けない（軽微な工事）

● 建築一式工事

・1,500万円未満の工事，または150m^{2}未満の木造住宅工事

● 建築一式工事以外の工事（電気工事など28業種）

・500万円未満の工事

2 一般建設業と特定建設業

建設業[※2]には一般建設業と特定建設業があります。

発注者から直接請け負う電気工事を下請けさせ，その下請総額が4,500万円以上（建築一式工事は7,000万円以上）は特定建設業の許可が必要です。

3 請負契約

建設工事の請負契約[※3]の当事者には，各々対等な立場における合意に基づいて公正な契約を締結し，信義に従って誠実にこれを履行することが求められます。

※1
専任の技術者
ここでは，現場に配置する技術者ではなく，営業所に置く技術者のことです。2級電気工事施工管理技士なら，一般建設業許可を受けた営業所の専任の技術者になることができます。1級電気工事施工管理技士なら特定建設業許可の専任技術者になれます。

※2
建設業
29業種のうち，建築一式工事業だけが，他の28業種と比較して金額等が異なります。

※3
請負契約
委託その他いかなる名義をもってするかを問わず，報酬を得て建設工事の完成を目的として締結する契約は，建設工事の請負契約とみなして，建設業法を適用します。

注文者は，請負人に対して，建設工事の**施工**につき著しく不適当と認められる下請負人があるときは，その**変更を請求**することができます。

また，注文者には次の事項が禁止されています。

①不当に低い請負代金の禁止

自己の取引上の**地位を不当に利用**して，その注文した建設工事を施工するために通常必要と認められる**原価に満たない金額**を請負代金の額とする請負契約を締結することです。

②著しく短い工期の禁止

注文した建設工事を施工するために通常必要と認められる期間に比して**著しく短い期間**を工期とする請負契約を締結することです。

③不当な使用資材等の購入強制の禁止

請負契約の締結後，自己の取引上の**地位を不当に利用**して，その注文した建設工事に使用する資材もしくは機械器具またはこれらの**購入先を指定**し，これらを請負人に購入させて，その利益を害することです。

4 標識の記載事項

建設業者が**建設現場**[※4]に掲げる**標識**には，次の事項を表示します。

①**一般建設業**または**特定建設業**の別

②許可年月日，**許可番号**および**許可を受けた建設業**

③商号または名称

④**代表者**の氏名

⑤**主任技術者**または**監理技術者**の氏名

5 施工体制台帳および施工体系図の作成

特定建設業者は，発注者から直接建設工事を請け負った場合，下請契約の請負代金の額が**政令**[※5]**で定める金額以上**になるときは，建設工事の適正な施工を確保するため，下請負人の商号または名称，当該下請負人に係る建設工事の内容および工期その他の事項を記載した**施工体制台帳**を作成し，工事現場ごとに備え置きます。

建設工事の下請負人は，その請け負った建設工事を他の建設業を営む者に請け負わせたときは，特定建設業者に対して，当該他の建設業を営む者の商号または名称，当該者の請け負った建設工事の内容および工期等を**通知する義務**[※6]があります。

特定建設業者は，同項の発注者から請求があったときは，備え置かれた施工体制台帳を，発注者の**閲覧**に供しなければなりません。

また，**施工体系図**を作成し，これを当該**工事現場**の見やすい場所に掲げておきます。

施工体制台帳は，元請負人が作成するものであり，作成目的は，元請け，下請け関係を明確にし，建設工事現場の管理体制を強化するためです。

6 監理技術者・主任技術者

発注者から直接建設工事を請け負った特定建設業者は，下請契約の額が**4,500万円**（電気工事等28業種）以上になる場合，現場に**監理技術者**を置きます。その他の場合は主任技術者です。

※建築一式工事業は7,000万円以上です。

7 監理技術者の職務

監理技術者の職務[※7]は，工事現場における建設工事を適正に実施するため，**施工計画の作成**，**工程管理**，**品質管理**，その他技術上の管理，および施工に従事する者の技術上の**指導監督**の職務を誠実に行うことです。

※4
建設現場に掲げる標識
営業所に掲げる標識には，①～④までで，⑤の主任技術者または監理技術者の氏名の記載はありません。

※5
政令で定める金額以上
電気工事の場合，4,500万円以上です。

※6
通知する義務
施工体制台帳を作成するのは最も先次の事業者（発注者から直接建設工事を請け負った者）であり，下請負者については，承知していますが，さらにその下請負者については，わからないので通知し，その情報を台帳に盛り込む必要があります。

※7
監理技術者の職務
主任技術者の職務も同じです。ここはよく出題されます。

8 専任

公共性のある建物で，1件あたりの額が4,000万円以上（電気工事など28業種）の場合，主任技術者または監理技術者は専任[※8]とします。

監理技術者は監理技術者講習を修了し，監理技術者資格者証の交付を受けることが必要です。

※建築一式工事業は8,000万円以上で専任となります

9 元請負人の義務

元請負人は，下請負人に対して，次のように定められています。

- 元請負人は，前払金の支払いを受けたときは，下請負人に対して，資材の購入，労働者の募集その他建設工事の着手に必要な費用を前払金として支払うよう適切な配慮をしなければならない
- 元請負人は，その請け負った建設工事を施工するために必要な工程の細目，作業方法その他元請負人において定めるべき事項を定めようとするときは，あらかじめ，下請負人の意見を聞かなければならない
- 発注者から直接建設工事を請け負った特定建設業者は，当該建設工事の下請負人が，その下請負に係る建設工事の施工に関し，この法律の規定または建設工事の施工もしくは建設工事に従事する労働者の使用に関する法令の規定で政令で定めるものに違反しないよう，当該下請負人の指導に努めるものとする
- 元請負人は，下請負人からその請け負った建設工事が完成した旨の通知を受けたときは，当該通知を受けた日から20日以内[※9]で，かつ，できる限り短い期間内に，その完成を確認するための検査を完了しなければならない
- 元請負人は，請負代金の出来形部分に対する支払いまたは工事完成後における支払いを受けたときは，当該支払の対象となった建設工事を施工した下請負人に対して，当該元請負人が支払いを受けた金額の出来形に対する割合および当該下請負人が施工した出来形部分に相応する下請代

金を，当該支払を受けた日から1月以内で，かつ，できる限り短い期間内に支払わなければならない

● 元請負人が特定建設業者の場合，元請負人は，建設工事の完成を確認した後，下請負人が申し出たときは直ちに，当該建設工事の目的物の引渡しを受け，その申出の日から50日以内に下請代金を支払わなければならない

※8
専任
他の工事との掛け持ちはできません。

※9
20日以内
公共工事標準請負契約約款においては，工事完成通知後14日以内に検査することが定められています。

チャレンジ問題！

問1 難 中 易

工事の下請代金に関する次の記述の［　　］に当てはまる語句として，「建設業法」上，定められているものはそれぞれどれか。

「元請負人は，前払金の支払いを受けたときは，下請負人に対して，［（ア）］，労働者の募集その他建設工事の［（イ）］に必要な費用を前払金として支払うよう適切な配慮をしなければならない。」

ア　(1) 機器の調達　(2) 仮設の手配　(3) 工具の購入
　　(4) 資材の購入　(5) 仮設の契約

イ　(1) 見積　(2) 着手　(3) 施工　(4) 完成　(5) 完了

解説

「元請負人は，前払金の支払いを受けたときは，下請負人に対して，資材の購入，労働者の募集その他建設工事の着手に必要な費用を前払金として支払うよう適切な配慮をしなければならない。」と定められています。

解答　ア (4)　イ (2)

電気事業法

1 保安規程

保安規程は，電気工作物の工事，維持および運用に関する保安の確保を目的とし，電気主任技術者を中心とする電気工作物の保安管理組織，点検，検査業務の内容などの基本事項を定めたものです。事業用電気工作物設置者が作成し，経済産業大臣等に届け出ます。

※事業用電気工作物には，電気事業用電気工作物と，自家用電気工作物があります。保安規程は，自家用電気工作物だけでないことに留意してください。

経済産業大臣は，事業用電気工作物の工事，維持および運用に関する保安を確保するため必要があると認めるときは，事業用電気工作物を設置する者に対し，**保安規程**を**変更**すべきことを命ずることができます。

2 電気主任技術者の業務範囲

経済産業省令で定める**事業用電気工作物**の工事，**維持**および**運用**の範囲は，原則として，次の表の左欄に掲げる主任技術者免状の種類に応じて次の表の通りです。

電気主任技術者免状の種類	保安監督をすることができる範囲
第1種電気主任技術者免状	事業用電気工作物の工事，維持および運用
第2種電気主任技術者免状	電圧170,000V未満の事業用電気工作物の工事，維持および運用
第3種電気主任技術者免状	電圧50,000V未満の事業用電気工作物の工事，維持および運用

チャレンジ問題！

問1　　　難　中　易

主任技術者免状に関する次の記述の　　　に当てはまる数値として，「電気事業法」上，定められているものはそれぞれどれか。

「経済産業省令で定める事業用電気工作物の工事，維持および運用の範囲は，次の表の左欄に掲げる主任技術者免状の種類に応じて，それぞれ同表の右欄に掲げる通りとする。」

主任技術者免状の種類	保安の監督をすることができる範囲
1　第1種電気主任技術者免状	事業用電気工作物の工事，維持および運用(4または6に掲げるものを除く。)
2　第2種電気主任技術者免状	電圧　（ア）　V未満の事業用電気工作物の工事，維持および運用(4または6に掲げるものを除く。)
3　第3種電気主任技術者免状	電圧　（イ）　V未満の事業用電気工作物(出力5,000kW以上の発電所を除く。)の工事，維持および運用(4または6に掲げるものを除く。)
4　第1種ダム水路主任技術者免状	省略
5　第2種ダム水路主任技術者免状	省略
6　第1種ボイラー・タービン主任技術者免状	省略
7　第2種ボイラー・タービン主任技術者免状	省略

ア　(1)　17万　(2)　14万　(3)　11万　(4)　7万　(5)　6万

イ　(1)　11万　(2)　7万　(3)　6万　(4)　5万　(5)　2万

解説

第2種電気主任技術者は，電圧170,000V未満で，第3種電気主任技術者は，電圧50,000V未満の事業用電気工作物の工事，維持および運用ができます。

解答　ア（1）　イ（4）

第二次検定

練習問題

第 1 章　施工経験記述 ・・・・・・・・・・・・ 388
第 2 章　工事施工 ・・・・・・・・・・・・・・・ 390
第 3 章　電気用語 ・・・・・・・・・・・・・・・ 392
第 4 章　知識問題 ・・・・・・・・・・・・・・・ 394

令和6年以降の電気工事施工管理技術検定試験問題の見直しについて
―第二次検定 経験記述に係る問題【問題1】―

（現行）受検者の経験した工事概要を記述し，受検者の経験・知識に基づき，施工管理上の課題や対策等を解答する。

（見直し）与条件を設定した電気工事に対し，受検者の経験・知識に基づき，施工管理上の課題や対策等を解答する。

練習問題（第二次検定）

第1章　施工経験記述

▶ 記述の基本・合格答案の書き方

問1 あなたが経験した電気工事について，次の問に答えなさい。

〔1-1〕経験した電気工事について，次の事項を記述しなさい。

(1) 工事名
(2) 工事場所
(3) 電気工事の概要
　(ｱ) 請負金額（概略の額）
　(ｲ) 概要
(4) 工期
(5) この電気工事でのあなたの立場
(6) あなたが担当した業務の内容

〔1-2〕上記の電気工事の現場において，施工中に発生したまたは発生すると予想した工程管理上の問題とその理由を2つあげ，これらの問題を防止するために，あなたがとった対策を問題ごとに2つ具体的に記述しなさい。
　ただし，対策の内容は重複しないこと。

〔1-3〕上記〔1-1〕の電気工事の現場において，施工の計画から引渡しまでの間の品質管理に関して，あなたが特に留意した事項とその理由をあげ，あなたがとった対策を具体的に記述しなさい。

解答例

〔1-1〕

(1) 工事名

〇〇事務所ビル電気設備改修工事

(2) 工事場所

東京都渋谷区〇〇町△丁目地内

(3) 電気工事の概要

(ｱ) 請負金額（概略の額）

〇〇〇万円

(ｲ) 概要

①高圧変電設備改修として，PAS300Aおよび制御装置一式，CVT38□55m，引き込み経路変更に伴う，FEP100φ45m，掘削工事

変圧器単層50kV・A1台の更新工事

②電灯コンセント設備として，事務所，会議室の照明をLED40W　96台更新

③それらに伴う配線改修工事一式

(4) 工期

令和6年6月5日～10月31日

(5) この電気工事でのあなたの立場

現場主任

(6) あなたが担当した業務の内容

資機材の受入検査，工程進捗状況の確認，工事写真撮影，電工の指導等

〔1-2〕

1．工程管理上の問題と理由

平日は事務所の従業者が勤務しているため，天井の照明器具更新工事の日程調整が難しいことが予想された。

対策

①事務所勤務時間帯を除いた，早朝6時～8時と午後7時～１０時を作業時間にあてた。

②残作業は土曜日とし，室ごとの日程表を作成して事務所責任者の了解を得た。

2．工程管理上の問題と理由

掘削工事やPAS取付工事等は屋外作業が，梅雨から台風の時期にあたるため，中断，遅延のおそれが予想された。

対策

①下請けの土木工事会に梅雨明けからすぐに掘削作業できるようバックホーの確保を依頼した。

②FEPを埋設後は，晴れが3日以上連続する天気予想を基に，ケーブル引き入れ，PAS取付等を実施する工程とした。

〔1-3〕

1．留意した事項と理由

工期の終盤から，ケーブル埋設付近で造園業者が植栽を行い，掘削等により品質を損なうおそれがあったため，配管，ケーブル及びハンドホールの破損等がないように留意した。

2．対策

①高圧ケーブル埋設個所の図面を造園責任者に渡し，掘削には十分注意するよう申し入れた。

②ハンドホールの角は破損しやすいため，重機が乗らないように木製の枠で囲いを設けて養生した。

第2章 工事施工

▶ 品質管理

問1 電気工事に関する次の語句の中から2つ選び，番号と語句を記入のうえ，適正な品質を確保するための方法を，それぞれについて2つ具体的に記述しなさい。

ただし，方法の内容は重複しないこと。

1. 資材の管理
2. 合成樹脂製可とう電線管(PF管)の施工
3. 重量機器の取付け
4. 電線相互の接続

解答例

1．資材の管理

①資材の受入検査を実施した後，使用するまでの間，品質の劣化，破損等のないように適当な資材保管庫で防湿等の養生及び施錠する。

②資材の劣化や無駄に使用することのないよう，大量に納入するのではなく必要最小限を旨とする。

2．合成樹脂製可とう電線管(PF管)の施工

①壁等に露出配管する場合は，合成樹脂製サドルにて1.5m以内の間隔で固定する。

②可とう性はあるが無理な曲げは避け，接続部にはPF管用のカップリングを使用する。

3．重量機器の取付け

①地震等による引抜力とせんだん力に対抗できる長さと径のあるアンカーボルトを選定する。

②ボルトのナットは二重ナットとし，ねじ山は3山以上出るようにする。

4．電線相互の接続

①接続部の電気抵抗を増加させないよう，リングスリーブや差し込みコネクタにて強固に接続する。

②電線管内での接続は認められず，ボックス内で，できるだけ張力がかからないように接続する。リングスリーブ接続では，絶縁不良とならないようテープ巻きを行う。

※以上から2つを解答します。

▶ 安全管理

問1 電気工事に関する次の作業の中から2つ選び，番号と作業を記入のうえ，その作業において，労働災害を防止するための対策を，それぞれについて2つ具体的に記述しなさい。

ただし，対策の内容は重複しないこと。なお，保護帽の着用及び安全帯(要求性能墜落制止用器具)の着用のみの記述については配点しない。

1. クレーン等による揚重作業
2. 高圧活線近接作業
3. 酸素欠乏危険場所での作業
4. 掘削作業

解答例

1．クレーン等による揚重作業

①アウトリガーを十分張り出し，ブーム角度などから吊り上げ可能な重量を確認する。

②吊り上げ時に地切りをして，荷がロープにバランスよく水平にかけられているかを確認してから吊り上げる。

2．高圧活線近接作業

①作業者には，高圧用ゴム手袋その他の絶縁用保護具を装着させる。

②絶縁用保護具は，その日に使用を開始する前に損傷の有無や乾燥状態を点検する。

3．酸素欠乏危険場所での作業

①事業者は酸素欠乏危険作業主任者を選任し，酸素濃度の測定や入退室時の作業員人数を確認させる。

②酸素濃度が18%以上で，出来るだけ大気中の濃度である21%に近くなるように換気等を行う。

4．掘削作業

①掘削時は後方への注意がおろそかになるため，後ろで作業をしている者に対する挟まれ災害に注意する。

②掘削の深さが1.5mを超える場合，原則として山留め壁を設置して土砂の崩落を防止する。

※以上から2つを解答します。

第3章 電気用語

▶ 頻出用語と解答例

問1 電気工事に関する次の用語の中から4つ選び，番号と用語を記入のうえ，技術的な内容を，それぞれについて2つ具体的に記述しなさい。

ただし，技術的な内容とは，施工上の留意点，選定上の留意点，動作原理，発生原理，定義，目的，用途，方式，方法，特徴，対策などをいう。

1. 水車のキャビテーション
2. 汽力発電の熱効率向上対策
3. 架空電線路と比較した地中電線路の特徴
4. 電力系統の直流送電
5. 電力デマンド制御
6. サージ防護デバイス(SPD)
7. 遮断器の保護協調
8. 新4K8K衛星放送用構内共同受信設備
9. 電気鉄道の電食防止対策
10. 電気鉄道の閉そく装置

11. 交通信号の半感応制御

12. B種接地工事

解答例

1．水車のキャビテーション

①水圧が飽和蒸気圧以下に低下すると気泡が発生し，それがはじけることにより水車が振動し，騒音を発生する。

②水車のランナ（羽根車）が腐食するので，水車のランナ表面を滑らかにしたり，腐食に強い材質にするなどの対策がある。

2．汽力発電の熱効率向上対策

①ボイラからの蒸気をさらに過熱蒸気とし，高エネルギーの蒸気をタービンに吹付けて発電する。

②再生サイクル，再熱サイクルまたは，その両方の特徴を持った再熱再生サイクルを採用する。

3．架空電線路と比較した地中電線路の特徴

①雷害等による事故は少ないが，故障時の事故点の発見には時間を要する。

②対地静電容量が大きいため，深夜等の軽負荷時に受電単電圧が送電端電圧より高くなるフェランチ現象が起こりやすい。

4．電力系統の直流送電

①送電損失が少なく，大電力の長距離送電が可能である。

②交直変換所での高調波の防止対策が必要である。

5．電力デマンド制御

①自家用電気工作物の使用電力が，電力会社との契約を超過しないように監視し，負荷を制限する。

②受電電力のパルス信号を監視し，最大需要電力に近づいたら警報を発し，重要度の低い負荷を切り離す。

6．サージ防護デバイス（SPD）

①雷などで生じる瞬間的な高電圧や大電流（サージ）から電気回路を保護する装置をいう。

②サージがコンピュータなどの機器内部の回路にそのまま流れ込むと誤作動や故障の原因となり，火災になる場合もある。

7．遮断器の保護協調

①需要家の遮断器の動作時間を，電気事業者の配電用変電所の遮断器より早くして，需要家の事故が波及しないようにすることをいう。

②過電流や地絡電流について，電気事業者と協議する必要があり，地絡電流については，需要家の整定値は一般に200mAである。

8．新4K8K衛星放送用構内共同受信設備

①4Kは約800万画素，8Kは約3,200万画素を持っており，超高画質のテレビ映像である。新4K8Kは，4K・8Kの両方に対応している。

②2018年12月から，BS放送と110度CS放送でサービスがスタートしたが，新4K8Kに対応したアンテナ，ケーブル，機器が必要となる。

9．電気鉄道の電食防止対策

①レールからの漏れ電流（迷走電流）を少なくするため，電気抵抗を低減する。レールの継目にレールボンドを設ける。

②劣化した枕木の交換，線路脇排水設備の整備，絶縁パットなどを設ける。

10.電気鉄道の閉そく装置

①閉そく装置とは，電気鉄道で1列車のみに一定区間を占有させて，他の列車を運転させない装置をいう。

②列車検知装置と信号機を組み合わせて使用し，閉そくを確保することで列車の衝突や追突を防止し安全を確保する。

11.交通信号の半感応制御

①交差点の道路のうち交通量が多い方を「主道路」，少ない方を「従道路」といい，従道路側にのみ車両を感知するセンサーがついている。

②従道路に車両が来ない限り，主道路の交通流を止めずに済むが，センサーの下に停車しないと感知しない。

12.B種接地工事

①高圧または特別高圧電路と，低圧電路を結合する変圧器の低圧側中性点に施す，系統接地工事をいう。

②高圧または特別高圧電路と低圧電路が混触したとき，低圧電路の対地電圧が危険電圧まで上昇しないようにする。

第4章 知識問題

▶ 計算問題

問1 図に示す単相2線式配電線路において，C点の線間電圧の値〔V〕として，正しいものはどれか。

ただし，電線1線あたりの抵抗は，A-B間，B-C間，C-D間は，各0.1Ω，負荷は抵抗負荷とし，線路リアクタンスは無視する。

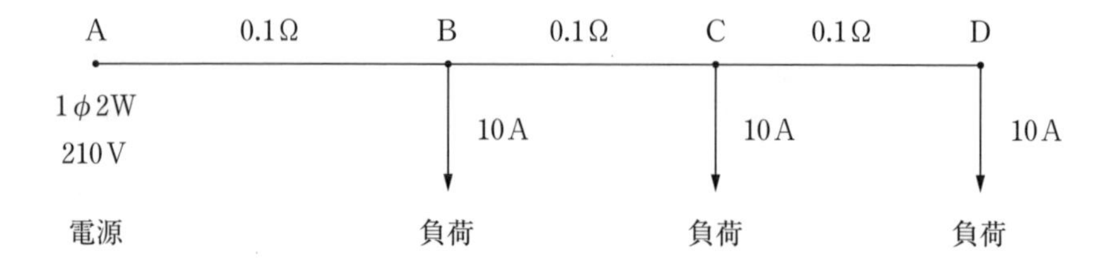

① 198V　② 200V　③ 202V　④ 205V　⑤ 206V

解説

単相2線式配電線路の単線図を複線図に書き換えると図のようになります。

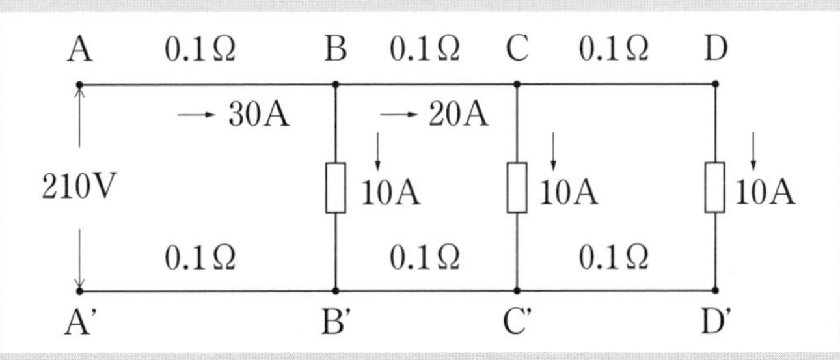

この図で，AB間の電流は30A，BC間の電流は20Aです。帰りの配電線にも電圧降下があることに留意すると，配電線の電圧降下は次のようになります。

① AA'間の電圧降下：2×30×0.1＝6V

② BB'間の電圧降下：2×20×0.1＝4V　合計10V

したがって，C点の線間電圧の値＝210－10＝200V　▶解答 ②

問2 図に示す三相6kV/200V　1,000kV·A の変圧器において，想定短絡点における三相短絡電流Isの値〔kA〕として，最も適当なものはどれか。

ただし，計算条件は次によるものとし，小数第一位を四捨五入する。

基準容量：1,000kV・A

電源から変圧器一次側端子までの％インピーダンス：0.1％

変圧器の％インピーダンス：4.7％

変圧器二次側端子から想定短絡点までの電路の％インピーダンス:0.2％

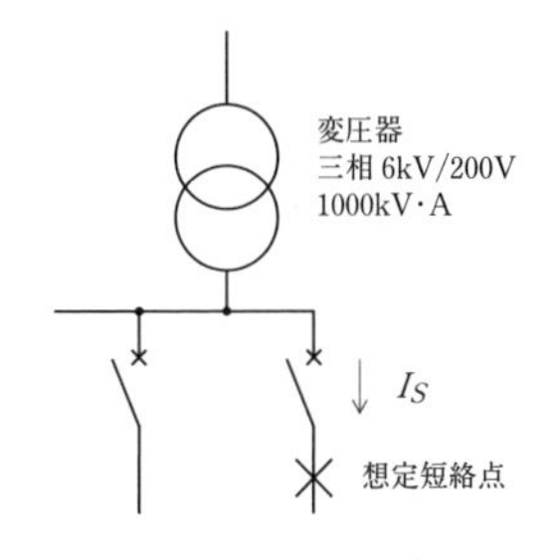

① 29kA　② 50kA　③ 58kA　④ 100kA　⑤ 173kA

解説

電源から想定短絡点までの％インピーダンスの合計＝0.1＋4.7＋0.2 ＝5％

$I=P/\sqrt{3}\cdot V=1{,}000/\sqrt{3}\cdot 200 \fallingdotseq 2.9\text{kA}$

$Is=I/\%Z=2.9/0.05 \fallingdotseq 58\text{kA}$ ▶解答 ③

問3 図に示す直径が4ｍｍ，長さが8ｋｍの一様な断面積を持つ直線状の電線の抵抗値〔Ω〕として，最も適当なものはどれか。

ただし，電線の抵抗率は1.57×10^{-8} Ω・ｍとする。

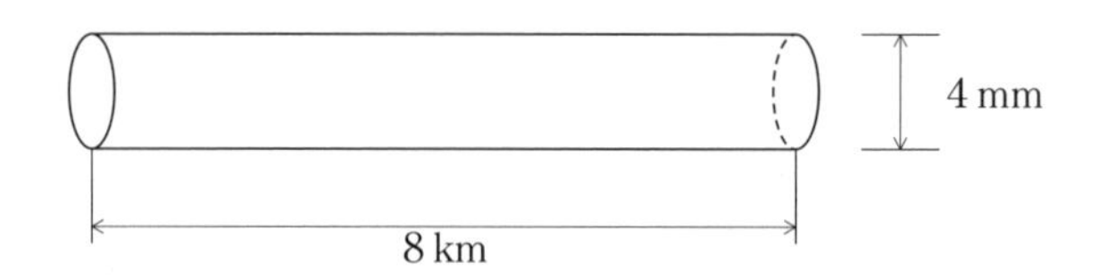

① 0.01 Ω　② 0.1 Ω　③ 0.4 Ω　④ 2.5 Ω　⑤ 10 Ω

解説

$R=\rho L/S=1.57\times10^{-8}\times8\times10^{3}/(2\times10^{-3})^{2}\pi=10\,\Omega$

※ すべて長さの単位をｍに換算して計算します。 ▶解答 ⑤

問4 図に示す高低圧架空配電線路の引留箇所において，電線の水平張力を支線で支えるとき，電柱の支線に必要な引張強さT〔kN〕の値として，最も適当なものはどれか。

ただし，支線は1条とし，安全率を1.5とする。

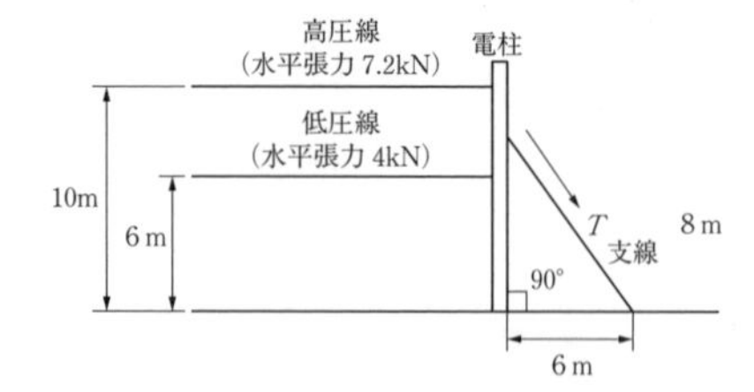

① 12kN　② 18kN　③ 20kN　④ 30kN　⑤ 45kN

解説

電柱の根際における回転モーメントの釣り合いを考えます。

① 時計回りの回転モーメント$=T\times6/10\times8=4.8T$（直角三角形の斜辺の長さは10mになる）

② 反時計回りの回転モーメント$=7.2\times10+4\times6=96$

①=②より，$T=20$　安全率を1.5とするので，$20\times1.5=30$kN　▶解答 ④

▶ 法規

問1 軽微な建設工事に関する次の記述の［　］に当てはまる語句として，「建設業法」上，定められているものはそれぞれどれか。

「政令で定める軽微な建設工事は，工事一件の請負代金の額が［　ア　］万円（当該建設工事が建築一式工事である場合にあっては，［　イ　］万円）に満たない工事または建築一式工事のうち延べ面積が150㎡に満たない木造住宅を建設する工事とする。」

ア　① 100　② 300　③ 500　④ 700　⑤ 1000

イ　① 1000　② 1500　③ 2000　④ 2500　⑤ 3000

解説

建設業法　第3条　建設業を営もうとする者は，次に掲げる区分により，この章で定めるところにより，二以上の都道府県の区域内に営業所を設けて営業をしようとする場合にあっては国土交通大臣の，一の都道府県の区域内にのみ営業所を設けて営業をしようとする場合にあっては当該営業所の所在地を管轄する都道府県知事の許可を受けなければならない。ただし，政令で定める軽微な建設工事のみを請け負うことを営業とする者は，この限りでない。

建設業法施行令　第1条の2　法第三条第一項ただし書の政令で定める軽

微な建設工事は，工事一件の請負代金の額が500万円（当該建設工事が建築一式工事である場合にあっては，1,500万円）に満たない工事または建築一式工事のうち延べ面積が150㎡に満たない木造住宅を建設する工事とする。

以上より，建設業許可のいらない，政令で定める軽微な建設工事とは，電気工事など28業種にあっては，工事一件の請負代金の額が500万円未満です。一方，建築一式工事の場合には，1,500万円未満の工事または延べ面積が150㎡に未満の木造住宅を建設する工事です。

▶解答 ア ③ イ ②

問2 建設工事の請負契約に関する次の記述の[　　]に当てはまる語句として，「建設業法」上，定められているものはそれぞれどれか。

「委託その他いかなる[　ア　]をもってするかを問わず，報酬を得て建設工事の[　イ　]を目的として締結する契約は，建設工事の請負契約とみなして，この法律の規定を適用する。」

ア ① 業務 ② 方法 ③ 立場 ④ 名義 ⑤ 資格

イ ① 完成 ② 着工 ③ 許可 ④ 設計 ⑤ 発注

解説

建設業法第2条2項　この法律において「建設業」とは，元請，下請その他いかなる名義をもってするかを問わず，建設工事の完成を請け負う営業をいう。

第24条　委託その他いかなる名義をもつてするかを問わず，報酬を得て建設工事の完成を目的として締結する契約は，建設工事の請負契約とみなして，この法律の規定を適用する。

以上より，委託その他いかなる名義をもってするかを問わず，報酬を得て建設工事の完成を目的として締結する契約は，建設工事の請負契約とみなして，この法律の規定を適用します。

▶解答 ア ④ イ ①

問3 電気工作物の工事に関する次の記述の[　　]に当てはまる語句として，「電気事業法」上，定められているものはそれぞれどれか。

「事業用電気工作物の設置または変更の工事であって，公共の安全の確保上特に重要なものとして主務省令で定めるものをしようとする者は，その工事の[　ア　]について主務大臣の[　イ　]を受けなければならない。ただし，事業用電気工作物が滅失し，若しくは損壊した場合または災害その他非常の場合において，やむを得ない一時的な工事としてするときは，この限りでない。」

ア　①　計画　②　保安規程　③　実施　④　技術基準
　　⑤　監督
イ　①　安全管理審査　②　認可　③　使用前検査　④　評価
　　⑤　立入検査

解説

電気事業法　第47条　事業用電気工作物の設置または変更の工事であって，公共の安全の確保上特に重要なものとして主務省令で定めるものをしようとする者は，その工事の計画について主務大臣の認可を受けなければならない。ただし，事業用電気工作物が滅失し，若しくは損壊した場合または災害その他非常の場合において，やむを得ない一時的な工事としてするときは，この限りでない。

▶解答　ア　①　イ　②

索　引

あ行

アーク……91
アークホーン……106
アーマロッド……104
アイランド工法……180
アウトリガー……361
圧縮式冷凍機……170
あばら筋……188
油入コンデンサ……53
油入変圧器……48, 92
油遮断器……91
歩み板……236
異形鉄筋……187
一級建築士……280, 281
一般形精密級照度計……230
一般建設業許可……260
色温度……70
インダクタンス……21, 64
インバータ……133
インピーダンス……22
飲料用受水槽……173
塩害対策……107
円形状導体……14
演色性……70
応力……190
オームの法則……3
乙種消防設備士……290
踊場……236
帯筋……188
親杭横矢板……180

か行

外気冷房制御……170
界磁……43
回線選択継電方式……99
回転界磁形……43
回転電機子形……43
回復充電……133
解列……114
架空地線……105
かご形誘導電動機……46
ガス遮断器……91
ガス絶縁開閉装置……94, 366
ガス絶縁変圧器……48, 92
ガスタービン機関……130
ガス溶接作業主任者……239
仮設計画……206
仮設照明……234
架設通路……236
カテナリ照明……163
過電流継電方式……99
過熱器……85
簡易接触防護措置……252
乾式コンデンサ……53
環状コイル……18
カント……160
ガントチャート工程表……212
監理技術者……264, 381
管理図……226
き電線……157
き電方式……158
輝度……69
輝度均斉度……162
客席誘導灯……143
逆潮流……114
逆電力継電器……101
逆フラッシオーバ……106
キャビテーション……82
給気温度制御……170
吸収式冷凍機……170
給水加熱器……84
キュービクル式高圧受電設備……119
曲線式工程表……211
局線中継台方式……150
居室……144, 278
虚数……22
距離継電方式……99
汽力発電……84
キルヒホッフの第1法則……4, 376
金属管工事……249, 250
金属線ぴ……251
金属ダクト工事……249, 251
均等充電……133
クイックサンド現象……179
空気調和……167, 168
空気予熱器……84
クーリングタワー冷却方式……131
クーロンの法則……10
掘削工事……178
クリティカルパス……216
グレア……70, 162
警戒区域……141
径間逆フラッシオーバ……106
計器用変成器……94
蛍光ランプ……71
系統連系……86, 365
ケーブル工事……249, 250
結合法則……39
結線……25
煙感知器……142, 195
建設業許可……260, 379
建設業者……259
建設工事標準下請契約約款……199
建築士……280
建築設備士……280
建築物……277
減能グレア……70, 162
現場代理人……198, 262
現場搬入検査……357
限流リアクトル……65
コイル回路……23
高圧活線近接作業……361

高圧カットアウト
…………………119, 120
高圧気中負荷開閉器……118
高圧ナトリウムランプ……72
交換法則………………39
公共工事標準請負契約約款
……………………197
高周波点灯専用形蛍光ランプ
……………………72
甲種消防設備士……209, 290
工種別施工計画書………204
高所作業車……237, 239, 361
鋼心アルミより線………102
合成樹脂管工事……249, 250
構造物取付照明…………163
光束……………………69
光束法…………………122
剛体ちょう架式…………158
高置水槽方式……………172
工程管理…………………352
光電式分離型感知器……142
構内交換設備……………150
鋼矢板……………………180
高欄照明…………………163
交流き電方式……………159
交流連係…………………100
コージェネレーション…131
骨材………………………187
コロナ……………………66
混合器……………………148
コンデンサ……………7, 53
コンデンサ回路…………23
コンバインドサイクル発電
…………………88, 365
コンパウンドカテナリ式
……………………158

さ行

サーボ制御………………35
サーマルリレー…………125
再資源化…………………292
再生サイクル……………60
最早開始時刻……215, 216
最早完了時刻……………215
最遅開始時刻……………215
最遅完了時刻……215, 218
再熱器……………………85
再熱サイクル……………60
再熱再生サイクル………61
再閉路方式………………100
作業床……………………234
差動式スポット型感知器
……………………141
作用静電容量……………109
三相交流…………………25
三相3線式………374, 375
三相誘導電動機…………77
酸素欠乏危険作業主任者
………………239, 240
残存容量…………………74
三電圧計法………………32
三電流計法………………31
残留磁気…………………52
シーケンス図……………34
シーケンス制御…………34
シール形蓄電池…………74
シールド接地……………247
磁化………………………12
磁界………………………12
磁気遮断器………………91
視機能低下グレア………162
事業用電気工作物
……………269, 270, 384
軸方向力…………………190
自己インダクタンス……17
自己誘導…………………17
磁性体……………………12
磁束………………………16
下請負人…………………259
下請契約…………………259
実効値……………………20
実行予算書………………204
室指数……………………122
湿潤状態…………………189
指定建設業………………259
自動火災報知設備
………140, 208, 254, 368
自動再閉路方式…………106
始動補償器法……………78
自動列車運転装置………160
自動列車制御装置………159
自動列車停止装置………159
地盤アンカー……………181
地盤アンカー工法………181
地盤改良…………………177
遮断器……………91, 118
遮断容量…………………65
集合形コンデンサ………53
自由電子…………………9
充電電流…………………110
充電容量…………………110
周波数低下継電器………101
主遮断設備………………119
出力過電流………………134
出力特性曲線……………77
主任技術者……264, 270, 381
需要家……………………97
主要機器…………………117
省エネルギー率…………132
蒸気圧……………………71
蒸気タービン………59, 88
昇降設備…………………237
常時商用給電方式………134
照度………………………69
衝動水車…………………81
照度均斉度………………70
消防対象物………………289
照明率……………………122
触媒栓……………………74
シリコン太陽電池………86
自立運転…………………114
磁力………………………12
磁路長……………………18
真空遮断器………………91
真空の誘電率……………9
シングルモードファイバ
……………………154
進相コンデンサ…………118

振動コンパクタ………182
振動締固め……………189
振動ローラ……………182
シンプルカテナリ式……158
真理値表………………39
吸上変圧器……………159
水銀ランプ……………71
水準測量………………184
水準点…………………185
吸出し管………………81
水道直結増圧方式………172
水道直結直圧方式………172
水平切梁工法……………180
水和反応………………189
ステップ制御……………55
スラック………………161
スランプ値……………189
スリートジャンプ………104
スリーブ………………191
正き電線………………157
静止形無効電力補償装置
……………………55
成層鉄心………………47
静電エネルギー…………8
静電容量………………7, 9, 21
赤色灯…………………144
施工計画書……………203
施工体系図……………266, 381
施工体制台帳……………266, 380
施工要領書……………205
絶縁耐力試験……………229, 369
絶縁バリア……………119
絶縁用防具……………233, 361
絶縁用保護具……………233, 361
設計図書………………197, 280
接触電線………………157
絶対温度………………70
接地開閉器……………94
接地極…………………137
設備不平衡率……………120
全数検査………………228
全電圧始動法……………77
線路定数………………102
線路無電圧確認装置……114
ソイルセメント柱列土留め壁
……………………180
造営材…………………128
総括安全衛生管理者……285
総合エネルギー効率……132
総合施工計画書…………204
相互誘導………………18
相電圧…………………50
増幅器…………………149
損失計算………………149

た行

第1種電気主任技術者免状
……………………384
第2種電気主任技術者免状
……………………384
第3種電気主任技術者免状
……………………384
第一種電気工事士………274
第二種電気工事士………274
大地帰路方式……………67
第二種酸素欠乏危険場所
……………………240
ダイヤルイン方式………150
タイヤローラ……………181
ダイレクトインダイヤル方式
……………………150
ダイレクトインライン方式
……………………150
タクト工程表……………212
ダクト併用ファンコイル
ユニット方式……………168
多導体…………………66
ダリウス形風車…………87
単巻変圧器……………159
単線結線図……………117
単相交流………………20, 31
単相2線式………………374, 375
単相3線式……374, 375, 376
単導体…………………66
断熱膨張………………59
ダンパ…………………104, 170
タンピングローラ………182
単母線方式……………92
短絡電流………………64, 124
短絡比…………………44, 45
短絡方向継電器…………101
断路器…………………91, 118
地球温暖化係数…………95
地中管路工事……………253
抽気……………………60
中性点接地方式…………103
ちょう架線……………157
調相設備………………54, 93
直撃雷…………………105
直線状導体……………14
直流き電方式……………158
直流送電………………67
直列ユニット……………149
直列リアクトル…………118
直結ラジエータ冷却方式
……………………130
直交座標………………22
地絡過電圧継電器………101
地絡過電流継電器………101
地絡遮断装置……………124
通気管…………………175
通路誘導灯……………143
低圧ナトリウムランプ……71
ディーゼル機関…………130
ディーゼル発電機………206
抵抗率…………………3
定風量単一ダクト方式…168
ディペンデントフロート
……………………215
適合マーク……………231
鉄損……………………49
デマンド………………152
デミングサイクル………223
デルタ結線……………25, 50
電圧フリッカ……………113
電圧変動率……………45
電界……………………6
電気計器………………29
電気工作物……………269

電気工事士法…………274
電気主任技術者……270, 384
電気通信事業法………275
電気力線………………6
点光源…………………72
電磁接触器……………34
電磁誘導………………63
電磁誘導の法則………16
電主熱従運転…………131
転送遮断装置…………114
伝達関数………………35
点電荷…………………10
電動機…………77, 127
点滅形誘導音装置付誘導灯
……………………367
電力需給用計器用変成器
……………………118
電力デマンド……151, 366
電力用コンデンサ………55
電力量……………………5
投下設備………………236
統括安全衛生責任者……286
統括防火管理者…………289
同期インピーダンス
…………………44, 45
同期調相機………………55
同期発電機………………43
同期リアクタンス………45
同軸ケーブル…………148
道床……………………160
透磁率……………………18
銅損………………………49
等電位ボンディング
………………137, 368
導電率……………3, 102
トータルフロート……216
特殊形照度測定器……230
特殊建築物……………277
特殊電気工事資格者……274
特性要因図……………226
特定建設業許可………260
特定建設業者
……………380, 382, 383
特定建設資材…………292
特定元方事業者………285
土質調査………………177
土留め…………………179
トラス構造……………192
トラップ………………174
トリクル充電…………132
トレーサビリティ
………………224, 228
トレンチ………………181
トレンチカット工法……180
トロリ線………………157
トンネル照明…………163

な行

内部抵抗…………………30
鉛蓄電池…………………74
二級建築士……………280
二酸化炭素……………188
二重母線方式……………93
二電力計法………………32
認定電気工事従事者……274
抜取り検査……………228
熱源設備………………167
熱サイクル………………59
熱電比…………………132
ネットワーク工程表……212
ネットワークトポロジー
……………………147
熱膨張率………………188
燃料電池…………75, 365

は行

バーチャート工程表……211
ハイインピーダンス出力方式
……………………151
排煙設備………………290
パイピング現象………179
ハイマスト照明………163
倍率器……………………31
パイロット継電方式……99
はく電極コンデンサ……53
白熱電球…………………70
パケット………………368
場所打ち RC 土留め壁…180
バスダクト工事……249, 250
発生熱量…………………5
発注者…………………259
発熱線等………………128
バナナ曲線……………211
パルスレーダ法………111
パレート図……………227
ハロゲン電球……………70
パワーコンディショナー
……………………86
搬送設備………………167
パンタグラフ…………157
反動水車…………………81
半導体接合部……………86
ピークカット運転……131
ヒートポンプ方式……169
ヒービング現象………179
非火災報………………140
光起電力効果……………86
光ファイバ……………153
光ファイバ複合架空地線
……………………365
非常コンセント………143
非常用照明………144, 231
ヒステリシスループ……12
ヒステリシス損…………12
ヒストグラム…………226
皮相電力…………………26
比速度……………………82
避難口誘導灯…………143
微風振動………………104
微粉炭器…………………84
比誘電率…………………9
表皮効果………63, 64, 366
避雷器…………………118
品質管理……223, 224, 353
ファイアウォール……148
フィードバック制御……35
風力発電…………………87
フェランチ現象……109, 366
不快グレア……………162

負荷時タップ切換変圧器 ……………………… 92
不活性ガス ………… 71, 243
負荷開閉器 ……………… 94
負き電線 ……………… 157
復水器 ………………… 84
浮動充電 ……………… 132
不平衡絶縁方式 ……… 107
フラッシオーバ ……… 106
フランシス水車 ……… 57, 81
フリーフロート ……… 215
ブリッジ回路 …………… 24
ブレーンストーミング … 227
フレミング ……………… 14
フロアヒーティング …… 128
フロート ……………… 215
プロペラ形風車 ………… 87
分散型電源 ……… 114, 365
分散中継台方式 ……… 150
分配器 ………………… 149
分配法則 ………………… 39
分別解体等 …………… 292
分流器 …………………… 30
分路リアクトル ………………… 55, 366
平均路面輝度 …… 162, 163
平行２回線受電方式 …… 97
平板測量 ……………… 184
ペースト式 ……………… 74
ベースロード運転方式 … 131
ベースロード電源 ……… 89
ペリメータ負荷 ……… 169
ペルトン水車 ……… 57, 81
変圧器 …… 47, 48, 49, 50, 92
ベント形蓄電池 ………… 74
変風量単一ダクト方式 … 168
保安規程 ………… 270, 384
保安装置内蔵コンデンサ ……………………… 53
ボイリング現象 ……… 178
防火管理者 …………… 289
防火対象物 ……… 140, 289
放射束 …………………… 69
放電終止電圧 …………… 74
ポール照明 …………… 163
保護協調 ……………… 124
保護継電システム ……… 98
保守バイパス ………… 133
保守率 ………………… 123
炎感知器 ……………… 368
ボビン ………………… 253
ポンプユニット ……… 172

ま行

マーレーループ法 …… 111
曲げモーメント ……… 190
マルチモードファイバ … 154
右ねじの法則 …………… 13
水セメント比 ………… 189
ミドル電源 ……………… 89
無窓階 ………………… 289
メーク接点 ……………… 34
メガソーラー …………… 86
メタルハライドランプ …. 71
モールド変圧器 ………… 48
木造建築士 …………… 280
元請負人 …… 259, 262, 382
漏れ磁束 ………………… 19

や行

有効電力 ………………… 26
有線電気通信工事 …… 255
誘電体 …………………… 9
誘電体損失 ……………… 67
誘導起電力 ………… 16, 63
誘導灯 ………………… 142
誘導発電機 ……………… 46
誘導雷 ………………… 105
油入変圧器 ……………… 48
要求性能墜落制止用器具 ……………………… 240

ら行

ラーメン構造 ………… 192
ランキンサイクル ……… 59
ランナ …………………… 81
ランプ効率 ……………… 71
リアクタンス …………… 21
リアクトル ……………… 54
理想変圧器 ……………… 47
理論水力 ………………… 57
りん酸形燃料電池 ……… 75
ループ受電方式 ………… 97
励磁突入電流 …………… 52
ロードローラ ………… 181
路盤 …………………… 160

わ行

ワーカビリティ ……… 189

英数字

２種硬銅より線 ……… 102
AND回路 ………… 38, 40
AT き電方式 ………… 159
BACnet ……………… 151
BEMS ………………… 151
BT き電方式 ………… 159
CATV ………………… 148
CO_2 濃度制御 ………… 170
ISO ……………… 146, 224
LAN …………………… 147
Lon Works …………… 151
NAND 回路 ……… 38, 40
NAS 電池 ……………… 76
NOR 回路 ………… 38, 40
NOT 回路 ………… 38, 40
OR 回路 …………… 38, 40
OSI 基本参照モデル …… 146
P-V 線図 ……………… 60
S 字曲線 ……………… 211
SF_6 ガス ……………… 48
T-S 線図 ……………… 60
VLAN 機能 …………… 147

●関根康明

一級建築士事務所SEEDO（SEkine Engineering Design Office）代表。株式会社SEEDO代表取締役。事務所ビル，学校，公園等の設計，現場監理，高等技術専門校指導員等を経て，株式会社SEEDOを設立。現在は，全国各地への出張講習やリモート講習にて，国家資格取得の支援を行っている。取得している主な国家資格は，1級電気工事施工管理技士，1級管工事施工管理技士，1級建築施工管理技士，1級建築士，建築設備士，建築物環境衛生管理技術者等。
著書は，『すらすら解ける 1級電気工事施工管理技士合格問題集（オーム社）』『ラクラク突破 解いて覚える消防設備士甲種4類 問題集（エクスナレッジ）』『スーパー暗記法合格マニュアル 1級電気工事施工管理技士（日本理工出版会）』『電験・電気工事士試験に役立つ 電気の公式ウルトラ記憶法（電気書院）』『1級管工事 超速マスター（TAC出版）』等，30冊を超える。
SEEDOホームページ：https://seedo.jp

1級電気工事施工　超速マスター［第2版］

2023年1月25日　初版　第1刷発行
2024年11月20日　第2版　第1刷発行

著　者　関根康明
発行者　多田敏男
発行所　TAC株式会社　出版事業部
（TAC出版）
〒101-8383　東京都千代田区神田三崎町3-2-18
電 話 03（5276）9492（営業）
FAX 03（5276）9674
https://shuppan.tac-school.co.jp
組　版　株式会社　エディポック
印　刷　株式会社　光邦
製　本　株式会社　常川製本

ISBN 978-4-300-11257-1
N. D. C. 510

書籍の正誤に関するご確認とお問合せについて

書籍の記載内容に誤りではないかと思われる箇所がございましたら、以下の手順にてご確認とお問合せをしてくださいますよう、お願い申し上げます。
なお、正誤のお問合せ以外の**書籍内容に関する解説および受験指導などは、一切行っておりません。**
そのようなお問合せにつきましては、お答えいたしかねますので、あらかじめご了承ください。

1 「Cyber Book Store」にて正誤表を確認する

TAC出版書籍販売サイト「Cyber Book Store」の
トップページ内「正誤表」コーナーにて、正誤表をご確認ください。

CYBER BOOK STORE TAC出版書籍販売サイト

URL:https://bookstore.tac-school.co.jp/

2 1の正誤表がない、あるいは正誤表に該当箇所の記載がない ⇒ 下記①、②のどちらかの方法で文書にて問合せをする

★ご注意ください★

お電話でのお問合せは、お受けいたしません。
①、②のどちらの方法でも、お問合せの際には、「お名前」とともに、
「対象の書籍名(○級・第○回対策も含む)およびその版数(第○版・○○年度版など)」
「お問合せ該当箇所の頁数と行数」
「誤りと思われる記載」
「正しいとお考えになる記載とその根拠」
を明記してください。
なお、回答までに1週間前後を要する場合もございます。あらかじめご了承ください。

① ウェブページ「Cyber Book Store」内の「お問合せフォーム」より問合せをする

【お問合せフォームアドレス】

https://bookstore.tac-school.co.jp/inquiry/

② メールにより問合せをする

【メール宛先 TAC出版】

syuppan-h@tac-school.co.jp

※土日祝日はお問合せ対応をおこなっておりません。
※正誤のお問合せ対応は、該当書籍の改訂版刊行月末日までといたします。

乱丁・落丁による交換は、該当書籍の改訂版刊行月末日までといたします。なお、書籍の在庫状況等により、お受けできない場合もございます。
また、各種本試験の実施の延期、中止を理由とした本書の返品はお受けいたしません。返金もいたしかねますので、あらかじめご了承くださいますようお願い申し上げます。

(2022年7月現在)